Society 5.0（ソサエティ5.0）のアーキテクチャ

人中心で持続可能なスマートシティのキーファクター

日立東大ラボ　H-UTokyo Lab.
Hitachi and UTokyo Joint Research

日本経済新聞出版

Prologue

はじめに

将来ビジョンとしてのSociety 5.0とその実現のアーキテクチャ

将来ビジョンとしてのSociety 5.0

2016年1月に閣議決定された「第5期科学技術基本計画」においてSociety 5.0の将来ビジョンが提唱されて以後、日本発の科学技術が主導する将来ビジョンであるSociety 5.0の考え方は国内外に広く知られることとなった。5.0には、狩猟社会（1.0)、農耕社会（2.0)、工業社会（3.0)、情報社会（4.0）に続く5番目の社会との意味が込められており、同基本計画では、経済発展と社会的課題の解決を両立する、人間中心の社会の実現をめざすとしている。そのための中心技術が、「サイバー空間とフィジカル空間（現実空間）を高度に融合させたシステム」である。

日立東大ラボ[1]の編著により、2018年10月に刊行した前著『Society（ソサエティ）5.0　人間中心の超スマート社会』（日本経済新聞出版）は、Society 5.0の考え方を解題するとともに、デジタルトランスフォーメーション（DX）に寄与することをめざした研究成果をとりまとめたものであるが、既に多くの方々にお読みいただいてきた。同書の刊行時は、日本のスマートシティについては東日本大震災後の電力エネルギーの問題に対応したエネルギーマネジメントを主に指向した取り組みが着目されていた時期でもあり、スマートグリッドに代表される先行事例の考え方をさらに進化させたSociety 5.0の考え方を解題して、その展望を論じてきた。その後、Society 5.0のビジョン実現のための政策や関連事業が全国各地で実施される中、多くの多様なタイプのスマートシティの事業が実装されるに至っている。

同書の英訳版は、Springer Natureより『Society 5.0 A People-centric

Super-smart Society』[2] として刊行され、中国語版は机械工業出版社より『社会 5.0　以人為中心的超級智能社会』[3] として刊行された。これら翻訳書刊行を通じて、海外においてもSociety 5.0のビジョンを広く知り、理解を深めていただく上で少なからず貢献できたものと考えている。前著と訳書の刊行にあたり、ご尽力いただいた執筆者や関係者の方々に改めて感謝申し上げたい。

デジタル革命・ICT革命がもたらす課題

振り返れば2016年以降、社会、技術の変化には予想を超えたものがあった。仮想通貨が「暗号資産」という名で日本の法律で規定されたのが2016年であり、2020年からのビットコインの高騰とその後の下落は、デジタル経済への関心を大いに高めることとなった。

デジタル革命とICT（情報通信技術）革命を経て、いまやデジタル技術やICTは人間社会の隅々までいきわたり、人類はこの二つの技術的な革命を短期間のうちに余儀なく受け入れ、人の営みや環境は飛躍的な進化を遂げつつある。しかしながら、歴史上の革命が常に特定の地域や階級に恩恵をもたらす傾向にあったように、デジタル革命・ICT革命においても、目まぐるしい変革の恩恵を享受して利便性や収益性などを向上させている地域や階級（現代社会における年齢階層、業種、企業など）に偏りが生じ、地域間、階層間、企業間での格差が広がることも懸念されている。

2015年9月の国連サミットにおいて加盟国の全会一致で採択されたSDGs（Sustainable Development Goals、持続可能な開発目標）の言葉は、学校教育の場のみならず、テレビのバラエティ番組でもしばしば取り上げられる日常語となってきた。「誰一人取り残さない（No one left behind）」の理念は、世界中に受け入れられているが、デジタル革命・ICT革命後の社会をSDGsの理念に沿いながらいかに進化させていくのかが問われている。

一方、2021年9月にデジタル庁を創設し、デジタル改革に取り組む日本の政策の説明において、しばしば使用される「デジタルトランスフォーメーション（DX）」は、2004 年にスウェーデン・ウメオ大学のエリック・ストルターマン教授（Erik Stolterman）により提唱された概念とされる[4]。同教授によるとDXは「ICTの浸透が人々の生活をあらゆる面でより良い方向に変化させること」と定義されており、このDXの概念は、まさにSociety 5.0で提唱された将来ビジョンと軌を一にするデジタル革命・ICT革命の進むべき方向を指し示している。

しかしながら、先述の通り、デジタル革命・ICT革命後の技術革新の波及効果とそれがもたらす恩恵は、一部の地域や階層や業種に限定され、DXやSociety 5.0が本来めざす社会をデジタル技術やICTの普及を通じて実現させるには、乗り越えなければならない壁が随所にあることは否めない。

また、日本では「デジタル」と「田園都市」とを融合した「デジタル田園都市国家構想」が国の政策として掲げられ、その実装をめざす取り組みが各地で進む。それに対し、持続的で人中心の超スマート社会を創出する方法論は未だ確立されていないと言える。本書はそうした問題意識の下に取り組んできた日立東大ラボの研究成果や知見を広く公表し、Society 5.0の実現に向けた各地でのスマートシティの取り組みに寄与することをめざし、刊行するものである。

求められるSociety 5.0実現のアーキテクチャ

「田園都市」は、20世紀の近代都市計画に大きな変革をもたらした思想として、世界的に知られている。「田園都市」の提唱者である英国の都市計画家エベネザー・ハワード（Sir Ebenezer Howard、1850～1928年）が、20世紀初頭の1903年に田園都市株式会社を設立し、「田園都市」の思想を実現させる取組みに着手してから約120年の歳月が経つ。

産業革命後の工業社会（Society 3.0）が進展する中、19世紀末から20世紀にかけて、労働者階級が都市部で劣悪な環境での生活を強いられ、革命が起きてもおかしくないほどに欧州社会が緊張していた時代である。ハワードは、その著書『明日の田園都市』[5]において、都市の良さと田園の良さを融合させた「田園都市」の思想と共に、その思想の実現に向けた方法論としての田園都市の経営法を提唱した。1898年に刊行された本書の原題は、「Tomorrow: A Peaceful Path to Real Reform（明日－真の改革に至る平和な道）」である。産業革命後の都市が抱える問題を革命によらず、平和的に解決する方法（著書の副題にある平和な道）として、田園の良さと都市の良さを兼備した「田園都市」の思想をハワードは提唱し、自らの思想の実現に生涯をささげた。その思想と方法論が世界中に普及し、20世紀を通じて、田園都市が世界各地に創出されてきたのである。

このようにハワードが思想としてだけでなく、その方法論とも言うべき経営法を含めた田園都市論を提唱したのに対し、「Society 5.0」は、科学技術基本計画において、科学技術が先導する将来ビジョンとして端的に示されたのに留まり、その構築法であるアーキテクチャは明確に提示されておらず、実現の方法論は各自治体や民間企業などに委ねられているのが実状である。

現代に話を戻すと、2020年初頭からのCOVID-19のパンデミックを経て、オンライン会議システムを含めデジタル技術やICTの普及は更に加速し、リモートワークの普及など日常生活に大きな変革をもたらしてきたことは誰しもが感じているところである。多くの人的、社会的犠牲を伴いながらも、テレワークや遠隔学習のインフラ普及が加速されたことは、働き方や学び方、住む場所の選び方、生活者の意識も変え、企業のオフィス空間のあり方も変えた。昨今では、web 3.0（分散型インターネット）やメタバース（仮想現実）といった、革新的な新技術が現れ、生活の利便性のみならず、人々の価値観までも大きく変えるのではないかと予感されている。

デジタル技術とICTの普及と生活の変化は、コロナ禍を経て加速されてきたと言えるが、その傾向を追い風として、普及した道具立てをいかに活用して、人中心で持続可能な社会としてのSociety 5.0のビジョン実現へとつなげていくかといった構築法については、未だ社会に共有されるに至っていない。内閣府から「Society 5.0リファレンスアーキテクチャ」[6]が提示されるにとどまっており、スマートシティなどの各分野において、様々な都市・地域に適用応可能なSociety 5.0のアーキテクチャの創出と共有が求められる。

アーキテクチャの意味

本書のタイトルにある「アーキテクチャ（Architecture）」という用語を日本人が聞いて、最初に思いつくのは「建築」という訳語だと思うが、建築分野におけるアーキテクチャは、厳密には建物（Building）とは異なる概念である。第1章でふれるが、アーキテクチャとは、それぞれの地域や時代における建物（Building）をつくり上げる術や構築する方法を意味し、地域や時代固有の様式としても認識される概念である。建築分野におけるアーキテクチャは、地域固有の気候・風土、材料（石材、木材、土など）、生活様式などのリアルな地域条件と、居住、営み、レクリエーションなどのクライアントによって求められる仮想的な欲求機能との間に立ち、建物といった空間をかたちづくることであると言える。

すなわち、アーキテクチャはつくり上げる術や構築する方法を意味する用語としてとらえられ、見方を変えると、地域の気候風土や材料などのリアルな地域条件と仮想的な欲求される機能との間をつなぎ、空間を創出する方法・技術・理論であるとも言える。アーキテクチャにもとづき、その結果出来上がるものが建築物もしくは建物（Building）である。したがって、建築に該当するArchitectureの英語は抽象名詞であり、複数形はないと考えられ、その意味するところは、地域固有の条件と求められる機能との間をつなぎ、空間をかたちづくる術であると言える。

また、計算機工学やICTの分野でもアーキテクチャの用語は使用され、自動車や船舶等の製造業においても使用される。ソフトウェアやハードウェアそれぞれにおける設計の上位概念にあたり、全体的な基本構造や組織、構成要素の配置や組み立てるプロセスなど、分野ごとに具体的な意味は微妙に異なるが、重要な概念であることから、詳しく学びたい読者の方々にはそれぞれの分野ごとの意味を文献資料などでご確認いただきたい。

本書では、Society 5.0のビジョンを実現するアーキテクチャを主題とし、その概念と副題にある人中心で持続可能なスマートシティのキーファクターとの関係については、第1章ならびに第3章でふれることとする。

Society 5.0リファレンスアーキテクチャを補完するプラス要素

2011年にドイツが提唱したIndustry 4.0がスマートファクトリーといったものづくりの分野に主眼を置いているのに対し[7]、Society 5.0はスマートシティ（まちづくり）やスマートファクトリー（ものづくり）などの分野を包含する未来社会のビジョンである。すなわち、スマートシティもSociety 5.0の分野群のうちの一つであるととらえられる。

Society 5.0の考え方に基づくスマートシティを、対象とする都市・地域において構築することは、換言すれば、Society 5.0の「サイバー空間とフィジカル空間（現実空間）とを融合させた取り組み」を都市・地域に適用することになり、そのためには地域の特性や地域住民らの価値観に応じたつくり方（工法と実現手順）が求められることとなる。本書の狙いの一つは、そのための方法論の共有にある。

また、既に内閣府の下での会議では「Society 5.0リファレンスアーキテクチャ」[6]が検討されており、内閣府が所管する戦略的イノベーション創造プログラム（SIP）の成果として「スマートシティリファレンスアーキテクチャ」[8]が公表されている。ただ、これらのアーキテクチャは（特に前者は）、インターオペラビリティ（相互運用性）を重視した汎用性の高い考え方を構造化したものであり、実際の都市や地域に適用し、人中心で持続可能なスマートシティを構築し、マネジメントする上では、これまでの都市計画や住民参加のまちづくりで培った知見などを含め補完していく必要がある。

自治体や企業の主導によるスマートシティの実装が各地で進んできたことは、第2章で詳述するが、スマートシティの進行過程にあって、住民目線でとらえるスマートシティのつくり方（工法と実現手順）が求められている、という問題意識が本書の刊行の原動力となっている。本書は、デジタル技術やデータ活用を実際の都市・地域に適用する上での課題への対応とまちづくりの観点から、既往のSociety 5.0のリファレンスアーキテクチャを補完するものである。換言すれば、アーキテクチャのプラス要素に力点を置いた解説書とも言える。

スマートシティを一過性に終わらせないためのキーファクター

新型コロナウイルス禍の2021年3月に閣議決定された「第6期科学技術・イノベーション基本計画」[9]においては、COVID-19の経験とCOVID-19以後の社会を意識しながらも、「国民の安全と安心を確保する持続可能で強靭な社会への変革」に向けてスマートシティが一つの柱に設定されている。同基本計画の実行計画として位置づけられる最初の年次戦略である「統合イノベーション戦略2021」[10]（2021年6月閣議決定）では、「Society 5.0実現に向けた取組を加速化させていかなければならない」と改めて明言し、「持続的な生活基盤を有する社会を実現するため、都市や地域が抱える課題の解決を図り、また新たな価値を創出し続けるSociety 5.0を先行的に実現する多様で持続可能かつ居住性の高い都市・地域（スマートシティ）を全国に展開することを目指す」としている。

こうした国の政策の後押しもあり、日本国内の多くの自治体のスマートシティの構想・計画では、大きな目的としてはSociety 5.0の実現を掲げているが、スマートシティの関連事業を実装し、Society 5.0が掲げるビジョン実現のためには、その取り組みを一過性のものとして終わらせないことは言うまでもなく、自治体等の事業主体に中長期的な視点を持って各事業に取り組んでいただく必要がある。

特に、日本のデジタル田園都市国家構想が掲げる「心豊かな暮らし」（Well-being）と「持続可能な環境・社会・経済」（Sustainability）を実現していくには、その前提として、スマートシティが人中心の社会のWell-beingを向上させ、中長期的に持続する仕組みを有していることが求められる。また、人中心で持続可能なスマートシティの実現のためには、まず、自治体などのスマートシティの導入主体が、どのような価値を高めていくのかといった目標を明確にし、それぞれの地域の特性に応じたスマートシティをいかにしてデザインするかがカギを握っていると言え、そのための対応策が求められることとなる。

本書では、そうした問題意識の下に進められてきた日立東大ラボの研究成果に基づき、スマートシティの取り組みが陥りがちなデジタル技術やICTの導入が先行することによる課題を整理すると共に、人中心で持続可能なスマートシティ実現のために、それぞれの都市や地域が共通して兼ね備えるべき対応策をキーファクターとして提唱する。

本書の構成

本書は、2018年10月に刊行した前著に続き、日立製作所と東京大学の産学協創によるSociety 5.0の考え方に基づき、そのビジョン実現に向けたスマートシティの構築の方法、プロセス、仕組みづくりをSociety 5.0のアーキテクチャから組み立てて論じるものである。スマートシティの構築や運営に関心を寄せている国や自治体等の行政機関、企業等の事業者、大学や研究所等の教育研究機関、市民団体などの方々に向けた解説書であり、スマートシティの現在地を理解する上でも役に立てていただけるものと考えている。

第1部は導入部であり、Society 5.0に関わる基本的な考え方やスマートシティの潮流をまとめている。まず、第1章においてアーキテクチャの概念と本書の主旨について概説し、第2章では国内外のスマートシティの潮流を振り返りながら、スマートシティの実装の政策的な背景や考え方について解説している。また、スマートシティの日本での具体的な事例紹介を通じて、スマートシティの現在地のイメージを共有していただくこととしている。

続いて、これからの将来を見据えて、「プラネタリーバウンダリーの中でウェルビーイングをめざすSociety 5.0の実現へ」と題し、東京大学と日立製作所のトップ同士に対談していただいた。産業革命以来、人類は、地球の資源にも浄化能力にも際限が無いかのごとく経済発展にまい進してきたが、これからの社会は、際限（バウンダリー）を超えないようにふるまいつつ、しかし、人々の幸せ（Well-being）を実現しなければならない。そうした地球的課題に立ち向かうSociety 5.0の実現に向けた産学協創の取り組みの方向性を論じている。

第2部は、人中心で持続可能なスマートシティ構築のために必要な六つのキーファクターについてのパートであり、日立東大ラボの研究成果に基づく。

まず第3章でSociety 5.0リファレンスアーキテクチャの枠組みを補完するものとして、六つのキーファクターを位置づけている。続く第4章では、スマートシティが陥りがちな課題とそれぞれの課題に対応した方策をキーファクターとして提示し、第5章から第10章において、各キーファクターについて解説している。

本書が提示するキーファクターは、社会的な受容、データガバナンス、生活者参画、スマートシティQoL評価、人財育成、データエコシステムの六つの領域をカバーしている。この六つの領域はいずれも、自治体などの地域社会がスマートシティを実装し、地域の課題解決に取り組む一方で、その取り組みを人中心で持続可能な社会の形成へと進展させていく上で必須の領域である。第5章から第10章は、日立東大ラボの研究成果に基づき、スマートシティを一過性の事業に終わらせないために求められる六つの各領域におけるキーファクターの考え方や方向性について、実用的な知識や手法とともに取りまとめたものである。

第3部は、日立東大ラボのテーマ別の研究にもとづくSociety 5.0のサイバーとフィジカルの融合の考え方のアプリケーションのパートであり、実際の都市に適用した実践研究に基づく。フィジカル空間（現実空間）をデータ化してサイバー空間で最適化し、その結果をフィジカル空間（現実空間）にフィードバックして、社会課題を解決しつつ、人々の暮らしを向上させるための事例を紹介する。これらの具体的な研究を通じて学んだ実践知が、第3章～第10章におけるキーファクターの論考の土台となっている。

第14章では、デジタル社会インフラとしての六つのキーファクターを都市・地域に実装させ、それぞれ段階的に向上させるためのレベル設定を通じて、スマートシティをステップワイズに実現させる方法を提唱する。

本書の位置づけと使い方

本書は、日立東大ラボが2018年10月に刊行した前著に続き、その後の研究成果に基づく専門書であり、導入書でもある。前著は、読者の分野を特定することはせずに、一般読者を含む対象に当時は未だ広く知られていなかったSociety 5.0のビジョンを解題し、その普及・啓発をめざしたのに対し、本書は比較的専門性が高い内容となっている。

本書が読者として対象とするのは、第一には、スマートシティの取り組みを進めている自治体や企業、民間団体等の方々であり、第二にスマートシティに関わる業種や分野に関わる方々である。都市計画、土木、建築、不動産といったまちづくりに関わる分野の方々に加え、都市や都市社会に関心のある健康・医療、デザイン、社会学、経済学、行政学等の分野の方々、国や地方自治体の行政に携わる方々の業務にも深く関係する内容である。また、大学院生を含む学生には分野に関係なく参考図書として薦めていただきたい。

本書は、先述の通り、大きくは三つの部で構成されている。各章も独立しており、時間のない方は関心の高い章のみを選択してお読みいただくことでもよいだろう。例えば、第1章〜第2章で基本概念やスマートシティの潮流を理解された上で、以下のような読み方が想定できる。

- データ活用と住民参加の分野に関心のある方：社会的な受容（第5章）、生活者参画（第7章）、データ駆動型都市プランニングの市民対話（第11章）、デジタル社会インフラとしての六つのキーファクター（第14章）。
- 建築やデザインに関心のある方：社会的な受容（第5章）、スマートシティ QoL評価（第8章）、デジタル社会インフラとしての六つのキーファクター（第14章）。
- 土木、社会基盤の分野に関心のある方：生活者参画（第7章）、スマートシティ QoL評価（第8章）、価値創造型の都市インフラマネジメント（第13章）、デジタル社会インフラとしての六つのキーファクター（第14章）。
- 健康や医療の分野に関心のある方：データガバナンス（第6章）、スマートシティ QoL評価（第8章）、スマートエイジング（第12章）、デジタル社会インフラとしての六つのキーファクター（第14章）。
- 経済学や行政学の分野に関心のある方：データガバナンス（第6章）、生活者参画（第7章）、データエコシステム（第10章）、価値創造型の都市インフラマネジメント（第13章）、デジタル社会インフラとしての六つのキーファクター（第14章）。

読者の方の関心や専門分野によって、本書を構成する各章に対する関心の度合いは異なるかもしれない。またスマートシティというと、デジタル技術やICTを活用した事業に注目が集まりがちだが、本書が強調したいのは、スマートシティの取り組みを事業の技術的側面だけではなく、デジタル技術やICTを活用した取り組みを含めた仕組み、組織の全体を設計する「アーキテクチャ」としてとらえるという思考である。

本書の主旨とおおよその流れは以上の通りであるが、いよいよ本題に入る前に、都市とサイバー空間について、強調しておきたいことを一言添えておきたい。すなわち、都市とサイバー空間はお互いに異質なものとしてとらえられがちだが、これからの都市はサイバー空間を活用する中で、その発展や再生への活路を見出すことになる、という考え方が本書の根底にあるということである。

道路、公園、上下水道などのハードウェアで構成される複雑系の都市は、ひとたび造られると使い続けなければならない。暮らし続けること、マネジメントし続けることが運命づけられた複雑な人工物である。自然とも共生することが求められ、簡単に使い捨てできない。一般に、建物単体は老朽化すると建て替えることができる。都市はそういうわけにはいかない。都市を使い続ける上でも、サイバー空間を活用することは極めて重要であり、活用しだいではさらに暮らしやすく、魅力的にすることもできる。サイバーとフィジカルの融合をめざすSociety 5.0の考え方に基づくスマートシティは都市を使い続けるためのものであると言える。

一方、デジタル技術やICTを活用したスマートシティの取り組みは留まることをしらない。重要なのは、それぞれの取り組みを単独のものとして、また一過性のものとして終わらせないことである。そのためには、新たな取り組みを重ねることを通じて、人中心で持続可能な社会の形成へと着実につなげていく強い意志とそのための仕組みや方法を自治体や地域の関係者が持つことが肝要である。そのために本書を活用いただければ幸いである。

（本書で使われる主要な用語の説明については巻末296頁の「用語リスト」を参照していただきたい）

参考文献

[1] 2016年6月に日立製作所と東京大学により、Society 5.0の実現に向けた産学協創事業がスタートし、日立東大ラボが発足した。同ラボの中のハビタット・イノベーションプロジェクトの共同研究チームのメンバーが中心となり、前著と本書を執筆している。

[2] Springer Singapore、2020年5月
https://www.springer.com/gp/book/9789811529887

[3] 机械工業出版社、2020年4月

[4] Stolterman, E. & Croon Fors, A., “Information Technology and the Good Life”, *Information Systems Research : Relevant Theory and Informed Practice,* Springer, January 2004, pp.687-692

[5] エベネザー・ハワード、山形浩生訳『新訳　明日の田園都市』、鹿島出版会、2016年10月

[6] 内閣府「スマートシティ リファレンスアーキテクチャ ホワイトペーパー（第1版）」戦略的イノベーション創造プログラム（SIP）第2期 ビッグデータ・AIを活用したサイバー空間基盤技術におけるアーキテクチャ構築及び実証研究事業、2020年3月
https://www8.cao.go.jp/cstp/stmain/20200318siparchitecture.html（2022年12月9日最終閲覧

[7] 総務省「平成30年版 情報通信白書」p.143（第1部 第3章 補論：欧米の事例「2 インダストリー 4.0」）
https://www.soumu.go.jp/johotsusintokei/whitepaper/ja/h30/pdf/n3500000.pdf
（2023年8月24日最終閲覧）

[8] 内閣府「スマートシティ リファレンスアーキテクチャ ホワイトペーパー」戦略的イノベーション創造プログラム（SIP）第2期 ビッグデータ・AIを活用したサイバー空間基盤技術におけるアーキテクチャ構築及び実証研究事業、2023.08.Ver.2.0
https://www8.cao.go.jp/cstp/stmain/20230810smartcity.html（2023年8月18日最終閲覧）

[9] 内閣府 総合科学技術・イノベーション会議「第6期科学技術・イノベーション基本計画」2021年3月26日閣議決定
https://www8.cao.go.jp/cstp/kihonkeikaku/6honbun.pdf（2023年3月25最終閲覧）

[10] 内閣府 総合科学技術・イノベーション会議「統合イノベーション戦略2021」2021年6月18日閣議決定
https://www8.cao.go.jp/cstp/tougosenryaku/togo2021_honbun.pdf（2023年5月25日最終閲覧）

Contents

Prologue

はじめに …… 1

将来ビジョンとしてのSociety 5.0と
その実現のアーキテクチャ

将来ビジョンとしてのSociety 5.0/デジタル革命・ICT革命がもたらす課題/求められるSociety 5.0実現のアーキテクチャ/アーキテクチャの意味/Society 5.0リファレンスアーキテクチャを補完するプラス要素/スマートシティを一過性に終わらせないためのキーファクター/本書の構成/本書の位置づけと使い方

第1部 Society 5.0を具現化するスマートシティ …… 23

Chapter1

Society 5.0のアーキテクチャ …… 24

1.1 アーキテクチャ …… 24
1.2 都市のアーキテクチャ …… 25
1.3 これからの都市のアーキテクチャ——デジタルアーキテクチャ …… 26
1.4 Society 5.0の「リファレンスアーキテクチャ」 …… 28
1.5 情報システムのアーキテクチャ …… 29
1.6 Society 5.0 リファレンスアーキテクチャを読み解く …… 31
1.7 経済発展と社会課題解決の両立 …… 32
1.8 人中心社会を具現化する「スマートシティ」 …… 33

Chapter2

スマートシティの潮流 …… 36

2.1 Society 5.0以前 …… 36

エネルギー利用の効率化をめざした日本のスマートシティ/市民課題解決をめざした欧米のセンシングシティ/効率的なインフラ整備をめざしたアジアのスマートシティ

2.2 **COVID-19の影響** 41
サバイバルを通じてデジタルの力に目覚めるスマートシティ/曲がり角を迎えた不動産ビジネスとしてのスマートシティ

2.3 **再始動するスマートシティ** 42
スーパーシティ構想/デジタル田園都市国家構想/スマートシティの都市連合 GSCA

2.4 **Society 5.0を具現化するスマートシティ** 45

2.5 **日本のスマートシティ事例レビュー** 46
柏の葉スマートシティ(千葉県柏市)/大丸有スマートシティ(東京都千代田区)/Smart City Takeshiba(東京都港区)/吉備高原都市(岡山県加賀郡吉備中央町)/太地町(和歌山県)/すさみスマートシティ(和歌山県)/つくばスーパーサイエンスシティ構想(茨城県つくば市)

【コラム】 **2050年にめざすべき都市像——政策提言AIを用いた考察** 59

対談

「対話」を通じて創造する未来 66
——プラネタリーバウンダリーの中でウェルビーイングをめざすSociety 5.0の実現へ
東京大学 総長 **藤井輝夫**
日立製作所 取締役会長 **東原敏昭**

第2部 Society 5.0のアーキテクチャのスマートシティへの適用 …… 79

Chapter3

Society 5.0のアーキテクチャと六つのキーファクター …… 80

3.1 Society 5.0リファレンスアーキテクチャを紐解く …… 80
3.2 Society 5.0リファレンスアーキテクチャを補完する工法と実現手順 …… 84
3.3 アーキテクチャを補完する三つの観点とキーファクター …… 87
「プロセス」におけるキーファクター/「インターフェース」において重要なキーファクター/「オルガニゼーション」において重要なキーファクター
3.4 人中心で持続可能なスマートシティに向けた課題と対応 …… 92

Chapter4

人中心のスマートシティを持続可能とするためのキーファクター …… 96

4.1 Society 5.0を具現化するスマートシティをめざして …… 96
4.2 キーファクター1：社会的な受容 …… 97
4.3 キーファクター2：データガバナンス …… 98
4.4 キーファクター3：生活者参画 …… 99
4.5 キーファクター4：スマートシティQoL評価 …… 100
4.6 キーファクター5：人財育成 …… 101
4.7 キーファクター6：データエコシステム …… 102
4.8 キーファクターの地域実装に向けて …… 102

Chapter5

社会的な受容 …… 104

5.1 社会受容性を考える …… 104
社会受容性への関心/社会受容性に取り組むために

5.2 **社会受容性の具体的検討事例** 107
個人の態度に焦点を当てたアプローチ/信頼の重要性/信頼を基盤とした社会受容性に関する態度モデル/信頼に関する実証的検討/信頼を得るには/相互作用に焦点を当てたアプローチ/Sidewalk Trontoにおける反対運動の経緯と論点

5.3 **社会受容性に関する有意義な議論のために** 116
「社会受容性」とは何かを再考する/スマートシティが実現する価値と主体を考える

Chapter6

データガバナンス 122

6.1 **スマートシティとデータの関係** 122
6.2 **データやAI活用において発生するリスク** 123
(1)パーソナルデータ利用に伴うリスクの例/(2)組織活動に由来したデータ利用に伴うリスクの例/(3)その他の非パーソナルデータの利用に伴うリスクの例

6.3 **データ利用に伴うリスクへの対処方法** 129
(1)法令に違反しないこと/(2)必要に応じ、法令を超えたガバナンスを行うこと/(3)アジャイル・ガバナンス

6.4 **スマートシティのデータ利用の受容性を決める便益とリスクのバランス** 133

Chapter7

生活者参画 136

7.1 **スマートシティにおける生活者参画** 136
7.2 **「リビングラボ」の歴史と定義** 137
7.3 **「柏の葉スマートシティ」でのリビングラボの実践** 139
プログラム1. まちの人々の声を集めて見えるようにする/プログラム2. 高齢者の日常に浸透するAIサービスを作る/プログラム3. 近未来を描く/プログラム4.「信頼」を考える

7.4 **スマートシティにおけるリビングラボを運用する上での工夫点** 149
サービス共創タイプ/未来構想タイプ/理解醸成タイプ/リビングラボの実践へ向けて

Chapter8

スマートシティQoL評価 160

8.1 **背景** 160
生活者の視点に立ったスマートシティ評価/関連する動きとQoLの測り方

8.2 **"ActiveQoL"の提案** 163
生活活動の質に着目した評価の考え方

8.3 **"ActiveQoL"の測定** 164
"ActiveQoL"の自動推定/"ActiveQoL"の自動推定に向けた満足度取得の試み

8.4 **"ActiveQoL"を用いた都市施策の評価** 167

8.5 **"ActiveQoL"のコンセプトの実証事例** 171

8.6 **都市のQoL評価に向けて** 172

Chapter9

スマートシティの人財育成 174

9.1 **スマートシティに求められる人財像** 174
専門分野を横断するスマートシティの仕事/スマートシティに求められる3種の人財像

9.2 **アーキテクトとコーディネーターの役割** 176
アーキテクトの役割/コーディネーターの役割

9.3 **人財育成の方法論** 179
3種の人財像の進化モデル的理解/アナリシスとシンセシス

9.4 **専門家と市民・住民双方の人財育成に向けて** 181
人財育成プログラムの活用と人財を活かす体制づくり/住民・市民のリテラシーの涵養と担い手育成

9.5 **組織体制づくり** 183
公・民・学連携のコンソーシアム/プロジェクトマネジメント組織/リビングラボ

Chapter10

データエコシステム 188

10.1 地域の新しい資源としてのデータ 188
10.2 データエコシステムとは 189
10.3 データ利活用を支えるデータのための社会基盤——データインフラ 192
【コラム】 データインフラと都市OSとの関係 195
10.4 データ流通のための機能群と利活用の活性化施策 196
10.5 データ提供者・利用者のニーズ・阻害要因の整理 199
支援策①「地域課題を解決するデータ利活用の発案支援」/支援策②「データを使いたい・利用する側からの支援」
10.6 継続的な価値創出にむけて 205
10.7 キーファクターからアプリケーションへ 207

第3部 Society 5.0のアプリケーション——日立東大ラボの取り組み 211

Chapter11

プロジェクト1：データ駆動型都市プランニングの市民対話 212

11.1 コロナ禍のデータ駆動型都市プランニングの試み 212
データ駆動型都市プランニングにおける市民対話の意義/コロナ禍の市民対話に向けた二つの取り組み
11.2 屋外公共空間のデータの可視化 214
屋外公共空間への注目の高まりと本取り組みの背景/愛媛県松山市花園町通り及び調査の概要/滞留しやすい屋外公共空間の特徴/データの可視化を用いた屋外公共空間に関する市民対話/まちづくりのプロセスとしてのデータ可視化手法

11.3 ハイブリッド型市民対話 221
オンライン対話ツールの可能性と限界/市民対話のオンライン化に関する三つの仮説/仮説検証のための二つのZoomワークショップ/時間非同期型のオンライン対話の失敗/時間の同期・非同期とオンライン・オフラインの組み合わせ/オンライン市民対話ではなくハイブリッド型の市民対話を/対面型では会えなかった市民との対話
11.4 データ駆動型都市プランニングの市民対話 228

Chapter12

プロジェクト2：
スマートエイジング 232

12.1 フレイル予防の必要性 232
12.2 従来の健康づくりに
「高齢者の社会参加・地域貢献活動」を加えていく重要性 235
12.3 日本におけるフレイル予防の先駆的取り組み 237
12.4 フレイル予防に関するデータ活用の課題 240
12.5 フレイル予防AIの仕組み 242
12.6 「柏の葉スマートシティ」プロジェクトにおける
「フレイル予防AI」の取り組み 244
12.7 「柏の葉スマートシティ」プロジェクトで用いるデータセット 246
12.8 データの利用に関する合意形成 248
12.9 住民の手によるフレイル予防サービスの具体化に向けて 250
12.10 持続可能なスマートエイジング社会をめざして 251

Chapter13

プロジェクト3：
価値創造型の都市インフラマネジメント 256

13.1 インフラ維持管理の現状と課題 256
13.2 インフラマネジメントとは 257
13.3 インフラがもたらす三つの価値 259
13.4 価値創造プロセス 263
13.5 地域の価値を創造する要因分析手法 264
13.6 価値創造型インフラマネジメントの実現に向けて 267

Chapter14

デジタル社会インフラとしての
六つのキーファクター ……268

14.1 人中心のスマートシティ実現に向けた共通のものさし ……268
14.2 六つのキーファクターの地域実装に向けたレベル設定 ……270
キーファクター1：社会的な受容/キーファクター2：データガバナンス/キーファクター3：生活者参画/キーファクター4：スマートシティQoL評価/キーファクター5：人財育成/キーファクター6：データエコシステム
14.3 キーファクターのレベルを利用した段階的実装 ……284
14.4 デジタル社会インフラとしてのキーファクター ……286

Epilogue

おわりに ……289

サイバー空間という
新たなフロンティア開拓に向けて
これまでの経緯を振り返って/新たなフロンティアとしてのサイバー空間の開拓/デジタル社会インフラとしてのキーファクターの活用/Society 5.0のアーキテクチャの考え方のもとでの人財育成

感謝のことば ……294

用語リスト ……296

Society 5.0/アーキテクチャ/リファレンスアーキテクチャ/スマートシティ/スーパーシティ/超スマート社会/データ連携基盤/都市OS/PLATEAU（プラトー）/六つのキーファクター/（スマートシティにおける）社会的な受容/（スマートシティの）データガバナンス/リビングラボ（生活者参画）/スマートシティQoL評価/Well-being/データエコシステム/データ駆動型都市プランニング/スマートエイジング社会/フレイル/価値創造型インフラマネジメント

執筆者一覧 ……306

第1部

Society 5.0を具現化するスマートシティ

Chapter 1

Society 5.0のアーキテクチャ

1.1 アーキテクチャ

愛媛県松山市は、江戸時代に発展した城下町である。まちの中心にある小高い丘の上には松山城天守が残り、今もまちを見下ろす。日本の城といえば姫路城が代表格で、白鷺城とも称されるその白亜の大天守と比較すると、松山城は小さく、落ち着いた印象を与える。二つの天守の印象を左右しているのは大きさや色彩だけではない。実はその構造、つまりアーキテクチャによるところが大きい。

建築のアーキテクチャとは、建築構造の様式のことである。様式は時代と共に次第に変わっていくが、後から振り返ってよく似た構造様式をひとまとめにして名前を付けたものが、アーキテクチャである。したがってアーキテクチャとは概念的なモデルであり、個々の建築物はその具体化である。

天守は母屋となる建物の上に望楼を載せることで誕生した。このアーキテクチャを望楼型天守という（**図表1-1**）。姫路城はその様式を採用し、二層の母屋に三層の望楼を載せる[1]。母屋と望楼がいわば別の建物であることが、複雑で豪奢な印象を与えている。一方の松山城は層塔型と呼ばれ、次第に小さくなる階を積み上げている。三層という規模と、同じ意匠の積み上げであることが、地味な印象を生み出す。実は17世紀創建当初の松山城は姫路城と同じ豪奢な五重望楼型であった。そのアーキテクチャを小ぶりな層塔型に変えたのは、幕府への遠慮だったとの説もある[2]。アーキテクチャの選択と

図表1-1　天守のアーキテクチャ

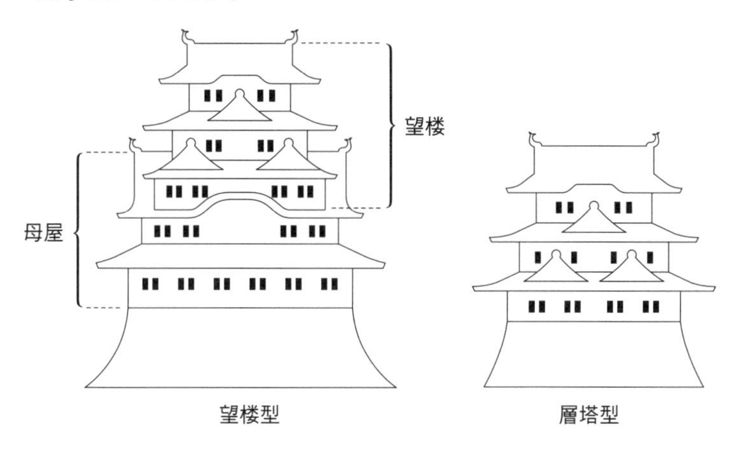

は、時に時代要請であり、思想や哲学の表明でもある。

アーキテクチャは建築に限らない。一度車の運転を覚えればどのメーカーの車でも扱えるようになるのは、どの車も同じアーキテクチャだからである。パソコンは、アーキテクチャが規格にまでなった好例である。外付けするマウスやディスプレーが製造元を問わず使えるのは、規格化されたアーキテクチャのおかげである。規格化は部品メーカーの参入を誘い、競争による価格低下と新機能開発を促す。アーキテクチャは、作り手のみならずユーザーにとっての価値も生むのである。

1.2　都市のアーキテクチャ

都市にもアーキテクチャがある。わかりやすいのは、平城京と平安京であろう。どちらも朱雀大路を中心軸として、西側を右京、東側を左京と呼ぶ。大路の北端に置いた政庁から見下ろしての右と左であり、まちのアーキテクチャそのものが、朝廷を中心とした律令国家の具現化になっている。この都市構造は武家社会への移行と共に失われたが、武士の時代に作られた日本各地の城下町は、現在の多くの都市の基本構造として残っている[3]。

江戸時代の城下町は、藩主を中心とした身分制度を反映した都市である。藩主が居住する城を置き、その周りには重臣の屋敷が並び、道や濠を渡れば町民が暮らす町となる。東京で言えば、皇居、丸の内、八重洲と歩けばわかりやすい。かつての江戸城を取り巻いた大名屋敷が丸の内の大型ビルとなり、濠の跡地であるＪＲ線を横切って八重洲に至れば、町屋特有の小さな町割に雑居ビル群が立つ。松山市でも、城のふもとにあった大きな敷地は、県庁や市役所となり、江戸時代に商家が立ち並んでいた通りは銀天街アーケードとして今も庶民で賑わう。日本中の城下町で、江戸時代の地図を持って歩けば、建物は変わっていても江戸時代の都市のアーキテクチャが今もそのままに残り、今日の景観を支配していることがわかる。

都市のアーキテクチャもまた、地域と時代の思想を映し出す。ヨーロッパの多くの都市は古代ローマ起源であるが、矩形の城壁を築き、田の字を描く基軸道路を配し、中心にはフォーラム（広場）を置いた。フォーラムで行われる議論は共和制を象徴し、やがてそこに飾られる皇帝の像は、共和制から帝政への移行を目に見える形で民衆に示した。中世に入れば、ローマ時代の都市構造を引き継ぎながらも、中世の論理がアーキテクチャを変えていく。ローマ起源のミラノもウィーンもロンドンも、君主の居城とキリスト教会の大聖堂という二つの重心をもった都市構造へと変わっていく。都市のアーキテクチャの選択もまた、地域と時代の要請であり、思想や哲学の表明でもあり得るのである。

1.3　これからの都市のアーキテクチャ——デジタルアーキテクチャ

では、これからの日本のまちのアーキテクチャとは、どのようなものだろうか。それが本書の主題である。身分制度を前提にした城下町ではなく、人中心の社会Society 5.0（「**はじめに**」**参照**）を具現化するまち、そのアーキテクチャとはどのようなものだろうか。

一つ言えるのは、古代や中世の都市が、都市計画と強権に基づいてアーキテクチャを一新したのとは異なり、今、そこに人が生活している現代の日本の都市を、短期間に大きく変えるのは難しいということである。そこで一つの方法は地下の活用である。地下鉄、上下水道、送電線、ガス管、通信など、生活を支えるインフラが地下に存在し、その機能なくして都市生活は成り立たない。もう一つ、普段あまり意識することはないが、現代の都市を支えているのが、サイバー空間である。

Society 5.0は、サイバー空間（仮想空間）とフィジカル空間（現実空間）を高度に融合させたシステムにより実現される。現実世界がデジタル情報化され、サイバー空間で膨大な演算が瞬時になされ、その結果が現実空間に戻されてサービスを実際に動かす。未来の話のように聞こえるが、実はこの融合は既に起こっており、われわれも日常的にその恩恵に浴している。

例えば、タクシー配車アプリでは、スマートフォンの向こうにつながるデジタルの世界には、現実世界をデジタル化した都市地図が入っており、無数のタクシーから転送された位置情報が、時々刻々と記録されている。各タクシーの乗客の有無も区別される。ある意味では、サイバー空間内のデジタルシティの中を、デジタル化された無数のタクシーが、乗客を乗せて走っているのである。

ユーザーが配車を希望した瞬間、その入力を受けたサイバー空間では、ユーザーの位置情報から、その近くを走っている空車を探し出し、ユーザーまでの到達時間、乗車してから目的地までの所要時間を演算する。結果は現実世界のユーザーの手元に表示され、ユーザーがOKを押せば、サイバー空間からタクシーに呼び出しがかかり、ドライバーはユーザーのもとに向かうべくハンドルを切る。現実世界がリアルタイムでデジタル化され、サイバー空間で演算され、その結果が現実空間に戻されて実際のタクシーを動かしているのである。同様の仕組みをもったフードデリバリーサービスが、新型コロナウイルス禍での生活を大いに助けたことを思い起こせば、サイバー空間が、現実世界の一時的な機能不全を柔軟に補完し得るということも実感できよう。サイバー空間の役割は、関連技術の発展と共にますます大きくなっていく。

われわれが議論すべきSociety 5.0のアーキテクチャとは、現実の都市構造ばかりではなく、サイバー空間を支える情報システムのアーキテクチャ、さらには社会の仕組みのアーキテクチャなのである。

1.4 Society 5.0の「リファレンスアーキテクチャ」

Society 5.0のリファレンスアーキテクチャが、内閣府から提案されている（**図表1-2**）。この図が意味するところは後述するが、リファレンスアーキテクチャとは、この構造を取り入れて設計することをお奨めするという推奨モデルである。強制や規制ではなく、その採否は設計者の自由である。建築のように後から分類して定義したアーキテクチャではなく、といってパソコンのように完全に規格化したアーキテクチャでもなく、「どうぞ参考に」という意味の「リファレンス」である。倣うことに十分なメリットがあれば採用すればよい。Society 5.0のリファレンスアーキテクチャに関し、内閣府は次の３点のメリットを挙げている。①設計・実現の手順も含めて規定しているので、Society 5.0を推進する手順が明らかになる。②システムに含まれるべき構成要素を網羅しているので、やるべきことの抜け漏れを防ぐ。③異なる都市が同じアーキテクチャに基づくことで、成果の再利用や分野間の相互運用を実現する[4]。

しかし、社会という複雑なものを相手にする場合、最初から最適なアーキテクチャができるとは限らない。リファレンスアーキテクチャの改良や観点の追加、詳細化といった提案は歓迎される。そういった議論を呼び起こすことがリファレンスアーキテクチャの主たる役割ともいえる。本書もSociety 5.0のリファレンスアーキテクチャを深める立場で提案を行う。

さて、Society 5.0のリファレンスアーキテクチャは何を表しているのだろう。そもそも、建築や都市のような物理的実体ではなく、社会やサイバー空間のアーキテクチャとは何であろうか。それを読み解くために、まず、情報システムのアーキテクチャの中でも、シンプルで現在も多く使われている「三層アーキテクチャ」を見ていく。

図表1-2 Society 5.0 リファレンスアーキテクチャ[4]

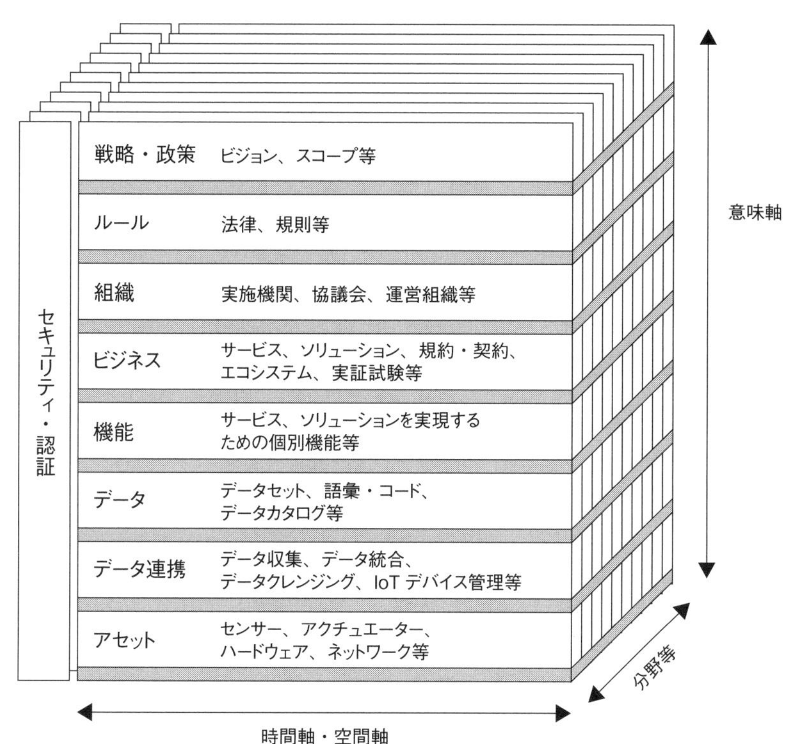

1.5 情報システムのアーキテクチャ

情報システムは、多くのデータ、ソフトウェア部品、ハードウェア部品から成り立っている。空車タクシーを地図上に表示する機能を例にとろう[5]。この機能は、多くの小さな部品からできていて、その数は膨大となる。この膨大な部品を漫然と開発しても収拾がつかなくなるので、部品を大きく3種類に分けて設計しようというのが三層アーキテクチャである（**図表1-3(a)**）。

プレゼンテーション、アプリケーション、データとあるのがその3種類であるが、この三つは、分類のための箱であって、箱の中に多くの部品やデータが入っていると思えばよい。

配車アプリを例にすると、一番下のデータ層には、地図データ、加盟全タクシーの位置データなど、このシステムに必要なすべてのデータが入っている。一番上のプレゼンテーション層に入るのは、人とのインターフェースをつかさどる部品であり、配車アプリで言えば、空車タクシーを地図上に表示する部品である。アプリケーション層は、データを加工・演算してプレゼンテーション層に渡す部品で、空車タクシーだけを選ぶ部品、ユーザーの周辺の地図を切り出す部品などである。この三層の上下関係には大事な意味がある。ある層の中の部品が利用できる部品は、そのすぐ下の層にある部品だけである（**図表1-3(b)**）。

このように情報システムのアーキテクチャとは、部品を分類するための箱を定義し、箱同士の関係を規定したものである。こうしたアーキテクチャをわざわざ決めておくメリットとは何だろうか？　一つのポイントは、開発者

図表1-3　情報システムの三層アーキテクチャ

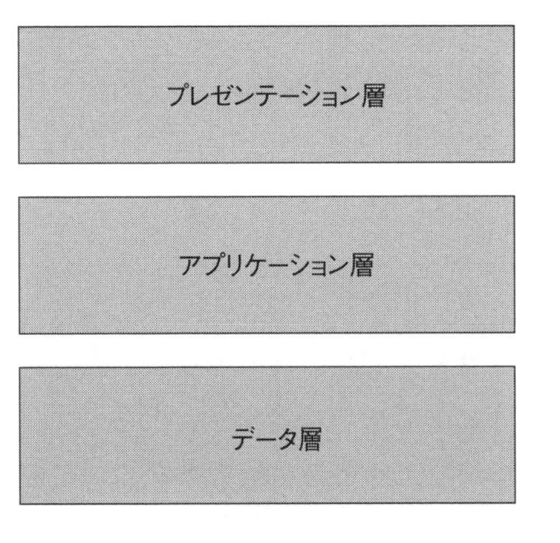

(a) 三層

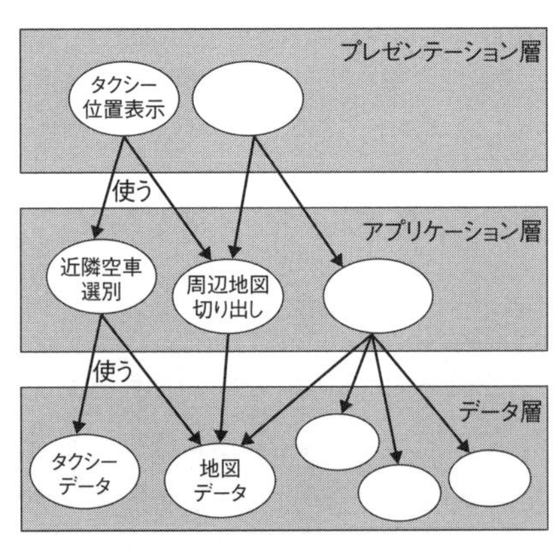

(b) 層の関係

に要求されるスキルが層によってかなり異なることである。ユーザーフレンドリーなインターフェースを作る人、高速な演算アルゴリズムを作る人、不整合を起こさないデータ管理を設計する人は、それぞれ全く別の専門家である。部品がこの三つの層に分かれているので、単純化して言うと、一つの部品を開発する人は、一つの専門分野のことだけ知っていればよい。結果、品質、開発スピード、信頼性が上がるのである。

この三層アーキテクチャは、その後の情報システムアーキテクチャに大きな影響を与えている。次に見るように、Society 5.0のリファレンスアーキテクチャを読み解く足掛かりにもなる。

1.6　Society 5.0 リファレンスアーキテクチャを読み解く

Society 5.0リファレンスアーキテクチャの層も分類のための箱であり、それぞれの箱の中にはいくつもの部品が入っていると考えてよい。図表1-2の「機能」という箱は、三層アーキテクチャのプレゼンテーション層とアプリケーション層を一つにまとめたものである。実際にシステムを設計する際には、ここをプレゼンテーション層とアプリケーション層の二つに分解して設計するのが自然だろう。「データ」と「データ連携」は、三層モデルのデータ層に相当する。「データ」はデータそのものだが、「データ連携」は、その下の「アセット」とデータをやりとりする機能の集まりである。「アセット」は、現実世界にあるモノ（ハードウェア）を表している。

つまり、Society 5.0リファレンスアーキテクチャの下の部分は、三層アーキテクチャを少し変形させて「機能」「データ」「データ連携」とし、その下にハードウェア（「アセット」）を置いたものである。この構造は、サイバーとフィジカルの融合をモットーとするSociety 5.0ならではともいえる。「アセット」が現実世界であり、「機能」と「データ」がサイバー世界、そして、「データ連携」が、両者を融合させるつなぎである。

これらに対し、その上の4層は明らかに意味が変わっている。この4層はソフトウェアやハードウェアではなく、実世界の仕組みや活動を分類している。「戦略・政策」には、Society 5.0の目的や理念が入る。「ルール」は法律や規制、「組織」はその下の「ビジネス」の実行主体である。この4層の関係は、情報システムに見たような「上層が下層の部品を使う」ではなく、「上層が下層の仕組みを統制する」である。「戦略・政策」は「ルール」を、「ルール」は「組織」を、そして「組織」は「ビジネス」を統制する。この関係は、社会の仕組みを考えていく順番も与えている。まず、社会の「戦略・政策」を考え、その実現を可能にするための新しい「ルール（新法、規制緩和）」を整備し、実現を担う「組織」を立ち上げ、「ビジネス」を行う（「ビジネス」はその下の「機能」を使う）。

次に、左側の「セキュリティ・認証」に目を向けよう。縦長に置かれてすべての層と隣接しているところに意味がある。悪用、破壊といった脅威は、どの層にも直接到来し得るので、それらすべてを守るという意味である。これは冒頭話題にした姫路城の全体が白く見えることに似る。白い漆喰を塗っているためだが、火矢は階を選ばず直接攻撃してくるから、全階を耐火材で塗っているのである。

こうしてみると、ハードウェアという土台に3層の情報システムを、その上に世の中の仕組み4層を乗せ、セキュリティ・認証で全体の安全を図っているのが、Society 5.0リファレンスアーキテクチャである。

1.7 経済発展と社会課題解決の両立

リファレンスアーキテクチャの中に「ビジネス」という層が入っていることをやや奇異に思う向きもあるかもしれない。この層は、Society 5.0が経済発展と社会課題解決の両立をめざしていることの表明である。くしくも、2020年から本格化した新型コロナウィルス禍は、「経済活動継続か感染防止か」という選択を世界に迫った。これがまさに「経済発展と社会的課題の解決の両立」の例である。Society 5.0が掲げていた目的は、われわれの生活に密着する切実な問題だったわけである。その活動を具体的に担うのが、「ビジネス」に分類される数々の事業である。非営利的なものや政府、自治体の事業も含めるが、収益も上げながら社会の経済的発展に寄与することをめざすソーシャルビジネスはもちろん、一般私企業のビジネスもここに含まれる。

1.8 人中心社会を具現化する「スマートシティ」

では、このリファレンスアーキテクチャのメリットは何だろう。内閣府が示す三つのメリットは、リファレンスアーキテクチャ一般のメリットであり、このアーキテクチャならではの特徴を反映したメリットではない。このリファレンスアーキテクチャの特徴は、情報システムの三層アーキテクチャと同じく、設計や実装のために必要なスキル分野を反映した層になっていることである。そのメリットはやはり、各層を実装するための前提スキルが明確になり、専門家の仕事をしやすくすることであろう。

こう考えたとき、Society 5.0のもう一つのキーワードであり、その根底を支える理念でもある「人中心」は、このリファレンスアーキテクチャとどう関連するのだろうか。専門家ならぬ市井の人々は、専門家が作ったSociety 5.0を、ただ享受すればよいのだろうか。本書が議論したいのはその点である。

「人中心」を実現するためには、そこに住まう人々の価値観を理解し、その視点に立った社会の実現方法を探る必要がある。そのためには、「社会」というやや抽象的な対象を具体的な「まち」のあり方にまでブレークダウンして検討を深めるべき、とするのが、日立東大ラボが提唱する「ハビタット・イノベーション[6]」である。Society 5.0の理念である人中心を明確に表明し、それを具体化させるまちを、本書ではあらためて「スマートシティ」と呼び、スマートシティの実装のために必ず検討しなければならないこと（キーファクター）を論じる。

アーキテクチャを考える上で、一つ忘れてはならないのは、その実現手順である。建築の話に戻って、アーチ形の橋を例にしよう。橋の完成形を描くことができたとしても、その作り方には工夫がいる。完成したアーチは力学的に安定しているが、二つの橋脚から出た桁（水平部分）が中央でつながるまでは不安定であり、作る途中では支えを必要とする。古い時代の素朴な方法では、まず丸い盛り土を作り、この盛り土に乗せるようにレンガを組んで橋を作り、出来上がったら土を取り除く。アーキテクチャには、その完成図だけではなく、必ず工法が必要となる。

人々の生活様式や価値観の変化も伴うことになるスマートシティの実現にも工法が要る。一足飛びにスマートシティを完成させるのではなく、無理なく完成に向かうための道筋を示す必要がある。しかもその道筋のどの時点においても、住む人に無理を強いない安定したまちでなければならない。つまり人中心の「まちづくり」が必要になるのである。

Society 5.0の理念である人中心を実現するスマートシティのキーファクターは何か、それはSociety 5.0のアーキテクチャにどのように反映されるのか、そして、そのアーキテクチャはどのような手順で実装されるのか？　これらが、本書が答えようとする問いである。

参考文献

[1]　平井聖編『桃山建築』日本の美術 No.200、至文堂、1983年

[2]　土井中照『松山城の秘密：城と藩主と城下の基礎知識』アトラス出版、2002年

[3]　陣内秀信『東京の空間人類学』筑摩書房、1985年

[4]　内閣府「スマートシティリファレンスアーキテクチャ ホワイトペーパー（第1版）」2020年3月31日、5頁
https://www8.cao.go.jp/cstp/stmain/a-whitepaper1_200331.pdf（2022年12月9日最終閲覧）

[5]　以下の説明は、この機能を三層アーキテクチャで作ったらこうなるという例である。実際にあるタクシーアプリが、すべてこうなっているという意味ではない。

[6]　日立東大ラボ
http://www.ht-lab.ducr.u-tokyo.ac.jp/summary/

Chapter 2

スマートシティの潮流

本書では、スマートシティを「Society 5.0の理念である人中心を明確に表明し、それを具体化するまち」と定義した。しかし、スマートシティは、Society 5.0の提唱に先んじて世界各所で取り組みが行われてきたものであり、地域や時代の要請によってめざす姿が異なっている。スマートシティが何をめざしていたのか/めざしていくのか、図表2-1に示したスマートシティに関連する取り組みのうち、代表的なものを紹介しながら、潮流を概観することとしたい。

2.1 Society 5.0以前

エネルギー利用の効率化をめざした日本のスマートシティ

日本では、地球温暖化対策や低炭素社会の実現、東日本大震災の経験を踏まえたエネルギー需給の安定をめざして、都市全体のエネルギー利用の効率化に主眼を置いたスマートシティ（エネルギーマネジメント型スマートシティ）の実証や実装が進められた。特に、2010年～2011年にかけては、経済産業省の「次世代エネルギー・社会システム実証」事業[1]や「スマートコミュニティ構想普及支援事業」、内閣府「環境未来都市」事業[2]が実施されたが、これらの事業に参画した都市が、エネルギーマネジメント型スマートシティの例として挙げられる。また、柏の葉スマートシティもエネルギーマネジメント型スマートシティとして開発された都市の一例である（**図表2-2**）。

図表2-2　**柏の葉スマートシティ:柏の葉スマートセンターのイメージ(左)および柏の葉HEMSタブレット端末画面イメージ(右)**[3]

市民課題解決をめざした欧米のセンシングシティ

海外に目を向けてみると、同時期に欧州では、2010年に欧州会議で合意された中期成長戦略「Europe 2020」[4]と、その下で研究開発を支援するプログラム「Horizon 2020」[5]によって、スマートシティ関連の技術開発や実用化に取り組んできている。こうした技術を用いる欧州のスマートシティは、市民目線で地域の課題を解決することに主眼を置いたセンシング型のスマートシティであるといえる。センシング型スマートシティは、センサーで都市内の様々な状況をモニタリングしてオープンデータ化することによって地域課題を見える化し、そのデータを利用して市民課題を解決するサービスの実用化を図るものである。例えば、スペインのバルセロナ市では、自動車の排気ガスによる大気汚染や騒音などの問題を抱えていたが、交差点部に複数の大気汚染濃度や騒音を計測するセンサーを設置し、その計測値をオープンデータとして公開、計測値が高くなると交差点における自動車の青信号の間隔を調整して排気ガスを低減するといった取り組みを導入している(**図表2-3**)。

効率的なインフラ整備をめざしたアジアのスマートシティ

アジアに目を向けると、国家戦略としてスマートシティを推進している国が多いことに気が付く。こうした国々では、スマートシティは、経済成長に伴って不足する都市のインフラ整備を効率的に進めるという役割を担ってい

図表2-1　スマートシティ関連年表

年	日本	EU
2007		■戦略的エネルギー技術計画(SET Plan：Strategic Energy Technology Plan)
2008	□低炭素地域づくり面的対策推進事業(国・環) □エコまちづくり事業(国) □環境モデル都市(内) 帯広市、下川町、飯田市、檮原町、水俣市、他	
2009		■再生可能エネルギー利用促進指令(Directive 2009/28/EC) ■エネルギー・気候変動政策パッケージ(Climate & Energy Package) Amsterdam Smart City(オランダ・アムステルダム)
2010	□次世代エネルギー・社会システム実証事業(経) 横浜市、豊田市、けいはんな学研都市(京都府)、北九州市	□Europe 2020 Smart Santander(スペイン・サンタンデール)
2011	□環境未来都市(内) 柏の葉(柏市)、東松島市、他 □スマートコミュニティ構想普及支援事業(経)	■エネルギー効率化計画(Energy Efficiency Plan)2011 ★スマートシティ情報システム(Smart Cities Information System) ★Smart City Expo World Congress Smart City Barcelona(スペイン・バルセロナ)
2012	■エコまち法(都市の低炭素化の促進に関する法律) □まち・住まい・交通の創蓄省エネルギー化モデル構築支援事業(国) □ICT 街づくり推進事業(総)	★欧州スマートシティ・コミュニティ技術革新パートナーシップ(The European Innovation Partnership for Smart Cities and Communities) Copenhagen Connecting(デンマーク・コペンハーゲン)
2013	★ICT 街づくり推進会議(総) □住民参加による低炭素都市形成計画策定モデル事業(環) スマートシティ会津若松	
2014	Fujisawa サスティナブル・スマートタウン(藤沢)	□Horizon 2020 ■欧州デジタルアジェンダ(Digital Agenda for Europe)2020 Copenhagen Clean Cluster(デンマーク・コペンハーゲン)
2015	□ICT まち・ひと・しごと創生推進事業(総)	★欧州 IoT イノベーションアライアンス(AIOTI：The Alliance for the Internet of Things Innovation) Intelligent Sustainable Paris(フランス・パリ) Smart City Berlin(ドイツ・ベルリン)
2016	■第5期科学技術基本計画 ■官民データ活用推進基本法 ■科学技術イノベーション総合戦略	
2017	□データ利活用型スマートシティ推進事業(総) 札幌市、高松市、加古川市、他	■EU 一般データ保護規則 (GDPR：General Data Protection Regulation)
2018	□SDGs 未来都市(内)　富山市、豊島区、他 ★「スーパーシティ」構想の実現に向けた有識者懇談会(内)	
2019	□スマートシティモデル事業(国) 柏の葉(柏市)、宇都宮市、高蔵寺(春日井市)、他 □スマートシティ官民連携プラットフォーム(内・総・経・国) ★スーパーシティ・スマートシティフォーラム 2019(大阪)(内) ★(一社)スマートシティ・インスティテュート	
	★G20 共同声明：大阪トラック Data Free Flow with Trust／	
2020	★COVID-19 の発生・流行	
	■国家戦略特別区域法の一部を改正する法律(スーパーシティ法) □スーパーシティ提案公募開始(内) ★デジタル・ニッポン 2020(自民党) ★スマートシティリファレンスアーキテクチャホワイトペーパー(内)	■欧州復興基金(Next Generation EU) □シェアリングシティ・プログラム (Sharing Cities Programme)
2021	■第６期科学技術・イノベーション基本計画 ★スマートシティ・ガイドブック(内・総・経・国)	
2022	□スーパーシティ型国家戦略特区選定(内) 大阪市、つくば市 □デジタル田園健康特区選定(内) 茅野市、加賀市、吉備中央町 ■デジタル田園都市国家構想基本方針	

全体に共通する凡例	■…法制度・計画等 □…事業　★…その他 ※スマートシティの事例	日本国内の事業等の管轄省庁	(国)…国土交通省　(環)…環境省 (総)…総務省　(経)…経済産業省 (内)…内閣府

北米	中国	インド
■米国復興・再投資法(American Recovery and Reinvestment Act of 2009) Dubuque 2.0(ダビューク) Data SF(サンフランシスコ)		
JUMP Smart Maui(ハワイ・マウイ島)	■第12次5カ年計画	
■デジタルガバメント戦略(Digital Government Strategy)	■低炭素モデル省・区および都市の展開に関する通知 ■国家智恵都市モデルの都市計画展開に関する通知	
□スマートアメリカ・チャレンジ(Smart America Challenge) Chicago Tech Plan(シカゴ)	□90カ所を国家智恵都市モデル都市に認定	
□グローバルシティ・チーム・チャレンジ(Global City Teams Challenge) ■データ法(Digital Accountability and Transparency Act)		■スマートシティ・ミッション(Smart Cities Mission)
□スマートシティ・イニシアティブ(Smart Cities Initiatives) □スマートシティ・チャレンジ(Smart City Challenge)(米国運輸省)	★中国スマートシティ国際博覧会	
Smart Cincy(シンシナティ)	■第13次5カ年計画 ★日中スマートシティ等協力推進に関する覚書 シティブレイン(城市大脳)(杭州)	□スマートシティ・チャレンジ(Smart Cities Challenge)ラウンド1選定(20都市)
Smart Columbus(コロンバス) Sidewalk Toronto(カナダ・トロント)計画発表	雄安新区	□スマートシティ・チャレンジラウンド2選定(27都市)
	智恵蘇州 上海智恵城市	□スマートシティ・チャレンジラウンド3選定(30都市)
		□スマートシティ・チャレンジラウンド4選定(10都市)
★G20 Global Smart Cities Alliance 設立(10月)		
Sidewalk Labs社、Quay Side PJから撤退発表 QuaySide PJ計画再発表	杭州健康コード(杭州)	■国家インフラ開発計画 PM Gati Shakti 「自立したインド(Self Reliant India)」政策
	■第14次五箇年計画	

図表2-3 **バルセロナ市でのセンシングによる大気汚染問題解決の試み**[6]

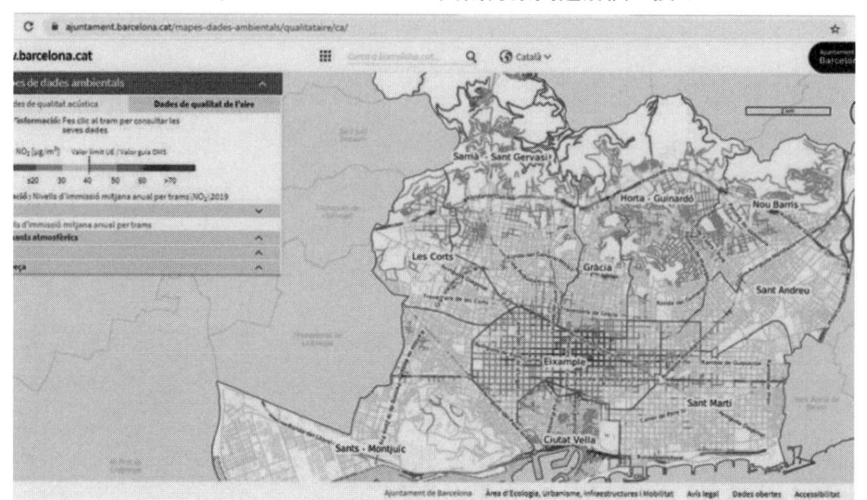

る。

例えば、中国は2006年に発表した「第11次5カ年計画」で省エネルギー化を含めた循環型社会の確立を示し、武漢市と深圳市をパイロット都市として取り組みを始めた。その後、中国の4大企業が地方自治体とタッグを組み、都市インフラのデジタルプラットフォームを開発し、交通、医療、都市管理、環境など地方行政に必要な機能をすべてデジタル管理する取り組みを加速させてきた。中国のスマートシティは、都市インフラのデジタルプラットフォームによって少ない資金で効率良くエネルギーを消費したり、シームレスな移動を実現したりしていることが特徴といえる。杭州市はアリババ社と組んで「シティブレイン」を開発、交通状況をリアルタイム映像で監視するAIを導入し、渋滞緩和や緊急車両の到着時間短縮に役立ててきた。また、河北省に設置された雄安新区では自動運転バス、自動小型清掃車、雨水循環システム等のデジタル技術を活用した社会インフラサービスや、顔認証による非現金決済を行う無人スーパー等が整備されてきている。

一方、インドも2014年に「スマートシティ・ミッション」を発表し、都市開発省（Ministry of Urban Development）がインド全国で「スマートシティ・チャレンジ」というコンペティションを実施、スマートシティを推進する都市を100都市選出した[7]。本コンペティションで選ばれた都市の例としてニューデリーやハイデラバードが挙げられる。ニューデリー市では、都市のモビリティとパーキング、エネルギー管理、上下水道管理、廃棄物管理といった物理的インフラのスマート化を進めている。また、ベンガルール市では、自動ナンバープレート認識を利用したスマート交通管理システムを実装中である。スマートシティ・チャレンジでは、その都市が持つ課題を理解しているか、という点に加え、財務的な面で持続可能性があるかを重視して選定を行った。これは、スマートシティが社会実験から社会実装の段階へと進んだことを表していると考えられるだろう。

2.2　COVID-19の影響

サバイバルを通じてデジタルの力に目覚めるスマートシティ

2019年から全世界に拡大したCOVID-19はスマートシティのあり方にも大きな影響を与えた。COVID-19で都市がロックダウンする中では「いかに生き延びるか」（サバイバル）が最優先の課題であった。

各都市はデジタル技術の活用によってロックダウンを生き延びることをもくろんだ。たとえば台湾では、COVID-19によってマスク不足が深刻化する中、中央健康保険庁がマスクを販売する薬局の30秒ごとの在庫データをCSV形式でネット公開することにより、在庫マップアプリ等をシビックテック・コミュニティや企業が開発、公開し、マスク不足に対する市民の不安や混乱を軽減した。また、杭州市では先に述べたシティブレインを活用し、本人確認後、政府が保有するビッグデータと照合して健康状態を3段階で表示するデジタル健康証明書「杭州健康コード」を実装した。さらに、中国各都市では、従来人手で実施していた医療検査、診療、運搬、リハビリや消毒等の業務をロボットやドローンが担うことにより、人と人が密接する機会を減らし、感染拡大防止につなげている。

曲がり角を迎えた不動産ビジネスとしてのスマートシティ

スマートシティではビジネスモデルが確立していないことが大きな課題であると各所で指摘されてきた。「スマートシティ化することによって公共交通機関を中心にまちの利便性を向上、人々を集めることで不動産価値を向上させることで収益を得る」というビジネスモデルはそのような中でもスマートシティのビジネスモデルとして有望なものと考えられてきた。

しかし、COVID-19による3密（密閉・密集・密接）の回避やリモートワークの普及等で生活習慣や人々の意識が変化したことで、上記のビジネスモデルは困難なものになったと考えられ始めている。例えば、トロント市が計画していた「Sidewalk Toronto」事業からGoogleの関連会社であるSidewalk Labs社が撤退を表明した際には、「世界およびトロントの不動産市場における経済的な不透明性の高まり」を撤退の理由として挙げた[8]が、これもSidewalk Labs社が不動産収益をビジネスモデルの柱に据えていたことが関係している。

2.3 再始動するスマートシティ

スーパーシティ構想

スーパーシティ（正式名称は「スーパーシティ型国家戦略特別区域」）は国家戦略特区の一種で、「住民が参画し、住民目線で、2030年頃に実現される未来社会を先行実現する」ことをめざしている[9]。2020年9月に改正国家戦略特区法が施行され、同年12月に提案の公募が開始された。2021年4月に31の地方公共団体からの提案があり、2022年4月大阪市、つくば市がスーパーシティとして指定を受けている。

スーパーシティが従来のスマートシティの施策と大きく異なるのは、「住民等の意向の把握」と「アーキテクトの存在」を明文化したことであると考えられる。住民意向の把握は、スーパーシティが住民が自ら未来像の実現に合意し参画するものであることを前提に、市民主導で地域の課題を解決していくための取り組みであるという目的を端的に表すものである。一方、「アーキテクト」はスーパーシティを実現するための一連の取り組みの実質的な責任者として位置づけられており、アーキテクトのもとで創造力や機動性のある人財をチームとした推進体制を構築することが求められている。

スーパーシティはCOVID-19の影響下で公募が行われたこともあり、上記の提案の中には、デジタル技術を活用した、健康や医療の課題解決が多く含まれていた。この結果、デジタル田園健康特区という、「デジタル技術の活用によって地域における健康、医療に関する課題の解決に重点的に取り組む複数の自治体をまとめて指定し、地域のデジタル化と規制改革を推進する」新たな戦略特区が設けられ、2022年4月には、茅野市、加賀市、吉備中央町がデジタル田園健康特区の指定を受けた[9]。

デジタル田園都市国家構想

デジタル田園都市は、自民党デジタル社会推進特別委員会が2020年6月に公開した、デジタライゼーション政策に関する提言（「デジタル・ニッポン2020」）において、2030年を見据えた将来構想として提案されたものである[10]。本提案では、2030年の日本社会の理想像が、地方でも幸せに暮らせる人間中心の「デジタル田園都市国家」であるとされており、デジタライゼーションによって地方における働き方、医療、教育が進化すると述べられていた。その後、2021年11月に政府によってデジタル田園都市国家構想実現会議が設置され、2022年6月に「デジタル田園都市国家構想基本方針」が閣議決定された[11]。「デジタル田園都市国家構想基本方針」では、デジタル田園都市国家は、「全国どこでも誰もが便利で快適に暮らせる社会」を実現した社会であり、暮らす場所、年齢、性別にかかわらずあらゆる国民が、それぞれのライフスタイルやニーズに合ったゆとりと安心を兼ね備えた心豊かな暮らしを営むことができ、「地方における仕事や暮らしの向上に資する新たなサービスの創出、持続可能性の向上、Well-being の実現等を通じて、デジタル化の恩恵を国民や事業者が享受できる社会」として描かれている。本構想は、過疎化、高齢化の課題先進地である地方において、デジタル技術を活用し社会課題の解決を図っていくことが必要であるとしている。

デジタル田園都市国家構想の実現に向け、デジタル技術を活用して地域の課題解決や魅力向上を行うスマートシティ事業が多く採択されている。デジタル田園都市国家構想推進支援金では、これらのスマートシティ事業(デジタル田園都市)を三つのタイプに分類、先導的なモデル事業だけではなく、他の優れた取り組みを横展開する事業も支援しているのが特徴の一つである[12]。2022年には、先導的なモデル事業として27団体、横展開事業として403団体が採択を受けた。

先導的なモデル事業では、Well-being指標によるモニタリングが要件とされたこともデジタル田園都市国家構想におけるスマートシティの特徴である。人中心の考え方に基づいて、住民等のWell-beingを向上させることを大きな課題とし、エビデンスベースで解決を図っていくという方向性が明確化されたといえる。

スマートシティの都市連合　GSCA

デジタル田園都市等、スマートシティ実現のために他地方の優れた取り組みを取り入れていくためには、共通の設計図を用意する以外にも、他地方のスマートシティの知見について深く知ることが必要である。世界各国でスマートシティの構築が進展する中で、ある地域/目的を軸に複数の都市が連携する取り組みは様々に行われてきた。日本においても、スマートシティ・インスティテュート（Smart City Institute Japan）[13]やスマートシティ官民連携プラットフォーム（国土交通省）[14]等の都市間連携の取り組みが進められてきている。

一方で、日本が議長国を務めた2019年のG20において、プライバシーやセキュリティなど都市が抱える多くの課題は世界共通であり、世界各都市がベストプラクティスを学びあえるアライアンスが必要であるとの認識が共有された。こうした認識のもと、地域や目的を超えて広範なベストプラクティスをグローバルに共有する目的で2019年に設立されたのが、G20 Global Smart Cities Alliance for Technology Governance（GSCA）である。

GSCAでは、都市が抱える世界共通の主要課題を五つの原則（オープン性と相互運用性、セキュリティとレジリエンス、プライバシーと透明性、包摂性、持続性、の原則）としてまとめるとともに、すでに同じ課題に直面したスマートシティの知見に基づき、こうした課題に対するモデルポリシーを策定する活動を行っている[15]。

2.4 Society 5.0を具現化するスマートシティ

スマートシティはICT技術、デジタル技術を活用し、エネルギー利用の効率化（日本）、市民課題の解決（欧州）、効率的な都市開発（中国・インドをはじめとするアジア）をめざしてスタートした。COVID-19が深刻化するにつれて、こうした取り組みよりも、市民の生存確率を高めることに全世界の都市は力を注がざるを得なかった。COVID-19が一定の落ち着きを見せた2023年現在、スマートシティプロジェクトが再始動を始めたが、そのめざす姿はCOVID-19以前とは少々異なっているように見える。

昨今のスマートシティに関わる各種の取り組みから、2023年現在のスマートシティ、Society 5.0を具現化するスマートシティを展望すると、「Well-beingとレジリエンスやサステナビリティの両立」「市民主導」「『共助』を『デジタル技術』で実現する」という方向性が見えるように思われる。

「Well-being」はSociety 5.0の「人中心」というコンセプトをより具体化したものと位置づけられる。デジタル田園都市国家構想においてはWell-being指標として定量化が図られてきており、デジタル技術によるモニタリングを組み合わせ、体系的かつ継続的にWell-beingを向上させることが追求されていくだろう。

「市民主導」も「人中心」をより具体化した一つであり、市民の参画とリーダーシップの二つを含んでいる。スーパーシティの「住民等の意向の把握」も住民が自ら未来像の実現に主体的に参画することが前提である。COVID-19拡大期に各所で行われたシビックテックの活用等のように、今後、各種施策の企画、実行段階により深く市民が関わってくるだろう。同時に、スーパーシティの「アーキテクト」のようなリーダーがこうした市民の関与を調整、推進していくことも求められる。
「共助」は、デジタル田園都市国家構想に述べられている、地域の中での市民同士や市民と企業の間の連携、というだけではなく、ベストプラクティスの地域間、国際間での共有も含んでいる。Society 5.0を具現化するスマートシティでは、デジタル技術によって地域内、地域間、国際間での連携をめざしていくと考えられる。

2.5 日本のスマートシティ事例レビュー

国内では政府が用意する支援策なども活用しながら、大都市、地方都市がそれぞれの地域課題に沿った選択の下でスマートシティの実装、展開を進めており、国全体としてみると、防災、交通、物流、医療福祉、観光など多岐にわたる領域がカバーされている。ここでは、日本のスマートシティの具体事例として、地域特性、取り組み領域、主体組織などの異なる7事例について、実証中の取り組みも含めその概要を紹介する。

柏の葉スマートシティ(千葉県柏市)

首都圏郊外の新規開発地におけるスマートシティの事例として、千葉県柏市の北部に位置する柏の葉地区を紹介する。同地区では、柏北部中央地区土地区画整理事業（千葉県施行、施行期間2000～2029年、面積273ヘクタール、計画人口26,000人）による都市基盤整備と並行して、2005年8月のつくばエクスプレス開通を契機とする柏の葉キャンパス駅周辺の複合開発が進む。駅西側の隣接区域は、旧米軍基地跡地に東京大学柏キャンパス、千葉大学柏の葉キャンパス、国立がん研究センター東病院、県立柏の葉公園等が立地し、マテリアル開発、AI、ライフサイエンス等の分野での先端的な研究開発の拠点ともなっている。
駅を中心とした区域では、土地区画整理事業で都市基盤が整備された後に公・民・学連携組織である「柏の葉アーバンデザインセンター（UDCK)」

が中心となり駅西口の駅前広場と道路、2号調整池などを魅力的なデザインの公共空間とする整備が進められてきた。柏の葉スマートシティは、魅力的な公共空間の創出と、自動運転バス、AIカメラによる安全・安心、健康データを活用した健康づくり支援などの高度なデジタル・サービスとを組み合わせたスマートシティのモデルをめざしている[16]。

同地区でのスマートシティの取り組みは、2011年度の国の環境未来都市と地域活性化総合特区の採択を契機とする第1フェーズから、2019年度の国交省のスマートシティモデル事業における先行地区に採択されたことを契機とする第2フェーズへと移行し、進化を続けている。

第1フェーズでは、2011年3月に発生した東日本大震災後の原発事故を発端とする電力供給に対する全国的な課題意識を背景として、この時期のスマートシティの他のモデル的な事業と同様に、エネルギーマネジメントを主課題としてきた。具体的には、2014年から駆動しているエリア・エネルギー・マネジメント・システム（AEMS）を中心とし、駅前4街区を対象としてカバーするエネルギーマネジメント型のスマートシティが実装されてきた。

その後、2016年1月のSociety 5.0の提唱後に、地域の課題解決型のスマートシティが国内の新たな潮流となる中で実施された2019年の国土交通省スマートシティモデル事業に申請し、先行地区（15事業）の一つに採択された。申請内容は、駅を中心とするスマートコンパクトシティとしており、採択を受け、柏市、三井不動産株式会社、UDCKが幹事を務め、民間企業や研究機関等で構成される「柏の葉スマートシティコンソーシアム」が主体となり、2020年3月に「スマートシティ実行計画」を策定している[17]。

実行計画では、モビリティ、エネルギー、パブリックスペース、ウェルネスの四つのテーマと、民間＋公共のデータプラットフォームの構築、公・民・学連携のプラットフォームを活用したオープンイノベーションの活性化、分野横断型のサービス創出の3つの戦略を掲げ、人々の暮らしや健康、都市にかかわる様々なデータを活用したまちづくりをめざしている[18]。

同地区の課題の一つは、駅から約2キロ離れたエリアに東京大学柏キャンパスや国立がん研究センターなどの施設が立地し、短中距離移動のバス需要が一定程度ある中、地区内の移動利便性を上げることにある。そのため、4

テーマの一つであるモビリティについては、2019年11月より、東京大学と民間企業等によるレベル2の自動運転バスが柏の葉キャパス駅と東京大学柏キャンパスとの間を平日に1日4往復運行（うち1往復は視察便）する社会実験と技術開発が続けられており、混在空間におけるインフラ協調型のレベル4（特定条件下での完全自動化）の実装をめざしている。

三つの戦略の一つ目にあるデータプラットフォームについては、データ連携プラットフォームサービス「Dot to Dot」と、健康な暮らしをサポートするポータルサイト「スマートライフパス柏の葉」を提供している[19]。Dot to Dotは、提携サービス間でのパーソナルデータ連携を安全に行うことができるネットワーク環境を提供し、スマートライフパス柏の葉は、Dot to Dotの活用を通じて、疾病リスクに応じた健康アドバイスや、エリア内の施設やサービスの予約・利用などができるメニューを提供しており、柏の葉地区の生活者の健康づくりに寄与している。

また、戦略の二つ目に関連して、エリアの住民や関係者が共にスマートシティづくりに参加する「みんなのまちづくりスタジオ」という名称のリビングラボを創設した。このスタジオの活動は本書の第7章で紹介するが、柏の葉エリアの課題やニーズを共有し、スマートシティを共創するためのアイデアやプロトタイプを生み出すワークショップなどが開催されており、参加型プロジェクト創出の場として機能している[20]。

新型コロナウィルス禍にあってもコンソーシアムの参加企業は年々増えており、日本発のスマートシティの国際モデルとしての発展が期待されている。

大丸有スマートシティ（東京都千代田区）

東京都内の業務系地区の代表例として、大手町・丸の内・有楽町（大丸有）地区が挙げられる。東京都千代田区にある大丸有地区は、面積120ヘクタール内に、28路線13駅が存在し、就業人口約28万人、事業所数約4,300を数える日本を代表する業務市街地であるとともに、1980年代後半からの計画的取り組みにより、商業市街地としての顔を併せ持つ。2010年代からはエリア全体を俯瞰したマネジメントの先駆的取り組みでも知られ、地元企業と東京都等との公民協調型のモデルでもある。大丸有地区での本格的なスマートシティの取り組みは、2019年に遡り、スマートシティを通じてエリア価値向上が図られてきている。

現在のシステム全体は、図表2-4に示すように多岐にわたるデータとサービスをカバーするものとなっており、地区内のセンサーによる人流や自動運転バスの位置などモビリティ関連のダイナミック（動的）データ、イベント情報、防災関連のスタティック（静的）データ、トイレやワークスペースの空き情報といった準ダイナミックデータなど、多様化しつつ粒度の細かい質量ともに充実した都市データを収集することにより、都市活動を可視化し、同地区の情報ダッシュボードとして公開予定である。

それら都市データが、地下鉄運行情報、天気情報などの外部情報とともに大丸有版都市OS（Society OS）で解析・処理され、アプリ等を通じた多様

図表2-4 **大丸有地区システム全体図**[21]

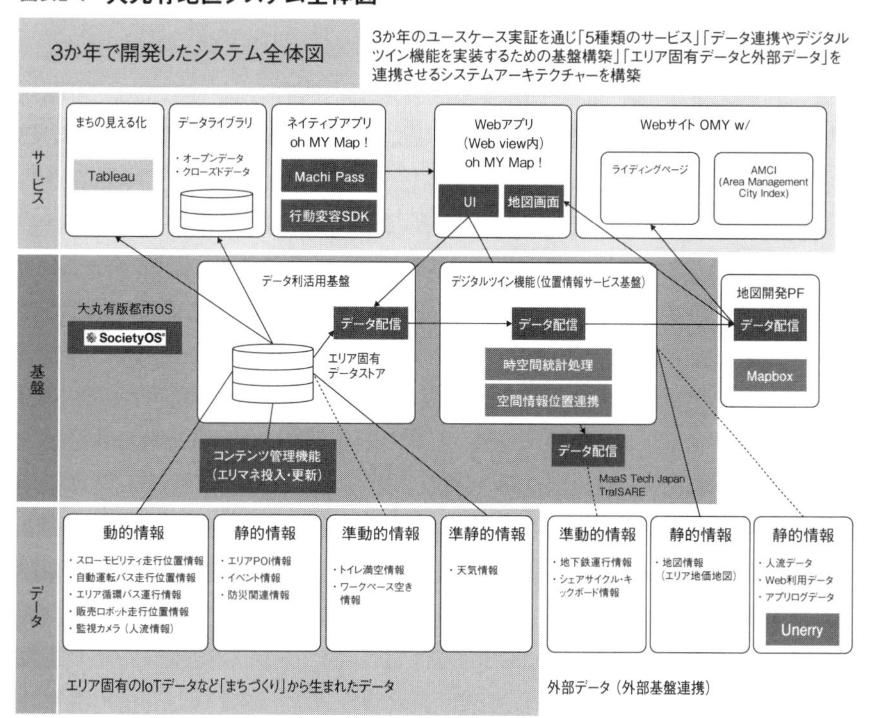

なサービス提供が行われる、いわばエリアマネジメントのDX化（エリマネDX）が進められている。これは、現実世界からの情報収集をデジタル化し、そのデジタルデータの蓄積・解析により情報価値を増大させ、さらにその価値を現実世界にフィードバックし、サービス向上、エリアマネジメントの高度化などにつなげるサイバー・フィジカル空間のループ化、正の循環構造の構築ととらえられる（大丸有地区では、エリアマネジメントのリ・デザインループと称している）。そうしたデータ、分析ツールの活用により、災害時での人流シミュレーションによる地区防災力の向上を図ることに加え、リアルタイム回遊マップのアプリ構築などの実装も進められている。以下では、サービス提供に向けて実証が進められ、エリマネDXの弛まぬ進化を実感することができるサービスを紹介する。

2020年から2回にわたり、丸の内仲通りを歩行者専用空間とする時間帯に自動運転バスを時速6キロメートルで走行させ、同一空間での歩行者との共存可能性を実証している。スマート化とウォーカブルの両立を図る興味深い取り組みと言える。

また、2021年には、ロボットの屋内外の配送実証が試みられた。仲通りをヨチヨチと移動する配送ロボットが、公道・私道あるいは地上・地下空間を境目なく行き来し、ビル内の垂直移動もこなすことをめざしている。そのためには、行政が管理する公道に関する空間データ、民間敷地内の空間データ、建築物内のエレベータ、通路などの空間データが有機的に繋がることが不可欠となる。都市の3Dデータ、建築物のBIM（Building Information Modeling）などのデータ連携の先駆的取り組みと言える。

スマートシティの取り組みにおいては、テクノロジー側（サプライサイド）が見出す可能性と地域の利用者側（デマンドサイド）のニーズのずれが懸念されるが、それを埋めるためにも目標を共有することが重要である。この点、同地区では創造性、快適性、効率性などの地域のヒューマン側からの視点も踏まえた多様なKPI（Key Performance Indicator: 重要業績評価指標）の設定などの配慮がなされている。

また、2040年までの長期を見据えながら、都度工夫を凝らしていくアジャイル的（機動的）な進め方も意識されており、データやメニューの豊富さ、運営体制の充実など多くの面で先進的な取り組みが構造化されている。

Smart City Takeshiba（東京都港区）

東京のプロジェクト型スマートシティとして東京都港区の竹芝地区を紹介する。同地区は、沿岸部に面し、水辺空間や舟運の活用可能性などの特徴を備えた立地であり、企業と地元行政による協議会組織と事業運営を担う社団法人の両立てによるエリアマネジメントが進められている。地域中核施設のポートシティ竹芝には1,000基以上のセンサーが装備され、人流等の都市データの収集が進み、これらのデータと3D都市モデル（PLATEAU）や建築物BIMとの連携により、さまざまなまちづくりシミュレーションが試みられている（**図表2-5**）。これまでも、コンビニ商品のロボットによるビル内配送、舟運と陸上交通の連携など多様な実証が行われてきたが、津波、高潮等のリスクに備え、3D都市モデルを活用した災害時の一斉帰宅、段階的帰宅に伴う混雑人流シミュレーションの実施、LINEと連携して多様な情報を統合し、

図表2-5　Smart City Takeshiba[22]

～Smart City Takeshiba～
3D都市モデル（PLATEAU）を活用した混雑人流シミュレーションの導入や、LINE等を連携した効果的な情報発信を実施することにより、より効果的な防災対応、避難誘導を促す。

実証内容

① 3D都市モデル（PLATEAU）を用いた混雑人流シミュレーション
3D都市モデル（バーチャル竹芝）を活用し、シミュレーション機能やエリア独自のデータを取り込み、地域活動や防災ツールとしてまちづくりに活用

② 情報発信による来街者の避難行動の効率化
LINEから街の状況を報告できる機能を開発し、発災時の推奨行動と街の情報を来街者に届けることで、街の人々の行動変容を検証。

実証概念図

▲周辺の施設から一斉帰宅時の混雑

▲段階的帰宅時の混雑（一部施設からの帰宅速度を調整）

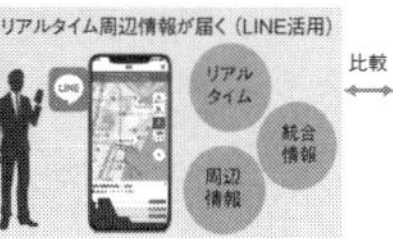

比較

発災時の推奨行動が促された割合を評価

リアルタイムで送信することによる行動変容を観察する実証実験など、エリア特性を踏まえ工夫を凝らした取り組みが進められている。

吉備高原都市（岡山県加賀郡吉備中央町）

スマートシティの取り組みは大都市に限らない。逆に、人口減少、高齢化などの社会的課題に直面する地方都市において、テクノロジーの活用による課題解消が実現し、その有効性が実証されると、極めて波及効果が高いものとなる。以下では地方都市の事例として、健康、医療領域を中心とした岡山県吉備中央町の取り組みを取り上げる。吉備中央町は、岡山県の中山間地域に位置し、人口減少、高齢化が進展する中、地域医療や高度救急などの課題の解消に向けて、2022年からデジタル田園健康特区の一つとして、規制改革と合わせスマートシティの取り組みを進めている自治体である。「住民がワクワクしながら安心・安全に生活できる未来型シティの創出」をテーマに掲げ、吉備中央町が管理するデータ連携基盤を活用した取り組みが進められているが、以下では一種の遠隔医療の取り組みに焦点を当てて紹介する。

吉備中央町には、高次救急病院がなく、救急対応や夜間小児科受診などには、町外への病院まで時間を要するという、地方部にはしばしばみられる課題が存在する。この課題に対応して、救急車をDX化し、車内での早期治療着手を目指している。具体的には、車内カメラによる映像、車内医療スタッフが装着する眼鏡からの視線映像ほかの生体情報などを、地域の基幹病院である岡山大学病院に患者搬送中の車内から伝送し、基幹病院に所在する医師の指示を仰ぎつつ、救急治療行為の早期化につなげるものである。さらに、同乗する救急救命士による超音波エコー検査を規制改革により可能とすることで、搬送中の情報収集のレベルを上げ、救急治療効果の向上をめざしている。

救急救命士が医師の指示の下で実施できる行為（救急救命措置）の拡大は実証の最中にあるが、既に厚生労働省において具体的検討の開始が見込まれている。そのほか、救急救命士が患者のマイナンバーカードから個人特定し、あらかじめ当該個人本人の同意を得て登録された救急関連データ（きびコンシェルジェサービス）を搬送先医療機関と素早く共有するなど、データ連携

図表2-6 吉備中央町 救急医療サービス[23]

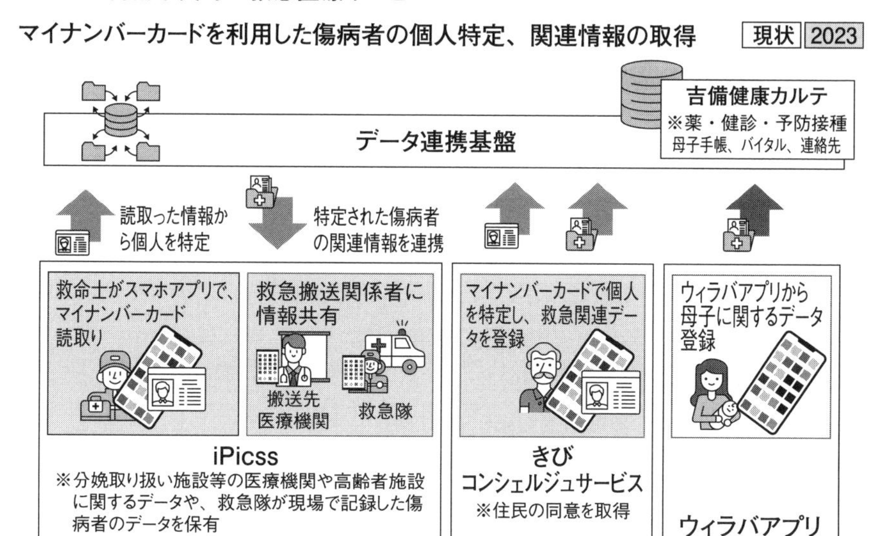

基盤の多面的な活用計画にもとづき、本格的な実装に向けた取り組みが進められている（**図表2-6**）。

また、自家用車の利用が困難な住民に向けて、通院、薬・生活物資の自宅配送に自家用車を活用した助け合い交通の実用化に向けた検討も進められている。通院や薬・生活物資の配送のための配車は、AIが担うオンデマンドサービスにより実現し、自家用車のドライバーの健康状態は既存タクシー事業者である運行管理者がマイナンバーカードを活用して把握、車両に安全運転評価システムを装備して、ドライバーの安全運転レベルを継続的に評価するなどデジタル技術活用によるリビング・ウェルフェアの向上が進められている。

太地町（和歌山県）

和歌山県南紀地方は、南紀白浜空港を活用すれば、東京から空路で1時間という時間距離に位置するが、陸路では鉄道、高速道路の整備が進展してきているものの、大阪、名古屋両大都市からのアクセスには時間を要し、また南海トラフ地震では相応の被害が沿岸部に予想されるなどの地域課題を抱えている。そうした課題を有する地域として、複数の市町村にわたり、ITベンダーとの連携の下、高齢化に対応した地道な取り組みが進められている。

捕鯨の町として知られる太地町は、人口3千人弱で65歳以上人口比率が40%台半ばという状況にあり、町が掲げる「高齢者が年齢を重ねるごとに幸せを感じることのできるまち」をめざすとするビジョンの下、高齢者の外出促進などのために、コミュニティバス、小型自動運転車両活用の取り組みが進められている。

具体的には、地域に密着したITベンダーが開発した自動運行情報システムによる自動運行の各車両に搭載されたGPSトラッカーにより、各車両の位置情報がエルコンパスと名付けられた地図ポータルに可視化される。その地図ポータルの表示は、主要な利用者と想定される高齢者の利便性の観点から、文字の大きさ、色使い、レイアウトなど視認性の確保が重視されているほか、あえて情報粒度を落とし、車両の位置、移動方向の直感的な把握が可能となるような工夫がされている。スマホからだけでなく、スーパー、役場、病院等に設置されたサイネージによる情報提供もあり、デジタルツールに不慣れな高齢者のUI（ユーザーインターフェイス）、UX（ユーザーエクスペリエンス）を意識した取り組みから構成されている。

また、自動運転車両情報以外に、避難所、ハザードマップ、観光スポット情報なども提供することで、防災、観光への有用性を広げ、総合的なコスト負担力の増大につなげている。高齢者のための足をつくり、外出促進を図ることで将来の医療費削減を狙う取り組みでもある（**図表2-7**）。

これらは、人口減少、高齢化などに伴う地方部での課題を、スマートシティの取り組みにより解決していこうとする、デマンド側のニーズに即した取り組みであると言え、課題の見出し方、運営体制のあり方など、他の地方都市が参考とすべき点が多々ある。

すさみスマートシティ（和歌山県）

太地町と同じ南紀地方に位置する、すさみ町も人口約3,600人、高齢化率

図表2-7　和歌山県太地町「データ連携基盤」導入実績

導入自治体		
項目		内容
導入自治体		和歌山県太地町
人口		2,903名(令和4年10月31日現在住基台帳人口)
予算	令和4年度	デジタル田園都市国家構想交付金Type1（内閣府）

先端的サービス		
サービス	連携データ・アプリ	
<ウフル提供サービス>『自動運転車両運行情報システム』	センサー	GPSデータ(コミュニティバス・自動運転車両)
	外部データ	バス停
		避難所スポット
外部連携サービス	デジタルサイネージ（町内7か所予定）	

提供サービス概要

「公園の中に住民が住んでいるようなまち」を目指し、町のビジョン「高齢者が年齢を重ねるごとに幸せを感じることのできるまち」のさらなる実現に向け、①**高齢者の生活の足の確保**、②**高齢者の外出の促進**、③**安全で便利な生活レベルの確保**のため、高齢者が多く住むエリアへの自動運転車両走行サービスを提供。

※株式会社ウフル提供

40%台後半の町であるが、防災の観点からスマートシティの取り組みが開始されている。2021年度には災害時を想定し、各避難所からの必要物資と配送拠点の保管物資をデジタル管理し、モバイルオーダーで配送オペレーション管理を行い、高精度測位情報を活用したドローンによる自動航行の配送を実装化する取り組みが進められている。

このシステムは、平時には道の駅のモバイルオーダーシステムとして活用されることで、コスト負担力の確保をめざしつつ、防災だけでなく観光ポータルへの拡張を含めた取り組みが継続されている。

実際にすさみ町を訪問した際には、町長、町役場職員、地域に張り付いたITベンダーが一体となって取り組みを進める姿が印象的であり、町長のリーダーシップの下で機動的な対応を可能としている様子が見受けられた。デジタル人材に恵まれない小都市でのスマートシティの進め方の一つのモデルとなる取り組みを進めている事例と言える。

つくばスーパーサイエンスシティ構想(茨城県つくば市)

最後に、スーパーシティの取り組み例として、つくば市を紹介する。スーパーシティは、都市全体の未来化をめざし、個別分野に限った取り組みではなく、幅広く住民生活全般にわたる取り組みについて、住民目線に立って暮らしと社会に実装していく構想であり、いわゆるスーパーシティ法が2020年に立法された（法形式としては、国家戦略特別区域法の一部改正)。幅広く住民生活に関わる取り組みとしては、行政手続き、モビリティ、物流、医療介護、教育、防災、エネルギーなどの領域のサービスの高度化が対象となるが、それらのうち少なくとも5領域程度を取り上げ、データ連携基盤を通じたデータ融合的な視点に立ちつつ、必要に応じ規制の改革も含めた取り組みが求められている。これまでに、つくば市と2025年の国際万国博覧会を控え、空飛ぶ車の実装等をめざす大阪市が法律上のスーパーシティとして採択されている。

つくば市では、「つくばスーパーサイエンスシティ構想」にもとづき、産学官金(産学官+金融機関)が連携して組織する協議会の下で、しばしば話題になる公職選挙におけるインターネット投票の提案など行政手続き、区域内の移動を確保する周辺部コミュニティ・モビリティや中心部ワンマイル・モビリティなどの移動サービス、荷物搬送ロボットやドローンを活用した物流サービス、インフラ・エネルギー・マネジメントや避難所・被災状況の可視化などの防災・インフラサービスなど、先端的な取り組みが構想、展開されている。既に2022年から、自動配送ロボット（Unmanned Ground Vehicle）の公道走行により、スーパーマーケット、カフェからの商品のオンデマンド配送（配送料110円）を実装している。

以下では、数ある取り組みのうち、新しいモビリティシステムを活用した人の移動、物流の先端的取り組みを紹介する（**図表2-8**）。全国各地で高齢化が進展する中、自家用車に依存しない移動の足の確保は一般的な課題であるが、自宅近辺でのラストワンマイル移動について、自動運転パーソナルモビリティのシェアリング活用等による工夫が進められている。

アプリによる配車予約に従い、一人乗りのパーソナルモビリティが自宅に

図表2-8　つくばスーパーサイエンスシティ構想：新しいモビリティを活用した移動・物流サービスの提供[24]

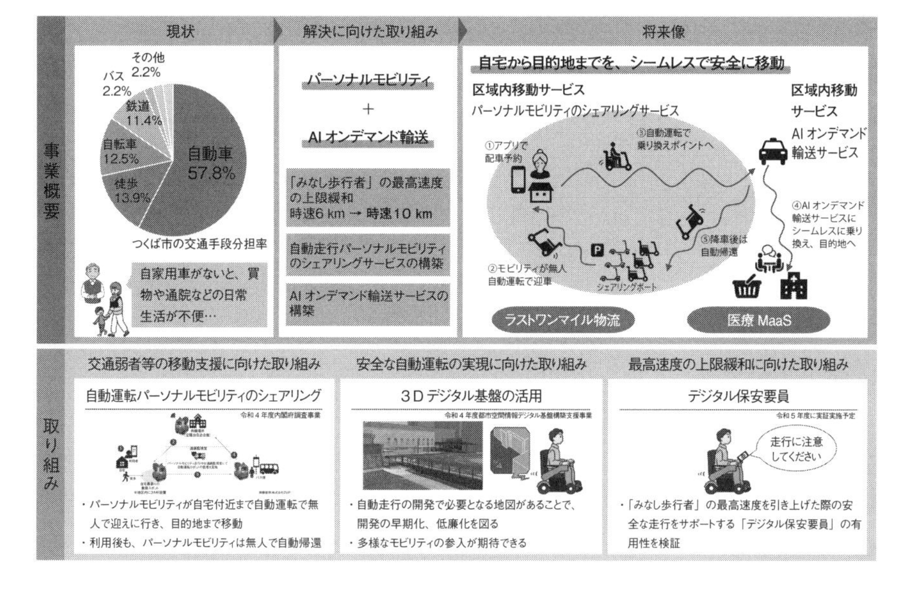

自動運転で迎えに来る。そこから、AIオンデマンド等で配車されるタクシーへの乗り換え地点に移動、シームレスに乗り換え、病院等の目的地に安全・安心に向かう。パーソナルモビリティは、乗り換え地点から自動運転でシェアリングポートに戻り、次の需要に向けて待機する。つくば市が想定するパーソナルモビリティは、道路交通法上、みなし歩行者と取り扱われるが、現行の最高速度6km/hから10km/hへの緩和に向けて、デジタル技術による有用性を検証するなど規制改革も含めた実証が進められている。

また、市内には、筑波大学、国の研究機関などが立地する特性を活かし、研究者の起業促進に向けたつくばスタートアップパークの機能強化、資金調達支援などのスタートアップエコシステム形成に向けた取り組みも、同市のスーパーシティならではの取り組みとして注目される。

2050年にめざすべき都市像
―政策提言AIを用いた考察

地域には現時点で多くの課題やそれらへの取り組みがあるだろう。課題を解決しながら未来を創っていくことも重要である一方、ありたき将来を描いた上でそこに到達するための施策をバックキャスティングで検討して取り組んでいくことも同様に重要である。その将来とはどのように描いたらよいだろうか。ここでは、ありたき将来像の作成の一つの試みとして日立東大ラボが行った検討について、簡単に紹介したい。

本コラムで紹介する「2050年にめざすべき都市像を考える研究」が始まったのが2020年4月である。COVID-19の世界的な感染拡大が報道され、日立東大ラボメンバーの打ち合わせもオンライン会議の利用を余儀なくされた。メンバーの一人はオンラインを通じたワークスタイルの浸透を見て、都心への通勤に2時間弱かかる地域へ移住した。いわゆる郊外地域のさらに外側の地域である。こうした動きは特に大都市圏で見られ、東京圏から近郊都市への人口流出ととらえられるスマートフォンの位置情報の統計的な変化や、不動産情報サービスでの近郊都市の閲覧数の増加などがメディアで報じられた[25]。大都市へのアクセス性はいままでの郊外地域より劣るが、

図表2-8　**将来の国土構造タイプのイメージ**

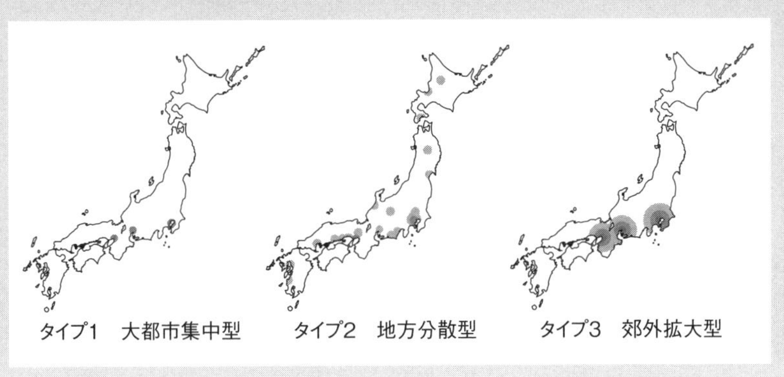

通勤頻度の低下を考慮して妥協点としてとらえ、その代わりに広々とした住まいで自然と接する機会も豊かな地域が選ばれ始めていると解釈できる。

このことは、将来の国土構造を考えるための新しい可能性を示唆している。従来の国土構造は基本的に「大都市集中型」か「地方分散型」かの2択であったのに対して、郊外がじわじわと外側へ拡大するような今回の移住の動きは、「郊外拡大型」とも呼べるような新しい国土構造タイプの出現を予感させる（**図表2-8**）。この郊外拡大のシナリオは望ましい国土構造となり得るのだろうか。ありたき将来像は、「大都市集中型」、「地方分散型」、「郊外拡大型」のいずれなのか。それに到達するために、われわれはどのような取り組みをすべきなのか。これを計算機シミュレーションに基づいて考察した。

理想の国土構造といっても複数の観点がある。雇用の向上や経済活動の活性化のみならず、環境への負荷や、生活者の主観的な幸福度なども含め多角的に評価されるべきである。そこで、日本全体をいくつかの指標で評価することを考える。指標とは失業率（の低さ）や、炭素排出量、あるいは「現在の生活に満足している人の割合」などがあるだろう。これらの指標の値を2050年の日本について予測してみようという大胆なシミュレーションである。もちろん日本社会を全部シミュレーションすることはできないので、指標に影響する本質的な要素をとらえようとし、それ以外は簡素化したようなシミュレーションを構築する。本取り組みでは、日立京大ラボで開発された政策提言AI [26] と呼ばれるシミュレーション技術を応用した。詳細な説明はここでは省略するが、当研究の目的に合わせて社会の指標群を設計し、独自のシミュレーションを行った。

シミュレーションの前提条件の整理-国土構造を考えるための三つのゾーン

仮説としての三つの国土構造を比較検討するために、日本の1,700ある自治体を「大都市部」、「拡大郊外部」、「地方都市部」に類別した。ここでは、都市経済学分野で用いられる都市雇用圏[27]を援用し、次のように大都市部、郊外拡大部、地方都市部を定義した。

大都市部は東京、大阪、名古屋の、それぞれの中心部への通勤率が就業者の中で30%を超える市町村とした。その外側の拡大郊外部は、ドア・ツー・ドアで2時間程度の通勤が一つの移住の限界の目安と考え、鉄道乗車時間が90分以内の駅を有する地域とした。地方都市部は、これら以外の地域である。この定義に従えば、例えば横須賀市、鎌倉市、藤沢市、茅ヶ崎市、逗子市は大都市部に含まれ、拡大郊外部には、平塚市、小田原市、三浦市、大磯町、二宮町、箱根町などが含まれる。大阪圏、名古屋圏についてもこれに準じる定義を与えた。

このように日本を大まかに三つにゾーニングし、それぞれ生産人口をはじめとした約50種類のゾーン別指標を定義した。また全国共通の指標を約170種類定義し、シミュレーションを行った。

シミュレーションが示した将来の国土構造の読み解き

政策提言AIを使うと、数万通りの未来が弾き出される。それを計算機の力を借りて読み解くと、数通りの典型的な未来シナリオへと収斂される。それぞれのシナリオの指標の値を確認していくと、最も望ましいシナリオがどれか、またそこへ辿り着くためにいつまでに何をすべきかが見えてくる（**図表2-9**）。

最も望ましいシナリオは、地方分散型のシナリオであった。郊外拡大型のシナリオは全体として悪くはないものの、地方分散型はそれを上回るよさがあった。地方分散型シナリオでは、全国的に雇用や医療の指標群が改善し、さらに地方都市部で観光・産業・子育て分野が改善、およびそれによる地方財政指標の大きな改善を示した。新型コロナウィルス禍によって生まれた「今までの郊外よりさらに外側」への移住傾向は、「郊外拡大型」という第三の国土構造を想起させたが、これを追求するよりも地方分散型国土を目指すことがベターであるという結論である。

また、このシナリオの実現に向けて取り組むべき施策についても多くの示唆があった。例えば、今すぐにでも行うべき施策として、公共交通利用促進などのコンパクトシティ関連施策や働き方改革が重要であるということなどである。

これらはあくまで計算機が行った多くの仮説に基づくシミュレーションである。その結果はそのまま正しいものとして用いられるようなものではなく、有識者や責任者が合議しながら結論を導いて行くものである。人間では洞察しにくい新しい示唆の投げかけが計算機シミュレーションのもたらす価値ではないかと考えている。

図表2-9　**政策提言AIによるシミュレーションとその読み解き**

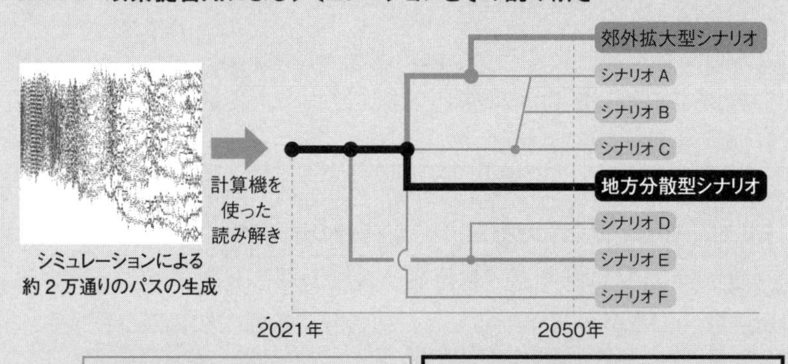

郊外拡大型シナリオ

・大都市部で、暮らし、雇用・働き方、子育て、医療・福祉、産業が向上
・幸福感が高め

地方分散型シナリオ

・全国的に雇用、医療の指標群が改善
・地方都市部で、観光、産業、子育ての改善により、強い財政を実現

参考文献

[1] 経済産業省 資源エネルギー庁：次世代エネルギー・社会システム実証
https://www.enecho.meti.go.jp/category/saving_and_new/advanced_systems/smart_community/community.html（2022年12月9日最終閲覧）

[2] 「環境未来都市」http://future-city.jp/kankyo/

[3] （株）日立製作所・シャープ株式会社・三井不動産株式会社・（株）日建設計ニュースリリース「柏の葉スマートシティの中核となるエネルギー管理システム『柏の葉AEMS』と『柏の葉HEMS』を開発、2014年5月より段階的に運用開始」2014年4月26日
https://www.mitsuifudosan.co.jp/corporate/news/2014/0424_03/（2022年12月9日最終閲覧）

[4] European Commission, 'Europe 2020'
https://ec.europa.eu/eu2020/pdf/COMPLET EN BARROSO%20%20 007 - Europe 2020 - EN version.pdf（2022年12月9日最終閲覧）

[5] European Commission, 'Horizon 2020'
https://ec.europa.eu/programmes/horizon2020/en/（2022年12月9日最終閲覧）

[6] Info Barcelona, Barcelona City Council, 'The city's air-quality surveillance and control network is given a boost', 2020年6月25日
https://www.barcelona.cat/infobarcelona/en/cerca/the-citys-air-quality-surveillance-and-control-network-is-given-a-boost_964754.html（2022年12月9日最終閲覧）

[7] 'Smart Cities Mission'
https://smartcities.gov.in/about-scm（2023年1月18日最終閲覧）

[8] 'Sidewalk Tronto'
https://www.sidewalklabs.com/toronto（2022年12月9日最終閲覧）

[9] 内閣府地方創生推進事務局「スーパーシティ、デジタル田園健康特区について」2022年11月
https://www.chisou.go.jp/tiiki/kokusentoc/supercity/openlabo/supercity.pdf（2022年12月9日最終閲覧）

[10] 自由民主党政務調査会デジタル社会推進特別委員会「デジタル・ニッポン2020 ～コロナ時代のデジタル田園都市国家構想」2020年6月11日
https://jimin.jp-east-2.storage.api.nifcloud.com/pdf/news/policy/200257_1.pdf（2022年12月9日 最終閲覧）

[11] 内閣官房デジタル田園都市国家構想実現会議「デジタル田園都市国家構想基本方針」2022年6月7日閣議決定
https://www.cas.go.jp/jp/seisaku/digital_denen/index.html（2022年12月9日最終閲覧）

[12] 内閣府 地方創生推進室・デジタル庁・内閣官房 デジタル田園都市国家構想実現会議事務局「令和３年度補正予算 デジタル田園都市国家構想推進交付金 デジタル実装タイプ概要」2022年1月14日
https://www.chisou.go.jp/sousei/about/mirai/pdf/denenkouhukin_jissou_gaiyou.pdf（2022年12月9日最終閲覧）

[13] （一社）スマートシティ・インスティテュート
https://www.sci-japan.or.jp/（2022年12月9日最終閲覧）

[14] スマートシティ官民連携プラットフォーム
https://www.mlit.go.jp/scpf/index.html（2022年12月9日最終閲覧）

[15] G20 Global Smart Cities Alliance for Technology Governance（GSCA）
https://www.globalsmartcitiesalliance.org/home（2022年12月9日最終閲覧）

[16] 石田東生、柏木孝夫監修「スマートシティ　Society 5.0の社会実装」時評社、2019年10月、pp.112-121、182-189

[17] 柏市役所ウェブサイト
https://www.city.kashiwa.lg.jp/keiei/shiseijoho/keikaku/machizukuri/kashiwanoha/index.html
（2023年8月14日最終閲覧）

[18] 柏の葉スマートシティウェブサイト
https://www.kashiwanoha-smartcity.com/
（2023年8月14日最終閲覧）

[19] UDCKタウンマネジメント（UDCKTM）ウェブサイト
https://www.udcktm.or.jp/
（2023年8月14日最終閲覧）

[20] 柏の葉アーバンデザインセンター（UDCK）ウェブサイト
https://www.udck.jp/exp/003654.html
（2023年8月14日最終閲覧）

[21] 大丸有スマートシティウェブサイト「OMY Smart City」
https://www.tokyo-omy-w.jp/

[22] Smart City Takeshiba実行計画・概要
https://www.mlit.go.jp/toshi/tosiko/content/001579884.pdf
(2023年6月9日最終閲覧)
[23] 内閣府地方創生推進室・デジタル庁「デジタル田園都市国家構想交付金(デジタル実装タイプ)の交付対象事業の決定について」2023年3月10日
https://www.chisou.go.jp/sousei/about/mirai/pdf/dejidenkoufukin_saitaku.pdf(2023年6月9日 最終閲覧)
[24] 内閣府「第1回つくば市スーパーシティ型国家戦略特別区域会議」資料
https://www.chisou.go.jp/tiiki/kokusentoc/tsukubashi/dai1/shiryou.html
(2023年6月9日最終閲覧)
[25] 「チャートは語る:東京郊外へ移住じわり～都心100キロ圏内に関心」日本経済新聞、2021年1月
[26] 日立京大ラボ『Beyond Smart Life 好奇心が駆動する社会』日本経済新聞出版、2020年. 第9章「政策提言AI」が描く日本の未来
[27] 金本良嗣、徳岡一幸「日本の都市圏設定基準」応用地域学研究 第7号、pp.1-15、2002年

「対話」を通じて創造する未来

プラネタリーバウンダリーの中でウェルビーイングをめざすSociety 5.0の実現へ

東京大学総長
藤井 輝夫

1993年東京大学大学院工学系研究科博士課程修了・博士(工学)、同生産技術研究所や理化学研究所での勤務、同生産技術研究所長、同大学執行役・副学長、同理事・副学長（財務、社会連携・産学官協創担当）を経て、2021年4月に東京大学第31代総長に就任。2021年9月には東京大学がめざすべき理念や方向性をめぐる基本方針「UTokyo Compass 多様性の海へ：対話が創造する未来」を公表した。2021年3月より総合科学技術・イノベーション会議議員(非常勤)。専門は応用マイクロ流体システム、海中工学。

日立製作所 取締役会長
東原 敏昭

1977年徳島大学工学部電気工学科卒業後、日立製作所入社。1990年米国ボストン大学大学院コンピュータサイエンス学科修了。情報・通信グループ情報制御システム事業部長、日立パワーヨーロッパ社プレジデント、日立プラントテクノロジー取締役社長、日立製作所執行役常務、執行役専務、執行役社長兼CEO、執行役会長兼CEOを経て、2022年4月より現職。

（2022年11月30日　東京大学本郷キャンパス伊藤国際学術研究センター）

2016年に第5期科学技術基本計画で提唱された人間中心の超スマート社会Society 5.0の先行的な実装の場として、スマートシティの試みが各地で進んでいる。

こうした中、東京大学と日立はSociety 5.0の実現に向けて、人中心の持続可能なスマートシティの実装とエネルギーシステムの将来像の構築という二つの領域で共同研究に取り組んでおり、その産学協創スキーム「日立東大ラボ」は、社会課題の解決に不可欠な知の協創のモデルケースとして注目されている。

深刻化する気候変動や国際秩序の変化など、複雑化するグローバルアジェンダ。人口減少という日本社会の新たな局面。それらの克服のカギとなるプラネタリーバウンダリーを超えない社会の維持とウェルビーイング実現の両立へ、東京大学と日立はどのように立ち向かおうとしているのか。東京大学の藤井輝夫総長と日立製作所 取締役会長の東原敏昭が対話を通じて明らかにしていく。

大学と企業を取り巻く環境の変化

東原 日立東大ラボでの共同研究テーマとなっている「Society 5.0」について、本日は藤井総長とディスカッションする機会を頂き、楽しみにしてまいりました。藤井総長は2021年4月に就任され、9月に新しい基本方針としてUTokyo Compassを発表されましたが、まずはそのねらいからお話しいただけますか。

藤井 UTokyo Compassは「多様性の海へ：対話が創造する未来」と題し、「対話から創造へ」、「多様性と包摂性」、「世界の誰もが来たくなる大学」という三つの基本理念を掲げています。私たち人類は、気候変動やパンデミックなどのグローバルアジェンダに加え、ロシアによるウクライナへの軍事侵攻によって多国間主義が揺るがされるという困難に直面しています。そうした状況だからこそ、多様な人々が「対話」する場としての大学の役割が拡大しています。

対話とは、未知なるものを知ろうとする実践です。何かを知るためには問いを立てる力が必要です。その問いを誰かと共有することによって対話が深まり、共に考えるための相互理解と信頼関係が築かれます。学内だけでなく、学外や海外の多様なバックグラウンドを持つ人々と「対話」を通じてさまざまな課題への解決策を見いだしていくこと、および知や未来を創造する場として大学が機能することが、国際社会に対する貢献であると考えています。日立東大ラボのような産学協創の取り組みも、まさに対話により困難な課題に挑む知を創造する枠組みであり、私個人としても注目しています。

東原 「対話」は今日の企業活動においても重要なキーワードです。日立は今年で創業から113年になりますが、100年前後までは工場を中心としたプロダクトアウトのビジネスを主体としてきました。ところが近年その流れが大きく変わり、お客様との「協創」の重要性が増しています。協創とは、お客様とビジョンや目標を共有し、その実現のために解決すべき課題を抽出し、われわれのデジタル技術を使いながら一緒に解決していくことです。藤井総長の言葉をお借りすれば、対話のビジネスモデルですね。

プロダクトはもちろん大切ですが、複雑化・大規模化する課題は、従来のアプローチでのものづくりだけでは解決できません。今日の企業は、自社やお客様の目の前の課題だけでなく、もっと広く長期的な視野で社会課題の解決をビジネスに織り込んでいかなければならず、そのためには個別のお客様との協創に加え、複数の企業間や産学官の連携、さらにはNPO（Non Profit Organization：非営利組織）や市民との対話が求められています。

プロダクトアウト中心の時代には、効率化によって生産量を増やし、コストを削減して利益率を高めることが価値につながりました。しかし現在は、消費者が求める価値も社会課題を織り込んだものへと変化し、例えば、値段や品質よりもリサイクル素材を使った製品、原料調達や製造段階における環境負荷や人権に配慮した製品やサービスなのかどうかを重視して商品を選ぶ消費者も現れ始めています。プラネタリーバウンダリー（地球規模の環境課題）とウェルビーイング（心身ともに健やかな暮らしに基づく一人ひとりの幸せ）がビジネスの重要なキーワードとなる中で、それらを織り込んだ新たな視点の獲得や発想の転換につながる産学協創を私も重視しています。

グリーントランスフォーメーションを加速

藤井　私たちが直面する最大の社会課題はやはり気候変動だと思いますが、現在の状況は「気候変動（Climate Change）」というよりも「気候危機（Climate Crisis）」であり、その対策は従来の延長線上で考えていたのでは間に合いません。社会・経済システムや産業構造を根本的に変えなければならず、UTokyo Compassでもグリーントランスフォーメーション（GX）を行動計画の柱の一つとして位置づけ、グローバル、国内、大学内の三つのレイヤーで取り組んでいます。

グローバルでは、東京大学グローバル・コモンズ・センター[1]が中心となって「グローバル・コモンズ・スチュワードシップ指標[2]」を作成・発表しています。それによって地球環境を守るための国際的な政策議論を喚起し、各国社会のさまざまなレベルで行動変容を促すことをめざしています。
国内では、東原会長をはじめ国内企業13社のトップの皆さんと一緒に、2050年カーボンニュートラルをめざした日本のエネルギートランジションについて検討するイニシアチブ、ETI-CGC（Energy Transition Initiative-Center for Global Commons）を立ち上げました。カーボンニュートラルとウェルビーイングを同時に実現するためのパスウェイを検討し、政策提言なども行っていく計画です。

大学のレイヤーでは、UNFCCC（United Nations Framework Convention on Climate Change：国連気候変動枠組条約）事務局が主催する国際キャンペーン「Race to Zero」に大学部門のパートナーとして参加し、2050年までにネットゼロ達成をめざすという目標を共有しています。その実現に向けた行動計画として、2022年10月に「UTokyo Climate Action」を策定・公表しました。今後はこの計画に基づき、学生と教職員が一丸となって東京大学自身のサステナビリティを強化していきます。

東原　GXに関する政府の動きでは、内閣総理大臣を議長とする「GX実行会議」が2022年7月に初会合を行いました。エネルギー供給に課題が生じている中で、2050年カーボンニュートラルに向けて必要な施策は何かを検討し、今後10年間に官民合わせて150兆円を投じる計画の工程表がつくられています[3]。

産業界のアプローチとしては、経団連ではエネルギー源の抜本的変革、生産プロセスの革新、運輸・民生部門で脱炭素化を進める革新的製品の普及、人々の行動変容や生活様式の転換などにより、新しい経済社会「Society 5.0 with Carbon Neutral」の実現をめざすとしています。

環境問題には全体的な視点を

東原　エネルギー源の抜本的変革は、短期と中長期に分けて考えることが大切です。長期的には再生可能エネルギーの拡大が必要ですが、原子力発電所の再稼働が進まなければ2030年には電力不足に陥ります。安定的な電力確保に向け、原子力発電をベースロード電源としてしっかり位置づける電源構成としなければなりません。

火力発電については、水素やアンモニア混焼などによるCO_2排出削減を進めつつ、削減の道筋を明確にするべきですね。同時に、CCS（Carbon Capture and Storage）やCCUS（Carbon Capture Utilization and Storage）の基礎研究を進め、2040年頃から10年程度で社会実装するといった長期的な取り組みが求められます。

需要側では節電の推進に加えて地域、工場、オフィス、家庭などで再生可能エネルギーを導入し、蓄電池やAI（Artificial Intelligence）を活用したエネルギーマネジメントを行う分散型電源の拡大がカギになるでしょう。

カーボンニュートラルだけにとらわれず、地球全体のシステム、生態系をどう持続していくかという視点を持つことも重要です。原料・材料から工場やオフィス、輸送、製品やサービスの使用、廃棄・リサイクルに至るそれぞれの段階での環境負荷について、グローバルかつトータルに考える時代になっています。環境負荷を低減するためのさまざまな技術を、国内だけでなくアジアやグローバルサウスなどの地域で活用していく必要があります。

藤井　おっしゃるように全体的な視点を持ち、科学的に議論することは大切です。サステナビリティに関する組織の情報開示フレームワークも、TCFD（Taskforce on Climate-related Financial Disclosure：気候関連財務情報開示タスクフォース）からTNFD（Taskforce on Nature-related Financial Disclosures：自然関連財務情報開示タスクフォース）へと拡大し、サプライチェーンのCO_2排出量だけでなく、バリューチェーン全体での自然環境や生物多様性に関するリスクと機会を評価し報告することが求められています。調達や生産における人権問題、食糧問題なども考えると、企業や組織の活動に関連するものすべてをモニタリングし、データとして計測・指標化するための研究も進めなければならないでしょう。

東原　効果的な対策には可視化と分析が不可欠ですね。そのためにもデータ収集と分析のプラットフォームが必要です。EU（欧州連合）では企業間のデータ連携を支える統合データ基盤「GAIA-X」を構築するプロジェクトが進んでいますが、日本でも国内やアジア諸国の企業と統合的なデータ収集・連携、さらにサービス提供までつなぐオープンなプラットフォームについて議論を進めるべきではないかと思っています。

求められる利用者視点への転換

東原　プラネタリーバウンダリーと並んで日立が重視している概念であるウェルビーイングは、人間中心の超スマート社会Society 5.0においても重要なキーワードとなっています。Society 5.0の先行的な実現の場としてスマートシティが注目されていますが、東京大学の先生方や当社も参画しているスマートシティ・インスティテュート[4]では、ウェルビーイングを「心ゆたかな暮らし」と定義し、その向上をめざすスマートシティの取り組みを支援しています。各地域での施策に活用していただくため、市民の幸福感を高めるまちづくりの指標としてわが国独自の「Liveable Well-Being City指標」を開発しました。

　スマートシティというとゼロからつくるグリーンフィールドのイメージを持たれがちですが、デジタルとデータを活用して既存の都市を変革するブラウンフィールドが現実的な解であろうと思っています。例えば、兵庫県加古川市では、犯罪率の低下を目的に見守りカメラの導入を検討した際に、市民の声を受けてビーコンタグを組み合わせた子どもや高齢者の見守りサービ

ス[5]を合わせて導入し、住みやすさを向上したことで注目されています。スマートシティの成立要件は、(1) リーダーシップ、(2) 取り組みの目的とKPI (Key Performance Indicator) の明確化、(3) 市民参加の三つが必要となりますが、加古川市の場合、(1) 市長、(2) 犯罪率の低下や見守りサービスの導入、(3) Webサイトで市民の声を広く収集する仕掛けの導入と要素がそろっていたことが成功の要因であると思います。

ブラウンフィールドの利点は、住民の声を取り入れながら改革が進められる点です。近年は社会課題を自分事として捉え、主体的にまちづくりに参加していこうと考える方々が増えていますから、ブラウンフィールド型のスマートシティがSociety 5.0への起爆剤になるのではないかと期待しています。企業サイドとしてもデジタル技術の活用などでその動きに貢献していきたいと考えています。

藤井　私たち大学には多様な人々が集まりやすいという特性がありますから、市民参加やステークホルダーをつなぐ「場」としてお役に立てるのではないでしょうか。Society 5.0に関しては、人間中心の社会と言ったときの「人」とは誰のことなのかを明確にすることが大切ですね。冒頭で東原会長がおっしゃったように、20世紀型の産業はどちらかというと生産者側の視点で発展してきましたが、21世紀になりデジタル化が進み、プロダクトやサービスの利用者側の視点、価値基準が重要になってきました。

そのことはスマートシティの議論とも通底し、社会インフラ、医療や教育など公的サービスの領域でも、利用者側の視点への転換が求められています。医療では患者さんにとっての価値は何か、私たち教育現場では学生が本当に学びたいことを学ぶには何が必要なのかを問い直さなければなりません。サービスの提供側と利用側が一緒に、まさに対話しながら、課題やサービスの価値について考える時代になっています。

課題を自分事として捉える

藤井　私自身は長く海洋に関わる研究をしてきており、最近では、低コストの海洋観測システムを活用した大規模海洋観測プロジェクトOMNI（Ocean Monitoring Network Initiative）を立ち上げ、推進してきました。デザインの力を使うことで、研究者だけでなく一般の方々も巻き込みながら、海水温や塩分濃度など、海のさまざまなデータを計測できるセンサーデバイスやデータプラットフォームを開発し、海洋観測を行おうとするプロジェクトです。例えば小中高生に向けたワークショップを開催し、観測装置のアイデアを出し合うなど、プロジェクトへの参加を通じて海洋環境を自分事として考えてもらいます。観測に参加する人が増えると、取得できる海洋データの量が増えて解像度も高まり、同時に、問題意識を共有して一人ひとりの行動が変わっていく可能性があります。私はこのプロジェクトが市民との対話による課題解決のモデルケースになることを期待しています。

ウェルビーイングも、人から与えられるものというよりは、社会をよりよくすることに個々人が主体的に関わることで得られるものではないかと思うのです。

東原　そうですね。ウェルビーイングは個人個人で異なりますから、皆がそれぞれ自分にとっての幸せを追求していると、限られた空間の中で複数の風船を一斉に膨らませるように、ぶつかり合うこともあるでしょう。そのときに相手の立場で考えられるのか、共感し合えるのかが問われます。プラネタリーバウンダリーの問題も同じで、ゼロサムではなくWin-Winを考えることが重要です。

そうした視点で地域の自治体、企業、大学、住民が連携して地域課題の解決に取り組み、それらの地域がデジタル田園都市国家構想でシームレスに連携しながら、全体として最適化されていく。それによって結果的にウェルビーイングが向上していくのではないでしょうか。

藤井　地域との連携は私たちも重視しており、最近では2022年11月に和歌山県と包括連携協定を結びました。学術研究や人財の交流・育成を通じて地域課題の解決や個性豊かな地域社会の形成に寄与することをめざしています。都道府県レベルで協定を締結したのは三重県、福島県に続いて3県目となりますが、もともと和歌山県では本学の複数の学部が研究活動をしてきました。私が所属していた生産技術研究所では和歌山市加太に地域ラボを置いて地域活性化などにつながる研究を行い、先端科学技術研究センターは高野山真言宗総本山金剛峯寺や高野山大学、高野町と連携して高野山会議を開催、また人文社会系研究科では新宮市と連携協定を結んで、分室を設置、熊野フォーラムなどを開催しています。人文社会系研究科は北海道北見市とも協定を結んでおり、新宮市を含めた連携を進め、地域間の比較文化研究なども深耕していく計画です。

そのほかにも、学生を地方自治体に派遣して地域課題の現地調査を行い、教職員も協力しながら課題解決に向けた道筋提案を行う「フィールドスタディ型政策協働プログラム」を実施しています。2022年度は全国で19の自治体・地域に協力していただきました。

相互理解によりDEIを向上する

東原　人間中心の社会を実現するうえで不可欠な観点として、ダイバーシティ（多様性）とインクルージョン（包摂性）、最近はそれにエクイティ（公平）を加えたDEI（Diversity、Equity and Inclusion）という概念が注目されていますね。人口減少局面に入った日本が活力を維持していくためには、企業も社会もこれまで以上にグローバル化と多様化を進めることが欠かせません。その布石として、当社では2030年までに執行役と理事の女性と外国人の比率を30%まで押し上げることを宣言しました。

エクイティはイコーリティ（Equality：平等）とは異なり、違いを尊重したうえで不均衡を調整することをいいます。単純に一律のルールを当てはめるのではなく、ローカルの文化や歴史、個人の特性を理解してそれぞれに合わせたルールづくり、あるいは支援を行い、公平な環境を築くことが、誰一人取り残さない社会につながります。

つまり相互理解ですね。まずは相手の価値観を理解し、受け入れ、次にこちらの価値観も理解してもらう。小さなことかもしれませんが、その順番が大切だと私は思います。

藤井　同感です。対話による信頼関係を築くには、おっしゃるような他者への理解、リスペクトが欠かせません。私たちも、冒頭で申し上げたように「世界の誰もが来たくなる大学」をめざしています。多様なバックグラウンドの方々を受け入れることはビジネスだけでなく学問の世界でも重要で、研究レベルを高めるには多様な視点での議論が必要不可欠です。DEIは、Society 5.0やウェルビーイングというこの対談のテーマにも通底する、本質的な価値であると思います。

人口減という局面において大学に求められることの一つが、国内の活力維持につながる多様な人財の育成と活用です。その施策の一環として、2027年度までに女性教員300名を採用することをめざしています。女性教員の比率を高め、活躍を後押しすることで女子学生の増加につなげたいという期待もあります。また留学生を増やすことも、日本への理解や関係が深い人財の育成や、国内の多様性向上に貢献できると考えています。

さらに、ディスアビリティインクルージョンも欠かせません。本学には車椅子などで通う学生もおりますし、先端科学技術研究センターでは、障がいや病気を持つ本人が、症状や日常生活上の苦労など、自分の困りごとについて研究する当事者研究に取り組んでいます。教育・研究の環境をインクルーシブにすることは、イノベーションの促進につながるだけでなく、他の組織のモデルケースにもなりうると考えています。

問われる科学・技術の「責任」

東原　DEIについては、意識改革とともに技術面での実現も課題ですね。例えば、メタバースのような新しいデジタル世界では、年齢や性別、端末さえ操作できれば身体状態も関係なく、住んでいる場所や時間の制約もなくコミュニケーションや仕事、勉強が可能です。視覚・聴覚だけではなく、触覚、嗅覚、味覚なども仮想体験できるようになれば、体感的に歴史を学んだり、技術や技能を習得したりすることも可能になるかもしれません。

一方で、こうした新しい技術にはメリットとデメリット、「倫理」の問題もつきまといます。一種のフェイクである仮想現実というものをどこまで許容するのか。遺伝子組み換えやゲノム編集、再生医療など、進歩する技術における倫理については当社でも研究者・技術者への教育を行っていますが、社会の中で議論をしてアセスメントなども行いながら、しっかりとしたルールづくりを急ぐべきだと思います。

藤井　科学・技術の倫理的・法制度的・社会的課題はELSI（Ethical, Legal and Social Issues）と呼ばれて学術的な研究テーマとなってきました。また近年、EUでは「RRI（Responsible Research and Innovation）：責任ある研究・イノベーション」という概念が注目されています。

遺伝仕組み換え食品の問題に象徴されるように、新しい技術を社会実装するときには不安や科学への不信感が生じることがあります。それを防ぐには、科学者だけの閉じた議論ではなく、研究開発の初期段階から一般の皆さんと対話することが大切です。「責任」とは倫理を包摂する概念ですが、研究の責任と言ったときに、「科学的知識を創造することに対する責任」と、「科学的知識を使うことに対する責任」という二つの側面があると思います。科学者、研究者はその両面での責任を果たすことが求められることから、UTokyo Compassで掲げる20の目標の一つにも「責任ある研究」を掲げています。

人財育成と課題解決に向けて相互交流を

藤井　新しい技術の倫理という問題、またコロナ禍やウクライナ侵攻後の新たな国際秩序、気候変動などのグローバルアジェンダを前に、私たちが取り組むべき課題は山積しています。御社をはじめとする企業と、私たち大学がそれらに連携して挑むことで、課題克服の可能性が高まることを本日の議論を通じて再認識いたしました。

複雑化する課題に対応するため、大学として力を入れているのは学生の現場体験です。社会を知ることで、課題を自分事として取り組む視点を養ってもらいたいと考え、国内外でのインターンシップを支援しています。また、スタートアップも課題解決へのイニシアチブとして重視しています。本学では、テック系だけでなくソーシャル系のスタートアップ、例えばグローバルサウスの現場で社会貢献ビジネスをしたいといった目標を持つ学生も多くおり、大学としても何らかの形でサポートしていくことを考えています。

東原　先ほど大学での人財育成というお話がありましたが、グローバルアジェンダに挑む人財の育成は企業においても重要です。グローバルな視点で社会課題を自分事として捉え、相互理解により人を巻き込みながら課題を解決していく。そのような人財の育成に向け、インターンシップというだけでなく、こちらからも大学に学びに行く、大学の研究者もこちらに来ていただくなど、相互交流を進めて社会課題を一緒に解決していく関係を構築できれば幸いです。

藤井　それはぜひお願いしたいですね。大学での人財育成でも、これからは自分の専門分野だけでなく他の専門も理解できる、あるいは他の専門の人とチームを組んで研究する力を養う必要性を感じています。そうした力を養ううえで、企業との交流は効果的なはずです。

東原　そう考えると日立東大ラボの役割はますます大きくなりますね。Society 5.0の実現に向けて市民の声を取り入れながら分野横断的な研究を行っているのは注目すべきことで、企業と大学、さらに多くのステークホルダーを巻き込んだ活発な議論と交流を促す「対話の場」として一層発展させていかなければなりません。社会課題の解決を通じて、プラネタリーバウンダリーを超えない社会の維持と、一人ひとりのウェルビーイングを実現した社会の両立をめざす日立グループにとって、たくさんのヒントがここから生まれることを期待しています。本日はありがとうございました。

注釈

[1] 地球という人類の共有財産(Global Commons)を守るために、幅広い分野のリーダーとの協創を通じた社会・経済システムの変革を主導する役割を果たすことをめざし、2020年に発足した組織。人類と地球が共に持続可能な未来を築くことを目標に、グローバルコモンズの責任ある管理(Global Commons Stewardship)に関する、国際的に共有される知的枠組みの構築を進めている。またその枠組みに基づき、社会・経済システムの転換を多様なステークホルダーと連携して促進している。

[2] 気候変動や生物多様性などに与えているインパクトを国ごとにスコア化し、比較することによって対応を促す総合指標。国連SDSN(Sustainable Development Solutions Network)とイェール大学、東京大学グローバル・コモンズ・センターが共同で開発し、現在では世界100か国以上を評価対象として指標を発表している。

[3] 2022年12月22日に開催された第5回GX実行会議において、「GX実現に向けた基本方針(案)～今後10年を見据えたロードマップ～」が公表された。

[4] 日本のスマートシティの拡大と高度化に貢献するために設立された一般社団法人。

[5] 加古川市と複数の民間事業者が取り組む官民協働事業。小学校の通学路や学校周辺にビーコンタグ検知器を内蔵した見守りカメラを設置し、タグを持った子どもや認知症の高齢者などの見守り対象者が付近を通過すると、保護者や家族のスマートフォンアプリに対象者の位置情報履歴を通知する。

『日立評論』「2023年 日立技術の展望」2023 Vol.105 No.1 (2023.2) より再掲

第2部

Society 5.0のアーキテクチャのスマートシティへの適用

Chapter 3

Society 5.0のアーキテクチャと六つのキーファクター

3.1 Society 5.0リファレンスアーキテクチャを紐解く

まず、本書の第1章で投じた課題を振り返ってみたい。第1章では、Society 5.0のビジョンに基づく個々のスマートシティ（まちづくり）やスマートファクトリー（ものづくり）をつくり上げていくためには、全体の設計図ともいえるアーキテクチャを考えることが重要であることを述べてきた。また、アーキテクチャの基本形を考えるにあたり、内閣府の検討会で議論された「Society 5.0リファレンスアーキテクチャ」（**図表3-1**）[1]が参照する汎用的な枠組みとして示されており、その考え方、とらえ方について言及してきた。すなわち、Society 5.0リファレンスアーキテクチャが、「戦略・政策」から「アセット」までの八つの階層で構成されていることの意味や考え方を解題してきた。その上で、アーキテクチャが設計図とすると、その設計図に基づく実装のためには工法と実現手順が補完されるべき課題としてあることを指摘した。

続く第2章では日本のスマートシティの潮流について概説してきたが、スマートシティはSociety 5.0のビジョンを具現化する一つの分野としてとらえられる。すなわち、このリファレンスアーキテクチャの図に着目すると、図の奥行方向に板状に重ねて描かれ、「分野等」として示されているレイヤー群のうちの1枚のレイヤーに該当すると言える。

スマートシティとまちづくりの関係は、「まちづくりのスマート化＝（イ

図表3-1 Society 5.0リファレンスアーキテクチャ

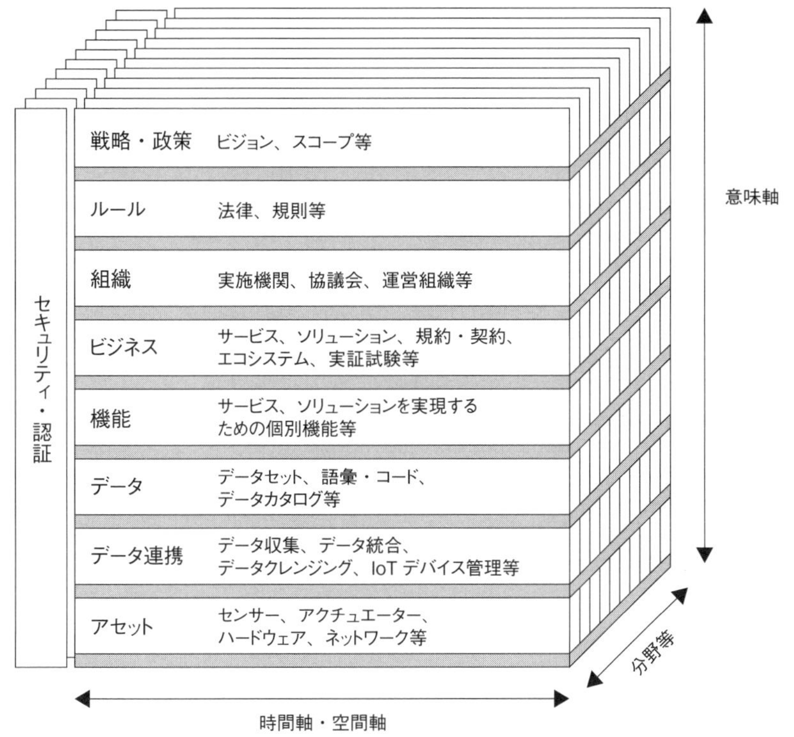

コール）スマートシティ」と一言で言えるほど単純な解釈ができない点が多々あるが、ここではおおよその分野を示す対となる言葉として、1枚のレイヤに該当する分野を「まちづくり＝スマートシティ」としてとらえることにすると、奥行方向の「分野等」には、まちづくり＝スマートシティの他に、ものづくり＝スマートファクトリー、健康づくり＝スマートヘルスケア、金融＝スマートファイナンス／フィンテック、エネルギー＝スマートエネルギー、交通＝スマートモビリティなど、Society 5.0を具現化する各分野が1枚1枚のレイヤとなって配列しているととらえることができる（**図表3-2**）。

図表3-2 **Society 5.0リファレンスアーキテクチャの分野等**

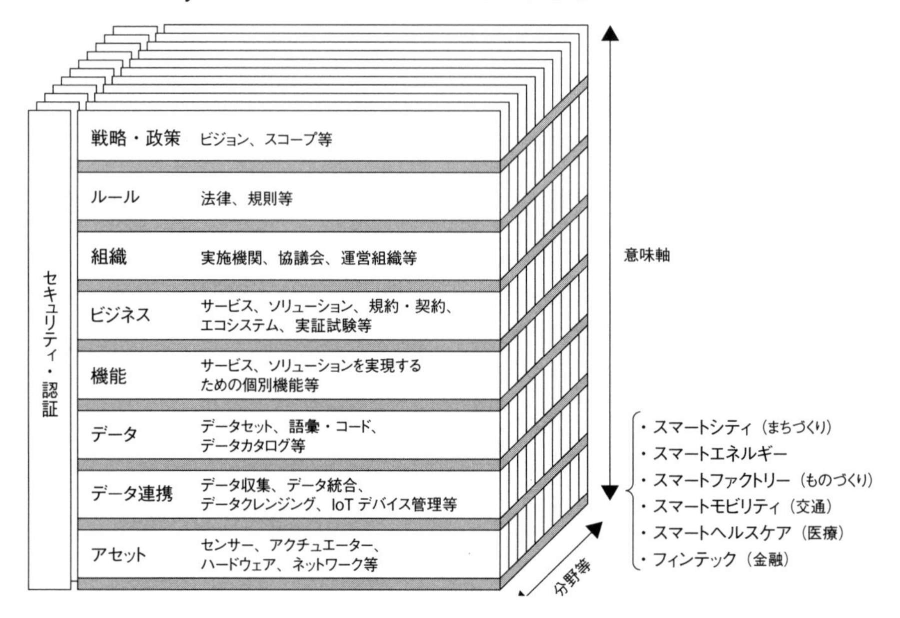

そうしてみると、Society 5.0リファレンスアーキテクチャの図は、Society 5.0のビジョンを具現化する各分野（図中の奥行方向の各レイヤー上）において、様々なビジネスやサービスが従来のいわゆる縦割り・横割り型で提供されている現状に対し、八つの階層で構成されるリファレンスアーキテクチャの考え方に基づき、再構築を目指すことが明示されていると解釈できる。Society 5.0のビジョンを具現化するスマートシティのアーキテクチャも、スマートシティという一つの分野のレイヤー上にある八つの階層で構成されるリファレンスアーキテクチャに基づき構築されることが明示されているとみることができる。

ただ、改めてこのリファレンスアーキテクチャの図（**図表3-1**）を見ると、Society 5.0が人中心としているのに対し、利用者やユーザーである人の要素が見当たらない、と思われた方がいるかもしれない。それもそのはずで、Society 5.0リファレンスアーキテクチャは、サービスの供給側・つくり手側の立場に立ったアーキテクチャの枠組みを示すものであり、異業種間や事業者間でのデータのインターオペラビリティ（相互運用性）やセキュリティといった基本要件を重視した汎用性のある構造を示すものとしてとらえると、サービスの需要側・受け手側の立場の都市・地域・人（生活者）、とりわけ人（生活者）は、この中には描かれていないのは当たり前なのかもしれない。八つの階層と都市・地域・人との関係までは描かれておらず、したがって、具体の都市・地域を対象に人中心のスマートシティのアーキテクチャを考えようとすると、このリファレンスアーキテクチャの枠組みとリアルな都市・地域やその中で生活している人とを関係づける手掛かりが求められることとなる。

さて、ここで第1章の後半部で工法と実現手順が必要であることに触れた点を思い出していただきたい。第1章の後半部では、このリファレンスアーキテクチャの八つの階層から成る枠組みや考え方を概説した後に、個々のスマートシティがめざす設計図ともいえるアーキテクチャをもとに実際の都市・地域における実装を考える際に、工法や実現手順が必要であることを指摘した。特に、Society 5.0が提唱する人中心の考え方に沿った実装のための工法や実現手順が重要な鍵を握ることに触れてきた。繰り返しになるが、アーキテクチャがそれぞれのスマートシティがめざす設計図だとすると、その設計図の実現（実装）のためには、それぞれの都市・地域の特性や地域住民の価値観などに即した工法や実現手順が必要となる。また、その点は全てのスマートシティに共通の課題であることを指摘した。

では、全てのスマートシティに共通の工法や実現手順とはどのようなファクターであり、どのような観点からリファレンスアーキテクチャを補完していけばよいのだろうか……まさにその点が本書のもととなっている研究（第4章以降で紹介するキーファクターについての研究）に取り組む動機となっている。

3.2 Society 5.0リファレンスアーキテクチャを補完する工法と実現手順

以下では、Society 5.0リファレンスアーキテクチャをスマートシティの分野において補完する工法と実現手順を構成する要素をキーファクターと呼ぶこととするが、後続の章で詳説することとなる六つのキーファクターの着想にいたった経緯について触れておきたい。

前節でも述べた通り、Society 5.0リファレンスアーキテクチャは、あらゆる都市・地域に適用可能な汎用性のあるモデルとして、八つの階層が縦に並ぶ構成で考えましょう、という基本的な考え方を示しているものと言える。また、データのインターオペラビリティ（相互運用性）やセキュリティなどの要件を重視したものとなっている。そのため、自治体などが対象とする都市・地域においてSociety 5.0の中の一分野であるスマートシティのアーキテクチャを検討する際にも、その実装のための工法と実現手順が補完されるべきものとして必要とされることは既に述べた通りである。では、都市・地域の現場でスマートシティを実際につくる立場にある自治体や企業等にとって、より有用なアーキテクチャにつながる補完とはどのようなものなのだろうか。

スマートシティの分野における工法と実現手順として必要な補完について考えるために、以下では、Society 5.0リファレンスアーキテクチャの図に「都市・地域・人」を置いてみることとし、その上で、必要と考えられるファクターの抽出を試みることとする。先述したようにSociety 5.0リファレンスアーキテクチャの図の中には、サービスの受け手である人や、人々が暮らす都市・地域が描かれていないので、スマートシティの「都市・地域・人」のイメージを図中に置いてみることとする（**図表3-3**）。

サービスの受け手である「都市・地域・人」を図中に置いてみることは、スマートシティのつくり手やサービス供給側の立場から考える傾向にあるリファレンスアーキテクチャに対し、サービスの受け手側・需要側（スマートシティのユーザー側である都市・地域・人）の観点を持ち込むことにほかな

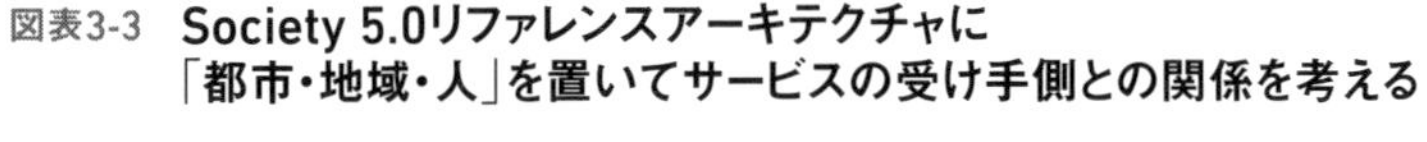

図表3-3　Society 5.0リファレンスアーキテクチャに「都市・地域・人」を置いてサービスの受け手側との関係を考える

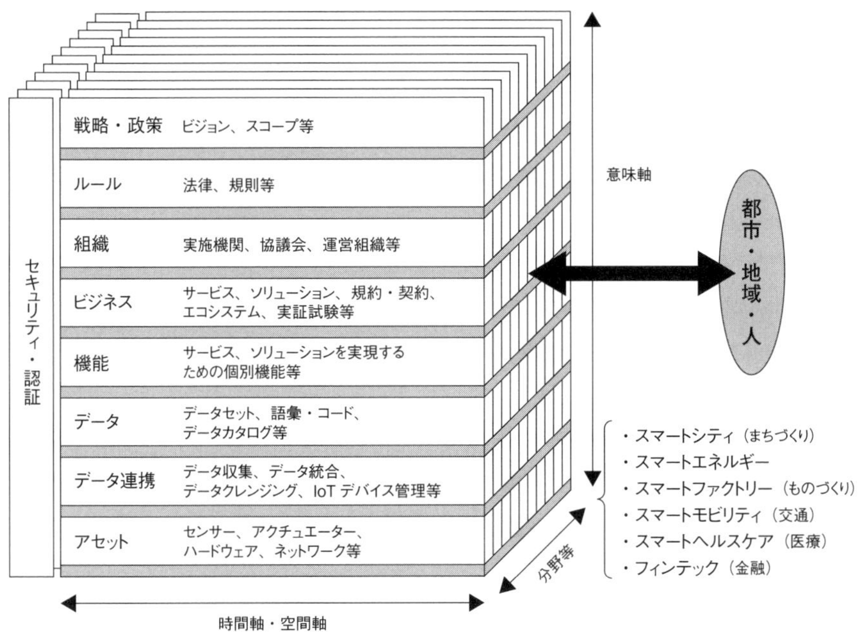

らない。さらに言えば、サービスの受け手側・需要側の人の観点や人々が暮らし続ける都市・地域の観点を持ち込むことは、人中心で都市・地域の持続性にも配慮した工法や実現手順を考えることへとつながることにもなる。そうした観点に立った工法や実現手順の補完を行うことで、人中心で持続可能なスマートシティ構築に向けた実用的なアーキテクチャを検討することができるものと考えられる。

実際に、都市・地域・人を図中に置いてみると、八つの階層のうちの最下層の「アセット」を通じて「都市・地域・人」との間を行き来するデータのやり取りやサービスの授受を通じた関係性をいかに築くかといったインターフェースが補完されるべき重要な観点となることに気づくだろう（**図表3-3**）。

さらに、リファレンスアーキテクチャの図下部にシンプルに描かれている時間軸・空間軸に関連して、実装のプロセスも重要な観点であると言える。

具体的にスマートシティの計画から事業実施、さらには事業の内容や対象地域の拡充にいたるまでの一連の実装プロセスは時間がかかるものであり、その実現手順は入念に検討される必要がある。スマートシティの導入については、不適切な実装プロセスを辿ると取り返しのつかない問題が生じる場合も少なくない。プロセスは重要な観点であると言える。

また、地域社会の特性に応じて、いかにして組織・体制づくりを進め、専門家や事業者を配置するか、といったオルガニゼーションの観点もアーキテクチャの工法と実現手順として極めて重要である。

すなわち、リファレンスアーキテクチャの八つの階層と実際の都市・地域・人との間をつなぐ「インターフェース」、時間をかけて段階的に実装し、拡充していく「プロセス」、さらには地域社会がまとまりをもって取り組むための組織づくりや体制づくりといった「オルガニゼーション」の三点が、Society 5.0リファレンスアーキテクチャをスマートシティの分野において具体の都市・地域に適用することを想定した際に、補完されるべき観点として浮上してくる（**図表3-4**）。

この三つの観点は、都市の立地条件や環境条件によらず、あらゆる都市に対して考慮しなければならない基本的な観点でもあると言え、Society 5.0リファレンスアーキテクチャをスマートシティの分野において補完する工法と実現手順をより具体化する上で、あらゆる都市・地域への適用に際して必須の観点と考えられる。

また、既に公表されている「スマートシティリファレンスアーキテクチャ」[2]については、スマートシティを実現しようとする主体が自身のアーキテクチャを構築する際に参照する枠組みを示しており、既にこの三つの観点は加味されているとも言えるが、Society 5.0リファレンスアーキテクチャと同様に三つの観点と補完関係を持てるものと考えられる。

以下では、Society 5.0リファレンスアーキテクチャを補完する三つの観点「プロセス」「インターフェース」「オルガニゼーション」について、より内容を深めて考えてみることとする。人中心で持続可能なスマートシティを構築する際の実現手順と工法として、果たしてどのようなファクターがカギを握り、必須とされるのか。三つの観点から、Society 5.0リファレンスアーキ

図表3-4　Society 5.0リファレンスアーキテクチャと「都市・地域・人」を置いた際に補完する観点とキーファクター

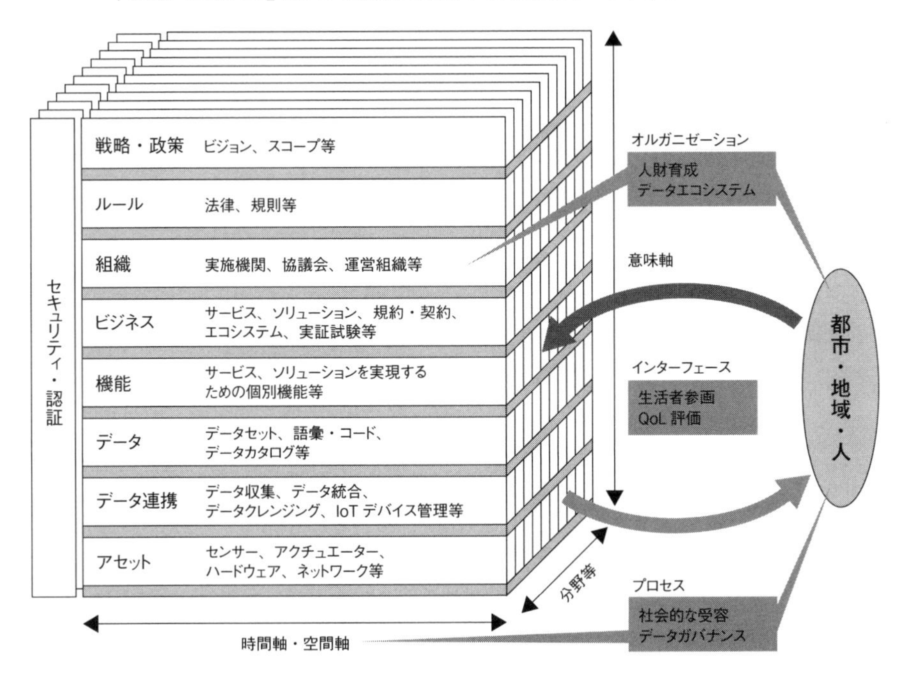

テクチャを人中心で持続可能なスマートシティのアーキテクチャへと導く具体的なキーファクターを抽出し、その位置づけや意義を整理してみることとする（**図表3-4**）。

3.3　アーキテクチャを補完する三つの観点とキーファクター

「プロセス」におけるキーファクター

Society 5.0の考えにもとづくスマートシティは一朝一夕でつくり上げられるものではなく、時間を要することは言うまでもない。時間を要するという意味をさらに掘り下げることは、リファレンスアーキテクチャの図で言うと、図の下部に示されている「時間軸・空間軸」の意味をより具体的に解題していくこととととらえられる。本書がこの時間軸・空間軸に関連して着目するのは、実装プロセスであり、スマートシティは1年〜数年の短期間に完了するものではないことから、そのプロセスにおいてどのような工程を組み立て、実装を進めるかが、その後の方向性にも影響を及ぼすことは容易に想像できる。

さらに、スマートシティ分野における「時間軸・空間軸」には様々な解釈があるかもしれないが、都市計画の観点から解釈すると、都市計画や国土計画の単位が対象区域のスケールに応じて様々あるのと同様に、スマートシティも都道府県や広域都市圏などの広域的なスケールの都市圏レベルから、市町村などの地方自治体スケールの都市レベル（例えば、浜松市、会津若松市など）、さらに地方自治体の中に存在する個々の地区スケール（例えば、柏の葉スマートシティ、大丸有スマートシティなど）など、広域レベルから地区レベルまで対象とする区域の空間スケールごとに整理してとらえる必要がある。

Society 5.0のビジョンの対象となる社会（Society）は様々なスケールを包含しており、それぞれのスケールに応じたガバナンスや自治のシステムごとにアーキテクチャが構築されると考えられる。都市圏のような広域から、地区のようなより小さな区域にいたる空間スケールに地域社会を区分し、それぞれの空間スケールに八つの階層からなるリファレンスアーキテクチャの枠組みを適用させていくことが「時間軸・空間軸」の意味として考えられる。

一方、「時間軸・空間軸」は八つの階層を地域社会に適用していく際の一連のプロセスとして解釈することが考えられる。換言すれば、スマートシティにおける「時間軸・空間軸」とは、対象とする都市・地域において、構想や実行計画の立案から、初期段階における実行計画に基づく具体的な事業を限定した区域で実装し、その後に事業の内容や対象区域を拡充させていく一連の「プロセス」を意味していると考えられる。

スマートシティの取り組みは、短期間に成果を出して終了するものでもなく、同じ操作を繰り返すだけの単純な過程でもない。スマートシティの実装では、都市・地域にとって初めてとなる技術やシステムを導入することとなり、地域社会がそれを受容できるのかどうかが成否のカギを握ることとなる。この社会受容のプロセスを入念に検討し、適用・実践することこそが、新たな技術やシステム導入を伴う取り組みを都市・地域に順応させ、人中心で持続可能な取り組みへと導いていく上で重要であると言える。また、地域の個人情報をはじめとする様々なデータを扱うことになるが、そのためのルールづくりやガバナンスの仕組みづくりも社会が受容する上で必須のファクターと言える。そうした考えに基づき、本書では、「プロセス」において重視すべきキーファクターとして、「社会的な受容」と「データガバナンス」を取り上げ、この後の第5章、第6章においてそれぞれを取り上げて詳説することとする。

この二つのキーファクターは、スマートシティの実装プロセスにおいて、サービスや事業の実施に伴走するような形で取り組むこととなる。

「インターフェース」において重要なキーファクター

図表3-3に示すように、Society 5.0のリファレンスアーキテクチャの図の中に、「都市・地域・人」を置いてみると、都市・地域の特性や人の価値観に合わせてビジネス（サービス）が実装されるためには、リファレンスアーキテクチャと「都市・地域・人」との間をつなぐ補完的なインターフェースが必要となることは先述の通りである。

具体的には、デジタル技術を活用したサービスを都市・地域の課題解決のために導入することを想定すると、ビジネス（サービス）の導入を図る地方自治体や企業といった主体（供給側）とビジネス（サービス）の受け手側（需要側）の生活者や住民との間のコミュニケーションの課題がまず挙げられる。ビジネス（サービス）が有効に機能しているのか、弊害がおきていないか、改善の余地はないかなど、その成果をモニタリングし、効果を計測することを含めた供給側と需要側とをつなぐ仕組みを地域社会の中にいかにして導入し、定着させていくのかが課題となる。

すなわち、スマートシティのアーキテクチャにおける「ビジネス（サービス）」「機能」「データ」「データ連携」「アセット」の五つの階層の主体（多くの場合は、地方自治体や企業）と「都市・地域・人」、とりわけ生活者との間をつなぐための仕組みがアーキテクチャを補完する工法と実現手順の一部として必要となる。

そのための仕組みに該当するのが、「生活者参画」のファクターであり、具体的な仕組みとしては、既に北欧などで実装されているリビングラボといった仕組みと組織が考えられる。

また、スマートシティの技術が生活者の生活にどのような効果や影響を及ぼし、対象となる生活者の満足感や幸福度にどの程度の効果をもたらしているのか、あるいは逆に負の影響や副作用をもたらしていないか、といった点をできるだけきめ細かに一人一人の人を対象に継続的に見ていく必要がある。

そのため、生活者を対象にした効果や影響を的確に評価し、フィードバックさせるためには、さらなる工夫が必要である。これまで都市計画分野で使用されてきた緑被率や道路率といった都市を空から見て把握するような物理量により俯瞰的に定量化する方法ではデジタル技術によるサービスの効率をとらえることが難しく、また、統計調査を用いた平均値により都市全体を評価するような方法では多様化した個人の嗜好にも配慮した人中心の考え方に対応することは難しい。従来のような行政の統計データだけに頼ることにも限界がある。サービスの供給側と受け手側とをつなぐインターフェースとして、人々の多様性や嗜好を考慮した評価が求められることとなり、そうした個人の生活の質（Quality of Life：QoL）を評価する「QoL評価」が有効なキーファクターとして考えられる。

以上のような理由により、Society 5.0リファレンスアーキテクチャをスマートシティ分野から補完する手順や工法の一部として、またサービスの供給側と需要側である生活者側との間のインターフェースの課題に対応するキーファクターとして有効であると考えられることから、「生活者参画」「スマートシティQoL評価」を取り上げることとし、それぞれ本書の第7章、第8章で詳説することとする。

「オルガニゼーション」において重要なキーファクター

Society 5.0リファレンスアーキテクチャを構成する八つの階層のうち、上部の「戦略・政策」「ルール」「組織」の三つの階層において、あらゆる分野に共通している課題は、何といってもこれらをつくり上げていく担い手の存在であり、三つの階層それぞれにおける戦略・政策づくり、ルールづくり、組織づくりにおいては、その担い手の力量が最も重要であることは言うまでもないだろう。この階層の担い手として登用する人財とは、戦略・政策を立案する能力や対象地域の実情に合わせたルールづくりに長けた専門家が想定される。さらには、アーキテクチャの下部の階層にあるビジネスやデータにも精通していることも求められるだろう。

従来の都市計画では、一般にプランナー（都市計画家）という専門教育を受けた、あるいは経験を積んだ専門家が戦略・政策づくりの業務を担う。それに対して、スマートシティでは、様々な関連するデジタル技術にも精通し、データを活用したサービスにも精通していなければならない。そのための専門家は、自然に育つとは考えられず、新たに育成するための教育プログラムを必要とする。大学等の教育機関や民間企業、行政機関が協力してスマートシティを担う専門家の育成に努める必要があると言え、そうした「人財育成」をキーファクターとしてとらえ、その考え方を本書の第9章で詳説することとする。

加えて、スマートシティは、行政のみ、もしくは民間企業のみで構築できるものではなく、官民連携の組織で取り組むこととなり、さらには先述の「生活者参画」にも配慮しながら進捗させることとなる。そのための組織・体制を地域社会の特性に応じて組成し、その組織・体制の中でコーディネートなど重要な役割を担う人財を配置し、戦略にもとづきスマートシティの事業を実施していくこととなり、事業の進行に伴走して、事業群全体を遂行していくこととなる。

ここで、Society 5.0がめざす人中心の超スマート社会の「超（従来の枠組みを超える）」の意味を考えてみたい。それはひとつには、単一の業種におけるデータ活用やデジタル技術の登用によるスマート化から、さらに進んだ複数の業種間の境界を越えたより高次元なデータの活用やデータを通じた異業種の連携を意味するものととらえることができる。リファレンスアーキテクチャに「データ」の階層に加えて、「データ連携」の階層を位置づけていることからも、Society 5.0の考えでは、そうした点に力点をおいていることが容易に推察される。複数の業種にまたがるデータ連携が進み、データを介して産業が連関し、データエコシステムが創出されることはSociety 5.0の実現において重要な意味を持つのである。スマートシティの営みを支える事業者の育成や事業者間の連携は、スマートシティの取り組みを持続可能なものとする上でも欠かせないが、そのカギを握るのが、データエコシステムであるとも言える。

また、データがビジネス（サービス）を創出する源泉となり、データを通じて産業のエコシステムが育成されることは、スマートシティの分野の枠を超えた、他の分野との奥行方向の連携をつくり出すことにもつながる。例えば、スマートシティの分野で活用する街中に設置したカメラのデータは、人の移動データや沿道の店舗の売り上げに関するデータと組み合わせることで、マーケティングへの利用を促すことができるだけでなく、スマートモビリティ（交通）分野での混雑解消のためのサービスにも関連づけることもできる。さらには道路空間の環境センサーのデータを組み合わせることで、より高度な外出サービス創出につながる可能性もある。このように、オルガニゼーションの観点からの補完は、スマートシティの分野の八つの階層の上部の階層に深く関係するだけでなく、Society 5.0リファレンスアーキテクチャの奥行方向の「分野等」の間をつなぐことにも深く関係すると言える。

以上のような重要な意味を持つデータエコシステムを「オルガニゼーション」におけるキーファクターとしてとらえるとともに、第10章で詳説することとする。

3.4 人中心で持続可能なスマートシティに向けた課題と対応

そもそも、スマートシティは、それぞれの都市・地域に対して個別に適用される取り組みであり、同じ仕様に基づく大量生産によりつくり出されるものではない。都市・地域は、それぞれ固有の地域社会や地域環境を持ち、それぞれの地域社会が抱える課題や住民の価値観も様々である。例えば、東京の都心部の地域、東京の郊外の地域、地方の農村や漁村地域など、それぞれ立地条件や特徴が異なる地域社会や地域環境により成り立ってきたので、そうした地域固有の文脈を無視することはできないし、更地にしてスマートシティを構築するようなことはできない。

産業革命後の工業化時代（Society 3.0）における製品づくりが指向したように、同じ製造方法によりあらゆる都市をつくることはできず、もし仮にできたとしても、20世紀のモダニズムや機能主義の都市づくりが批判されてきたように、都市・地域の個性を失ってしまうことになりかねない。

また、地域それぞれに抱えている課題も異なる。もちろん、類似した課題を抱える地域同士もあり、同様の取り組みを横展開して解決できる課題もあるが、同じやり方で対応できる地域は一部に限られている。そうした地域固有の課題解決をめざすことに加え、Society 5.0リファレンスアーキテクチャを参照しながら、地域社会や環境に適したアーキテクチャとその実装のための工法と実現手順が検討されなければならないことから、本章の後に続く第4章～第10章では、異なる地域社会や環境に適用させるアーキテクチャの工法と実現手順として、個々のキーファクターの議論を展開する。

繰り返しになるが、スマートシティは一過性の事業で完了する取り組みでないことは言うまでもない。Society 5.0のビジョンを具現化する人中心で持続可能なスマートシティを構築しようとする自治体等の主体組織は、段階的にスマートシティを構築していくこととなるが、その全体を設計しなければならず、それがアーキテクチャを構築することである。

また、後続の章で詳述する六つのキーファクターは、Society 5.0リファレンスアーキテクチャを補完し、あらゆる都市・地域に適用可能な工法と実現手順として提唱するものであり、Society 5.0の一分野であるスマートシティを人中心で持続可能なものとするために段階的に取り組んでいく上での必須アイテムとして提示するものである。

スマートシティの事業を一過性のもので終わらせずに、持続可能で、なおかつ住民一人一人のWell-beingに配慮した人中心の取り組みとするために必要なものとしてキーファクターをとらえていただきたい。自治体等の主体組織が、Society 5.0のビジョンを具現化するスマートシティのアーキテクチャを検討する際に、また、スマートシティの関連事業を実施する際に直面するであろう課題への対応方策として、参考にしていただきたいと考えている。

ここで少し整理をしておくと、本書では、Society 5.0の考え方に基づくスマートシティの構築を担う自治体や企業等が、以下の流れで考えていただくことを前提として話を進めてきた。これまで述べたことは以下のように整理される。

ビジョンの理解と関係者間での共有

Society 5.0のビジョンの理解と共有
そのために、科学技術基本計画の解説や前著[3]等を参照

⬇

アーキテクチャの検討

Society 5.0の一分野であるスマートシティを構築する際の
アーキテクチャを検討
そのために、Society 5.0リファレンスアーキテクチャ[1]、
スマートシティリファレンスアーキテクチャ[2]を参照

⬇

工法と実現手順の検討

Society 5.0リファレンスアーキテクチャを補完する工法と手順を検討
特に人中心で持続可能なスマートシティをいかにして
構築していくかが課題
そのためのアーキテクチャを補完する工法と実現手順として
六つのキーファクター（本書第4章～第10章）を参照

現場でスマートシティの事業実施の指揮を執る当事者の方々も、スマートシティのアーキテクチャを考える立場にいる主体組織の責任者の方々も、今一度、現在進行形のスマートシティの取り組みをSociety 5.0の考え方に基づきながら、人中心で持続可能なスマートシティへと進化させるために何が必要で、何が足りていないのかを考えてみてはいかがだろうか。

本章では、人中心で持続可能なスマートシティのために必要な六つのキーファクターの必要性と重要性を論じてきた。この後に続く第4章〜第10章では、それぞれのキーファクターを詳しく説明していくので、六つのキーファクターの意義や効用をご理解いただき、その考え方や技術の解説を参考にして取り入れていただきたいと考えている。

また、六つのキーファクターはデジタル社会に必要なソフトインフラとしてもとらえることができる。一つ一つのキーファクターを人中心で持続可能なスマートシティ構築のためのインフラとしてとらえ、それぞれ段階的に発展させていくことを考えていただければ幸いである。

参考文献

[1] 内閣府「スマートシティ リファレンスアーキテクチャ ホワイトペーパー（第1版）」戦略的イノベーション創造プログラム（SIP）第2期 ビッグデータ・AIを活用したサイバー空間基盤技術におけるアーキテクチャ構築及び実証研究事業、2020年3月
https://www8.cao.go.jp/cstp/stmain/20200318siparchitecture.html（2022年12月9日最終閲覧）

[2] 内閣府「スマートシティ リファレンスアーキテクチャ ホワイトペーパー」戦略的イノベーション創造プログラム（SIP）第2期 ビッグデータ・AIを活用したサイバー空間基盤技術におけるアーキテクチャ構築及び実証研究事業、2023.08.Ver.2.0
https://www8.cao.go.jp/cstp/stmain/20230810smartcity.html（2023年8月18日最終閲覧）

[3] 日立東大ラボ編著『Society（ソサエティ）5.0　人間中心の超スマート社会』日本経済新聞出版、2018年10月

Chapter 4

人中心のスマートシティを持続可能とするためのキーファクター

4.1 Society 5.0を具現化するスマートシティをめざして

スマートシティは、エネルギー利用の効率化、市民課題の解決、効率的な都市開発をめざしてきた2000〜2010年代、COVID-19の蔓延により都市のレジリエンスとサバイバルに注力してきた時期を経て、Well-being、市民主導、共助といった人中心の考え方を軸とするSociety 5.0の具現化に向けて走り出していることを第2章で述べた。しかし実際のところ、スマートシティに取り組む地域のうちSociety 5.0を意識し活動できている地域がどれくらいあるだろうか。

一方、前章で述べてきたように、Society 5.0リファレンスアーキテクチャと「都市・地域・人」との対応を考えることから、リファレンスアーキテクチャを補完する工法と手順を構成する要素として提示した六つのキーファクターは、「都市・地域・人」の具体であるスマートシティの現場における課題に対応づけるとどうなるだろうか（**図表4-1**）。

例えば、キーファクターのうち、「社会的な受容」は新たな先端技術を一気に社会実装しようとしても、地域社会に受容してもらえないといった課題に対応し、「生活者参画」はスマートシティの取り組みが行政や企業主導となり、共創する場に住民が不在であるといった課題に対応する。こうした六つのキーファクターそれぞれに対応する課題は、スマートシティを進めようとしている都市・地域に共通の課題であると言える。

図表4-1 Society 5.0を支える六つのキーファクターと地域課題との対応

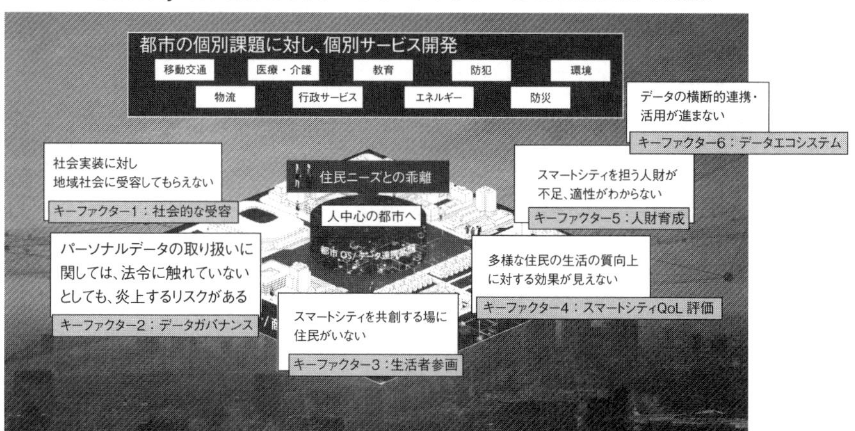

では、それぞれのキーファクターは、スマートシティの現場から見て、どのような地域共通の課題に対応し、その課題解決にどのようにアプローチしていくべきなのか。以下では、六つのキーファクターそれぞれに対応する共通課題と課題解決の方向性について概説し、詳細は第5章～第10章に委ねることとする。

4.2 キーファクター1：社会的な受容

まず、スマートシティの事業を新たに立ち上げて最初に直面するのは、人々や地域社会ははたしてスマートシティで社会実装する技術やサービスを受け入れるか、という問題である。そこで日立東大ラボでは「社会的な受容」をキーファクターに掲げ、この問題の本質を探る調査研究を行なった。

近年のスマートシティでは、個人の健康データや行動データなどの機微な個人情報が活用されるなど、きめ細かいサービスの展開が期待されている。しかし一方で、個人情報を収集されることに対する市民の抵抗感や、本人の了承を得ずに収集・活用をするなどの倫理的問題が発生する懸念もある。海外では訴訟に発展したケースも見られる。

そこでわれわれは、スマートシティ施策について地域社会が理解を深め、自律的に意思決定に関わり施策を受け入れることを「社会受容」と呼び、これを極めて重要なファクターとして提示する。社会的な受容は、個人情報に関するルールを遵守すれば済むというような、一律の基準を満たすことで得られるものではなく、地域のステークホルダー間の関係性の中で生まれる、個別性の高いものと考えられる。そのため、各地域においてコミュニティ特性に応じた取り組みを進めてもらえればよいが、どの地域にも共通するような一般的な性質や、取り組みを進めるにあたって留意すべき倫理的な配慮点もある。これらを探り、その理解を広く浸透させていくことをめざしている。日立東大ラボとしての取り組みは第5章で詳しく紹介する。

4.3 キーファクター2：データガバナンス

スマートシティでデータの利活用を進める上で最初に壁になるのが、データの適切な取り扱い方である。特にプライバシー配慮が重視されるパーソナルデータは、たとえ法令を遵守した取り扱いをしたとしても、それだけでは防ぐことのできない炎上リスクなども存在する。人々にとって安心できるデータの取り扱いができて初めて、信頼のおけるスマートシティの運用ができる。そこで日立東大ラボでは、「データガバナンス」をキーファクターに掲げ、データ利活用における着眼点やリスクを検討した。

データやAIの活用を通じ、地域の課題を解決するサービスを提供することを主眼としたスマートシティの取り組みが数多く試みられている。それらの事例では、地域の個人情報を含むような住民のパーソナルデータの利用や、モビリティ、エネルギーなどの都市の活動に関する様々な非パーソナルデータの活用が計画されているものが少なくない。その際、これらのデータのしっかりした管理、つまり「データガバナンス」が大切になる。

特にパーソナルデータに関する「データガバナンス」という概念には、第一には、個人情報保護法などを遵守するべきというコンプライアンスの側面でデータを管理すべきことがあげられる。加えて、法令に触れていないとしても、当事者にとってプライバシーに触れると感じることで、サービスの前提となるデータ提供の受容性が失われ、サービスの提供が困難になることがある。単に法律に準拠していればいいということではなく、いわゆる炎上を防止するための「データガバナンス」はスマートシティの設計においては大変重要なポイントとなる。日立東大ラボとしての取り組みは第6章で詳しく説明する。

4.4 キーファクター3：生活者参画

本来住民や従業者は単に技術やサービスを受け入れるだけの受け身の存在ではなく、自分のまちのために意見を言ったり合意形成プロセスに参加した時に実装プロセスに参画する、スマートシティを共創する一員である。しかし具体的に住民がスマートシティの共創に参加する場をどのようにつくればよいのかは未だ明らかになっていない。そこで日立東大ラボでは「生活者参画」をキーファクターに掲げ、「リビングラボ」という手法を用いて生活者との共創活動を生み出す可能性を探った。

地域の課題を一番よくわかっているのは住民や従業者をはじめとする生活者である。そのため、彼らの知識と経験、創造性を活かし、他のステークホルダーと共にスマートシティを作り上げていく共創の土壌を持つことが本来のスマートシティのあるべき形と言える。しかし現状は、生活者とスマートシティの接点は少なく、スマートシティの取り組み自体が理解されていなかったり、自分事として感じられないといった問題も起きている。

そのため、スマートシティ実施主体が主導して、住民や地元企業・組織がスマートシティの共創に主体的に参画できる場や仕組み、コーディネート機能を地域に実装し、生活者との対話を継続的に行っていくことが極めて重要なファクターであると考える。中でも「リビングラボ」と呼ばれる、生活の場で人々と共に研究・実験・実証するオープンイノベーションの仕組みは、社会実装するフィールドとしてのスマートシティとも親和性が高く、スマートシティの活動と連携して活用する価値が高い手法と言えるだろう。日立東大ラボとしての取り組みは第7章で詳しく紹介する。

4.5 キーファクター4：スマートシティQoL評価

スマートシティで社会実装を進めていくと、人々は日常生活の中で新たなサービスに触れることになる。そして実施者はこの社会実装の成果を評価する。これまで多くの場合、実施者は技術の実装ができたか、ユーザーとして何人以上登録があったかなど、プロジェクトの進捗や目標達成度を測る目線だけで評価を行いがちであった。しかし本来測るべきなのは、この社会実装によって人々の生活の質やWell-beingが向上したかといった人々や社会へのインパクトであろう。そこで日立東大ラボでは、「スマートシティ QoL評価」をキーファクターに掲げ、個人データを活用して生活の質の変化を細やかに測ることのできる新たな評価指標の開発を行った。これまで生活の質や生活満足度は、国や一部の自治体で数年に一度、アンケートが実施されてきた。しかし、変化や展開の速いスマートシティの活動の効果を調べるには、こうした手法では最適とは言えないだろう。

スマートフォンやウェアラブルデバイス、IoT技術が普及した今日、個人から直接様々なデータを継続的に取得しやすい環境が整いだしている。そこでこれらの技術を用いてスマートシティの取り組みにより生まれる成果を人の幸福感や生活の質（QoL：Quality of Life）などの人中心の観点から測ることのできる新たな評価手法を構築し、スマートシティの個別施策や総合的な成果を人中心の視点から評価する環境を構築していくことは今後極めて重要となることが考えられる。日立東大ラボとしての取り組みは第8章で詳しく説明する。

4.6 キーファクター5：人財育成

小規模に行ってきたスマートシティの取り組みが少しずつ成長し規模が拡大してきた頃には、スマートシティの全体運営を担う人員も増員していくことになる。しかしスマートシティ全体を見渡し采配していくためにはどのような能力やスキル、前提知識が必要だろうか。またどのような人財が集まると自分の地域に適したスマートシティを設計できるのだろうか。そこで日立東大ラボでは、キーファクターとして「人財育成」を掲げた。人財育成プログラムを実際に立ち上げ、取り組みの中でこれらの疑問の答えを探った。

スマートシティの施策は、都市分野と情報分野を基礎として、医療・福祉や交通・物流、コミュニティデザインなど複数の専門分野が含まれる。つまり、スマートシティづくりは分野横断型のチームで進める必要がある。そのため、そのチームをまとめる分野横断型のコーディネート能力を備えたリーダーを育成していくための教育プログラムが必要となる。また、行政内部においては、分野横断的に指揮がとれるポジションを創設することや、分野が複合したスマートシティ推進担当部署を設置するなど、人財育成の出口戦略としての体制構築が重要である。

良くも悪くもSNSなどの情報フローが活発になっている昨今、スマートシティで用いられる情報技術やデータ等に関する正しい理解を促進するなど、広く国民のスマートシティに関するリテラシーを向上させるための施策も重要であると考えられる。日立東大ラボとしての取り組みは第9章で詳しく紹介する。

4.7 キーファクター6：データエコシステム

スマートシティで様々なプロジェクトが展開されるようになると、同時に様々なデータも集積するようになる。これらのデータは単体のプロジェクト内で当然価値のあるものだが、横断的に活用することでその価値が飛躍的に上がり、新たなプロジェクトや産業創出の機会につながる可能性がある。さらに、これらのビジネス創出が、スマートシティを持続的に運営していくための貴重な財源となり得る。それゆえに、データの横断的連携・活用、民間企業の積極的な参加は、スマートシティの持続性にとって極めて重要である。

しかし都市OSやデータ連携基盤にデータをただ並べただけでは、データを横断的に活用する人はほとんど現れないのが実態である。そこで日立東大ラボでは、都市OSやデータ連携基盤を活用するステークホルダーによって構築される「データエコシステム」をキーファクターに掲げ、エコシステムを循環させる仕組みの検討を行った。

データの横断的連携・活用が進まない要因として、データの利活用や利益分配に関するルールの未整備や、データ提供側へのインセンティブの不在が考えられる。これらへの対応策の検討が重要になってくる。

また、企業や大学、エリアマネジメント組織等と横断的にコミュニケーションをとり、データ連携に導く組織・人財（コーディネーション機能）や、データを活用した新たなビジネスが芽生え、育っていくためのインキュベーション機能の実装も重要となると言える。日立東大ラボとしての取り組みは第10章で詳しく説明する。

4.8 キーファクターの地域実装に向けて

日立東大ラボではスマートシティの推進に取り組む国や自治体、専門家の方々と意見交換を行い、実態としてこれらキーファクターにまつわる課題が地域の中で顕在化していることを確認することができた。したがって、Society 5.0の考え方に則したスマートシティ実現に向けての道標が見えず迷っている地域があれば、まずはこの六つのキーファクターをどのように地域の中で取り入れるか考えてみることから始めることをお勧めしたい。

またこれらキーファクターをそれぞれの都市・地域に浸透させていくためには、個別の地区や自治体地域だけでなく、広範な支援を可能とする都道府県や国レベルでできることも数多くあると考えられる。そこで日立東大ラボでは、2021年5月に持続可能なスマートシティの実現に向けた提言として、これらキーファクターを基軸とした国に向けての15の支援策の提案を公開した[1]。2023年には研究成果にもとづく六つのキーファクターの考え方を公開している[2]。国や自治体でスマートシティを担当している方には、こちらも参照して今後の施策検討に活かしていただければと思っている。

本章では、Society 5.0リファレンスアーキテクチャを補完するキーファクターが地域共通課題に対応し、その課題解決の方向性を示すことにつながることを概括してきたが、六つのキーファクターの実装がめざしている方向性は、いわば、Society 5.0がめざす人中心であり、なおかつスマートシティの事業を一過性の取り組みに終わらせない持続可能性（サステナビリティ）への指向である。

換言すれば、本章では人中心のスマートシティに取り組み、持続可能な都市を実現していくために重要な六つのキーファクターを紹介してきたとも言える。次章からは、日立東大ラボで2020年から2023年までに行った、これら六つのキーファクターに関する実践的研究をそれぞれ取り上げて紹介していく。都市・地域での実践に具体的に結びつく取り組みも多いことから、都市・地域へ取り入れるヒントとしていただければ幸いである

参考文献

[1] 日立東大ラボ「提言書『持続可能なスマートシティの実現に向けた提言－5つのキーファクターと 国による15の支援策の提案－』」2023年5月17日
http://www.ht-lab.ducr.u-tokyo.ac.jp/2021/09/07/030/（2023年11月13日最終閲覧）

[2] 日立東大ラボ ハビタット・イノベーションプロジェクト・オンラインセミナー「Society 5.0のアーキテクチャー～人中心と持続可能性の両立～」2023年3月17日
http://www.ht-lab.ducr.u-tokyo.ac.jp/2023/03/17/news047/（2023年11月13日最終閲覧）

社会的な受容

5.1 社会受容性を考える

社会受容性への関心

科学技術、またそれを生かしたサービスの社会実装は、人や社会のあり方に大きく影響する可能性を持つがゆえに、様々な課題に目を向ける必要がある。その一つが、本章で取り上げる「社会受容性」だ。スマートシティの実現に向けたキーファクターの一つとして、本書でも位置づけられている。

スマートシティの実現をめざすにあたって、社会受容性に関心を向け、またそれを重視するのは、技術を生かしたサービス運用を円滑に進めるために、ひいては技術がもたらす望ましい成果を着実なものとするために、「人々が技術やサービスを受け入れる」ことが不可欠だからだ。スマートシティでは、科学技術を生かして、便利で効率が良く、個々人に適したサービスを提供するとともに、様々な社会課題を解決することで、幸福の実現をめざす。しかし、実装された技術やサービスを人々が拒否したり、利活用への抵抗を持つならば、その恩恵を得ることができない。技術の成果をサービスとして実装し、それがもたらす恩恵を享受するためには、社会受容性の向上が必要になる。

もっとも、社会受容性に関心が向けられるべき理由は、これら以外にもある。科学技術の社会実装は、豊かで便利な社会を獲得することや、差し迫った社会課題の解決を直近の目的としつつも、その先には、望ましい社会を未来に向かって構築するという大きな目標がある。しかしながら、科学技術の歴史を振り返るなら、当初予期しなかったリスクや、深刻な社会問題をもたらした事例があることも事実である。科学技術が人や社会に深刻なダメージをもたらすことなく、持続的に新たな価値を創出するためには、科学技術により引き起こされる諸問題を発見したり予見したりしながら、研究開発と成果の実装を進める必要がある。社会受容性は、そのような営みにおけるキーワードである。社会受容性を問うことは、人々が何を望み、どのような社会をめざすのかを考えることや、科学技術のありかたに対する問い直しにつながり、さらには、科学技術が誰のためのものか、そのガバナンスの主体はどこにあるのかも含め、人・社会と科学技術との関係を考える視座を与えるからだ。

社会と科学技術との関係が複雑化しているなかで、幸福の追求、社会課題の解決、未来の創造を、Society 5.0が唱える「人中心」という考え方のもとで実現するためには、人々の価値観への配慮や、科学技術により私たちがどこに向かうのかに関する建設的な議論が必要となる。スマートシティの実現において、社会受容性という課題への取り組みは、これらの議論に不可欠なのである。

社会受容性に取り組むために

では、社会受容性という課題に取り組むための視点や具体的なアプローチには、どのようなものがあるのだろうか。また、社会受容性を議論する上で、どのような論点を踏まえる必要があるだろうか。本章は、これらについて、二つの具体的アプローチを紹介したうえで、社会受容性に関する議論をより有意義なものにするための論点を示す。ここでは、次節以降で論じることがらの概要とポイントを述べておこう。

社会受容性に取り組む際、当然のことながら、人々に技術を受容してほしいという想いが背後にある。人々が技術を良いものと考える、実装に賛成する、サービスを利用するなどがめざすところとなり、それらに対する障害があれば取り除き、実装を円滑に推進する方略を考えることになる。例えば、サービスのメリットを訴えるコミュニケーションやインセンティブを導入したり、技術がもたらすリスクを解決して人々の不安を低減するなどである。このようなアプローチは、社会受容性を「人々の態度の問題」としてとらえた上で、受容する方向に態度を変えるため有効な方法を明らかにすることをめざしている。ここではこのようなアプローチを「個人の態度に焦点を当てたアプローチ」と呼ぼう。

このようなアプローチは、第14章で解説があるキーファクターのレベルが初期から中期の段階では、とりわけ関心を呼ぶかもしれない。技術がもたらすリスクへの不安、サービスへの拒否感、事業者に対する疑義などが大きい状態では、スマートシティに関わる様々な取り組みを推進することは難しく、人々が受容的な態度を持つために何をすべきかを考えることが急務になるからだ。人々の態度を把握し、もしネガティブな認識や不安、拒否感があるなら、それらを低減する働きかけが必要になる。

ただし、このアプローチでは、個人の態度を賛同方向に変えることや、少なくとも反対ではない状態を獲得することが、自己目的化しやすいことに注意する必要がある。人々の賛否を無視することは、もちろん人中心という理念に反することだが、賛意があればよしとすることで、本質的な問題から目を背け、個人の態度を変えるための方略や説得的な情報提供に焦点化してしまう可能性を持つ。

また、スマートシティの社会受容性は個人の態度だけではなく、技術・サービス実装の対象となるコミュニティの問題でもあることにも目を向けねばならない。社会実装は、一定の時間をかけてなされるものであるが、そこでは、ステークホルダー間の、ときには葛藤も含む社会的相互作用がある。社会受容性のそのような側面に着目し、多様なステークホルダーが相互に働きかけ、技術やサービス実装の意義や問題点について議論する中で、コミュニティがそれを受け入れる（または拒否する）一連の過程として社会受容性をとらえることも必要だ。このような視座に基づくアプローチを「相互作用に焦点を当てたアプローチ」と呼ぼう。

このアプローチでは、実際の事例を対象に、ステークホルダー間での情報のやりとりや議論の内容に着目した分析を行い、浮かび上がる論点の性質を明らかにしていくことになる。社会受容性というテーマを通して、スマートシティにおける技術やサービス実装が、どのような論点を抱えることになるのかを考察することになる。

次節では、これら二つのアプローチから進めてきた研究を紹介し、それぞれに対する理解を深めることで、社会受容性をより包括的にとらえることにつなげたい。

その上で、本章の最後では、社会受容性に関する議論を有意義なものとするために、改めて考えるべき点について述べる。社会受容性を追求することが、人中心のスマートシティ実現に資するためには、そもそも「社会受容性」という言葉にどのような意味を託したら良いのだろうか。この点について、スマートシティがもたらす価値や、スマートシティの主体という切り口から考えていく。

5.2 社会受容性の具体的検討事例

個人の態度に焦点を当てたアプローチ

ここでは二つのアプローチのうち、個人の態度に焦点を当てたアプローチのもと行った具体的な研究事例を示し、社会受容性の向上について考える。日立東大ラボの研究では、従来の研究知見を踏まえ、その展開として信頼に焦点を当てた検討を行ってきた。以下では、従来の研究の背後にある態度に対する考え方と知見を簡単にまとめ、次いで日立東大ラボで行った調査について紹介する。

社会受容性を考える際、まずは、技術とそれを用いたサービス実装に対する人々の態度が問題になるのは、先に述べた通りだ。様々な社会施策の遂行がコミュニティに所属する一人一人の理解と賛同に基づくべきだという認識は、現代社会において共有されている価値観であり、スマートシティの実現もその例外ではない。人々がどのような態度を持っているのか、またその態度が具体的にどのような内容であるのかが問われることになる。

技術やサービスに関する受容度を把握したい場合、簡便な方法の一つは、当該の技術実装やサービスを受け入れるか、賛同するかなどを各自に尋ねて、受け入れる、賛同すると回答する人の割合を見ることだろう。

しかし、社会的な態度についての研究を重ねてきた社会心理学領域の知見は、私たちがある対象に対して保持する態度を、このような質問回答から簡便に把握するだけではなく、対象に対する様々な認知や感情・行動意図がネットワーク状につながり影響しあうものとして理解する必要を説いている[1]。同じ賛同するという答えであっても、それがどのような知識、考え方、価値観、情緒などに基づくのかで、その意味が大きく変わってくるのみならず、受容度を高めるためにどう働きかけたらよいのかを示唆するという、実務的なメリットがあるからだ。

このような観点から、技術やサービスへの認知や評価を多面的に取り上げ、それらが受容する（または拒否する）という態度やサービス利用意図に与える影響を総合的に検討するための研究が進められてきた。そこで枠組みを与える機能を果たしてきた代表的なモデルとしては、Trust, Confidence, and Cooperation Model（TCC[2]）やTechnology Acceptance Model（TAM[3]）を挙げることができるだろう。これまでの研究は、様々な技術やコミュニティを対象として、社会受容性に関わる変数の役割を、主には調査データに基づき実証的に明らかにしている。各研究が扱っている主要な変数の効果にはばらつきがあるものの、おおむね、リスクが低くベネフィットが大きい、社会のニーズ（解決すべき課題）に対応している、導入コストが低い、緊急性・必要度が高い、環境や健康に悪い影響を与えないなど、技術やサービスのクオリティに対する認知や、それらがもたらす影響の評価が、受容や拒否に影響することが示されている。

したがって、特定のコミュニティにおける社会受容性を検討する際には、住民への調査を通し、先に列記した技術やサービスに対する認知や評価、実装への賛否、利用意図を尋ね、それら変数間の関係を明らかにすることが必要になる。それにより、受容的態度の実状や、技術やサービス受容を妨げている要因、また、その向上のために働きかけるべきポイントへの示唆を得ることができるだろう。

信頼の重要性

新しい科学技術を特定の地域で実装する際、自治体・企業などの推進者と市民との間での葛藤や対立が、社会受容性の観点から問題になることがあるが、そこには推進者に対する信頼が関わることが指摘されている[4]。技術の高度化をはかり、サービスがもたらすベネフィットを市民に対して訴えることも必要だが、それだけではなく、市民とどのような関係を構築してきたのか、また今後していくのかが、社会受容性において問われているのである。

確かに、信頼は科学技術の実装のみならず、様々な政策的介入に対する賛否の鍵となり、社会というシステムを円滑に動かすためのキーワードにもなっている[5]。政府にせよ、自治体にせよ、企業にせよ、社会介入的なアクションに際しては、それがベネフィットをもたらすことや社会課題の解決に必要であるというメッセージを市民にむけて訴えかけ、受容を促そうとする。しかし、そもそもの信頼を獲得していなければ、それらは効果を持たず、かえって不安や拒否的な態度につながることになる。

信頼の重要性は、不安や拒否的な態度を強化する心の働きに目を向けると、よく理解できるのではないだろうか。私たちは、信頼していない他者の言葉に対しては、その内容の信憑性への疑義を持つので、信頼がなければ、リスクやベネフィット、安全性などに関する説明に納得することはない。また、実装の過程で行われる様々な施策意図に対する疑義も出てくる。例えば、市民サービスの充実を意図した施策だと言われても、そのような善意を疑うとともに、経済的利益の獲得や市民生活を監視し統制するなどの悪意を深読みしてしまうかもしれない。技術を適切に運用するという説明も信用できず、目的外の利用をされるという疑義が出たりもするだろう。社会受容性の向上において、推進者側と市民とのコミュニケーションは不可欠だが、信頼の欠如は、その健全な成立を妨げてしまうのだ。

スマートシティにおける技術やサービスの受容に関しても、信頼は大きな影響力を持つ。とりわけ、スマートシティにおける技術のなかでも、個人情報データを活用する技術はプライバシー問題への関心の高さもあって、人々の受容的態度や信頼の役割についての検討が急務となっている。日立東大ラボでは、信用評価、AIカメラ、健康福祉領域で、個人情報を活用したサービス提供についての不安を自由記述で尋ねる調査を実施しているが、回答のテキスト分析から、悪用、管理、プライバシー、特定、監視などのキーワードが抽出されている[6]。スマートシティにおいて、データ利活用は不可欠だが、これらの領域において、データが適切に扱われず、個人情報が漏洩したり、個人の自律性が脅かされたりするリスクの認知が、市民の間に存在することは否めない。そして、そこに信頼が影響しているのであれば、スマートシティにおける社会受容性の検討は、信頼を基盤とした態度モデルを想定して行う必要がある。

信頼を基盤とした社会受容性に関する態度モデル

このような問題意識のもと、個人情報の利活用に関する取り組みを対象として、信頼が技術への認識を決めることを検証する調査を実施したので、その結果を紹介する[7]。図表5-1は、モデルの概要を示したものになる。信頼を出発点とし、それが、スマートシティでの取り組みに対する評価、具体的には個人情報に関するリスク認知に影響し、個人情報提供意図や、サービスへの受容的態度の形成につながるというモデルである。

さらに、信頼を規定する変数についても「対象の誠実さと能力」への認知、および「価値共有認知」の影響を検討している。誠実さと能力は、社会心理学における集団認知研究で、基本的な認知次元であることが明らかになって

図表5-1　**信頼を基盤とした社会受容性に関する態度モデル**

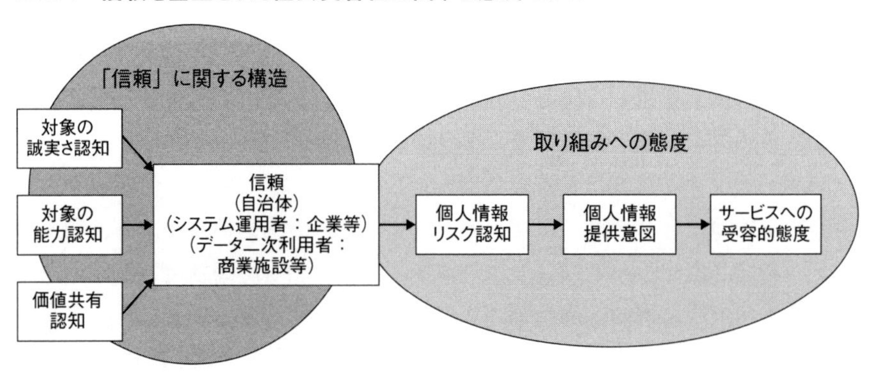

おり、両次元でどう認知されるかが、集団への接し方を決めると議論されてきたが[8]、リスクマネジメント研究でも信頼との関係が検討されている[9]。また、価値共有認知については、主要価値類似性モデル（Salient Value Similarity Model）のなかで、人々がリスク管理者に対して自分たちと同じ価値を共有していると認知することで、信頼につながると論じられている[10]。このことは、主には健康・環境へのリスクを中心に検討されてきたが、スマートシティにおける個人情報の利活用にも展開できることを、この調査では確認する。

信頼に関する実証的検討

調査の具体的な内容を説明しよう。調査実施は2019年9月であり、ウェブ上で参加者にサービス提供の取り組みに関する具体的シナリオを提示し、質問に回答を求める形式で行った。調査回答者は男性307名、女性318名、平均年齢45.8才（標準偏差は14.4）である。提示したシナリオは、「AIカメラ設置による人流解析や、個人の位置情報・交通機関利用情報・消費金額情報をスマホ経由で自主的に提供するシステムのもと、データを商店街設計、交通プラン、市民サービスに活用する。商業施設などの二次利用者も参照可能である」という内容である。その上で、図表5-1の信頼に対する構造部分に関しては、システム開発・運用者（私企業）、取り組みを推進する自治体、データの二次利用者に対する様々な認知と信頼を問う質問を行った（具体的な質問については後述する）。さらに、取り組みへの態度としては、個人情報の扱われ方に関するリスク認知（例：情報が悪用される）、個人情報提供意図（例：自分に関する情報を提供してよいと感じる）、取り組みへの受容的態度（例：この取り組みに対して肯定的に感じる）についても回答を求めた。

図表5-2は、信頼が取り組みへの態度に与える影響に関する分析結果であり、変数をつなぐパス係数が有意であったところ（統計的分析により、影響があると判断できるところ）のみを、図の中に矢印で示している。各対象に対する信頼が、取り組みに関する態度項目に影響していることが明らかである。対象ごとに効果の強さは異なっているものの、信頼が高ければリスク認知が

下がること、また、個人情報提供意図や取り組みへの受容的態度が高まることが示されている。各ステークホルダーへの信頼が受容的態度の基盤であるというモデルの妥当性を支持する結果となっている。

また、自治体、システム運用者、データの二次利用者それぞれに対する誠実さ、能力、価値共有に関する認知が、信頼に与える影響をモデル化したのが図表5-3である。分析結果は、いずれの対象についても、誠実である、また価値を共有していると認知されることで信頼が高まることを示している。一方、能力認知は、信頼に直接影響していなかったが、誠実さの認知や、価値共有認知との相関関係は認められた。

信頼を得るには

さて、信頼の重要性やその規定要因に関する結果に対して、「結局のところ、どうすれば信頼を得られるのか」という問いかけがあるだろう。信頼が一朝一夕で形成されるものではない一方、問題ある行為で簡単に損なわれることは日常の経験からも学ぶことであり、確実に信頼を得るためのノウハウを示すことは難しい。しかし、調査の結果に基づき、少なくとも手掛かりを得ることはできる。結果の解釈もふくめこの点について触れておく。

ここで着目するのは、先ほど紹介した、また引き続き実施した他の調査で用いた具体的な質問のうち、何が誠実さや能力の認知を決めたかである。一

図表5-2　信頼の影響に関する分析結果

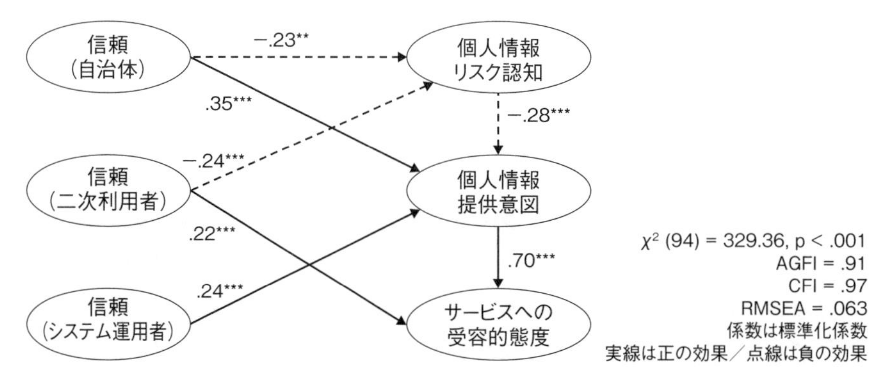

図表5-3 自治体、システム運用者、データ二次利用者に対する信頼規定モデル

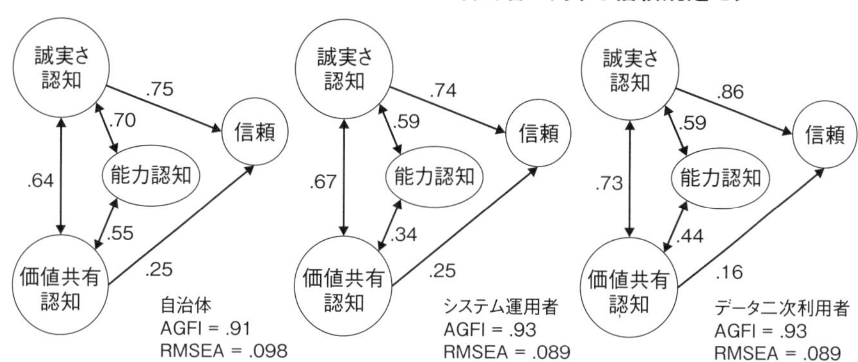

連の調査では、関連しそうな複数の質問を探索的に採用しているが、分析結果から、誠実さについては「取り組みに対して十分な説明を行う」「問題が生じたときに真摯に対応する」「住民を平等に扱う」「公正に判断している」などの質問が強く関連していることが示されている。これらはサービスを実装する過程における市民との接し方が与える印象に関するものであり、日常的に市民と接するフロントラインの対応のなかで真摯、公平という印象を与えることが、信頼につながるということになる。能力の認知についても同様の検討の結果、「専門知識や技術を持っている」「新たな技術に適応している」「サービスの質が高い」などの認知が重要になっている。知識や技術への評価から「任せることができる」という安心が生まれ、それが誠実さや価値共有認知を支えていると解釈することができる。

なお、価値共有認知では、「自分が重視することと合致している」かどうかを尋ねている。市民の意見をくみ上げながら、サービスにより解決する社会課題や実現する価値について、共感を得る働きかけの必要が示唆されるだろう。

もちろん、信頼を得るために具体的に何が可能かつ有効かは、現場がもつ仕組みや人的リソースなど、それぞれの事情に応じて異なってくるが、「問題への真摯な対応」などのように、市民との接点に立つ個々人の振る舞い方にかかっている部分が大きいことが、これらより示唆される。しかし、接点

に立つ個人の問題としてしまうと、改善への道筋がみえにくくなることには注意が必要だ。現場のありかたの検証、意識構築のための研修、フィードバックの仕組み導入など、具体的に場の改善に向け組織としてできることを検討し、現場環境のマネジメントのなかに、信頼獲得への取り組みを含めていくことが重要になるだろう。

相互作用に焦点を当てたアプローチ

次に取り上げるのは、相互作用に焦点を当てたアプローチによる分析例である。このアプローチは、社会受容性をステークホルダー間の相互作用の結果としてみるもので、その必要は冒頭でも触れたが、分析事例について紹介する前に、さらに詳しく述べておこう。

そもそも、スマートシティという枠組みのもとで進められているサービスを住民すべてが熟知しているわけではない。例えば、日立東大ラボで、札幌市民を対象として、健幸ポイント、人流センター、札ナビなどの具体事例に対する認知を調査しているが、その結果によると（2022年1月実施、N=1000）、サービスによる変動はあるものの、内容を知っていたという回答は、3%～5%程度にとどまる。このような状態での各事例に対する態度は、技術やサービスに対する十分な知識に基づかない可能性があり、自治体や事業者に対して持つ直感的な印象、身近な人たちの意見や、メディアなどが提供する情報に影響されやすいという不安定さを持つ。

加えて、「コミュニティがサービスを受け入れる」ことは、個々人の態度の単純な集約のみで決まるものではない。実装過程での自治体・企業からの情報提供、説明会とそれに対する住民の反応、メディア報道、賛成・反対の立場をとる人たちの活動、また昨今では、リビングラボやワークショップでの議論など、時系列上で起こる様々な「出来事」が進行するなかで、その結果として、コミュニティが受け入れるかどうかが決まっていく。

個人の態度は、このような出来事が進むなかで形成された「ある時点での認識や理解」を切り取ったものであり、社会受容性を検討する上で重要なものとして、先述の「個人の態度に焦点を当てたアプローチ」で分析を行ってきた。しかし、その一方、コミュニティにおける技術やサービスの受容（非受容）の進展を把握するためには、時系列上で起こった出来事を追い、ステークホルダー間の相互作用過程を明らかにすることが必要となる。また、その過程の分析から、社会受容性がいったい何を巡る問題であるのかについても、考察することや事例に学ぶこともできる。ここでは、そのような試みとして、カナダ・トロント市の「Sidewalk Toronto」の事例分析からの考察を紹介する。

Sidewalk Trontoにおける反対運動の経緯と論点

Sidewalk Trontoとは、トロントのウオーターフロント地区の一部を、スマートシティとして再開発するプロジェクトだが、市民からの反対運動が起こり、計画が見直された事例である。分析では、まず、主なステークホルダーとして、行政、事業者、市民、地元を中心とするメディアを定め、それぞれの公開資料から情報を収集し、時系列で整理した上で、発生した問題を整理した。

簡単に経緯を記しておこう。計画は、1999年以来の行政による構想を経て、2017年、Google社の親会社であるAlphabet社傘下のSidewalk Labsが計画立案に参画して、「Sidewalk Toronto」プロジェクトが立ち上がり、推進体制が確立した。その後、タウンミーティングや公開ラウンドテーブルなどを複数回開催し、市民の意見収集や対話を進めてきたが、プロジェクトの問題や懸念を背景に市民団体による反対運動が活発化し、カナダ人権擁護協会による行政の提訴を経て、計画の見直しが議論された。2020年5月には新型コロナウイルス禍による経済的問題を理由に、Sidewalk Labsから撤退が表明された。

上記の経緯の中で、反対運動につながる論点を拾い出すと、データガバナンスに対する不安が大きく、具体的には、データの保管場所が国外になることや、民間企業が主導的に進めることへの懸念、さらには、プロセスへの不満を指摘することができる。説明会を開催してきたとはいえ、計画のイノベーティブな側面に説明の焦点がおかれ、プライバシーや監視など市民が求める個人情報の扱いに関する説明提供が不足しているという認識や、Sidewalk Labsが得る経済的利益への疑義が持たれていた。データプライバシー等に対する指導を行う独立組織である「WTデジタル戦略諮問委員会」のメンバーが、住民の懸念に答えていないことを理由に辞任するという事態も招いている。さらに、Sidewalk Labs社の利益確保に関する提案への不安や不満、背後に存在するGoogle社への不信が重なり、相乗的に反対運動への拡大を招くことになった。

ここで着目すべきは、反対運動が、サービス内容そのものよりも、プライバシーという個人の権利、さらには民主主義のありかたという論点を基盤としていることである。地元有志が立ち上げた反対運動団体であるBlock Sidewalkが、「私たちが共有しているのは、民主主義は売り物ではないという信念だ」というメッセージをホームページに記載していたことが、このことを端的に表している。

個人の態度に焦点をあてたアプローチで信頼の重要さを議論したが、Sidewalk Torontoの事例は、信頼基盤をうまく構築できなかった例とも見なせるだろう。データガバナンスのありかたや、企業の利益確保をめぐって、信頼の欠如が顕在化し、個人の権利、責任、コミュニティの自律、民主主義のありかたなど、社会に関する根源的なキーワードに立ち戻った疑義を喚起してしまったのである。社会受容性という課題が、技術・サービスと、人や社会との関係への問いなおしを要求する事例として、学ぶことが大きいのではないだろうか。

5.3 社会受容性に関する有意義な議論のために

「社会受容性」とは何かを再考する

これまで紹介した二つのアプローチは、社会受容性の獲得における信頼の重要性と、権利、民主主義、責任など、社会の根本や価値にかかわるキーワードが反対運動の論点となる可能性を示している。ただし、そうだからといって、社会受容性の向上を理由に信頼獲得をめざすことや、価値に関わるキーワードに関する議論を避けることは、本末転倒だろう。社会受容性は、その向上に目を奪われることにより、本来重視すべき人・社会と科学技術の関係や、人中心の社会、科学技術により私たちが幸福を得るという理念に対する議論の深化ではなく、人々の賛意を得るための方略の追求に陥る可能性をはらんでいる。社会が受容することを求めながらも、「受容度の向上ありき」から脱却するための思索が常に必要とされるという問題を抱えているのである。

このような問題に立ち向かうためには、私たちが重要だと考える価値の達成という観点から「社会受容性」とは何なのかを再考すること、善い社会の実現という観点から、社会受容性という言葉に込める意味がどうあるべきかを再考することが必要なのではないだろうか[11]。この点についての議論を深めるために、いったん現状を批判的な視座から見直してみよう。

私たちは、社会のありかたを論ずるさいに、当たり前のことではあるが「言葉」を用い、その結果として、言葉が意味するところに議論や問題設定が縛られる。社会受容性についても、「人々が技術・サービス実装に対して持つ肯定的な態度」としたうえで、個人の態度に焦点を当てたアプローチによる議論へ、また、「コミュニティが技術・サービス実装を受け入れる過程」としたうえで、相互作用に焦点を当てたアプローチによる議論へと展開してきた。そして、それぞれが社会受容性という言葉に託した意味から、前者では、人々の肯定的な態度につながる諸要因を、後者では、コミュニティの反対運動を支配する論点を明らかにしようとした。その背後には、科学技術の恩恵を生かすべく、その受容を向上させるために、どのように人々に、また社会に働きかけたらよいのかという問題設定が組み込まれていた。このことは、社会受容性への関心とそれに関わる議論が、科学技術を社会に役立てるためという「善き想い」を持つがゆえに、人々や社会に「受容」を促すための議論へと収斂してしまいやすいことを示唆している。

社会受容性に関する議論をそのようなところに閉じ込めないためには、根本に戻り、スマートシティの実現により私たちは何を得たいのか、どのような社会を実現したいのかという議論と社会受容性とをつなぐ必要がある。科学技術の進展の中、人々が、また社会が科学技術とどう関わり、どのような選択を未来に向かって行うべきなのかの議論が必須である現状を踏まえると、そこでの建設的な議論に資するためにも、社会受容性という言葉に託すべきことは何か、社会受容性に関する本質的な論点は何かを追求することは、意味があるだろう。

これは重い課題であり、これだという回答を簡単に示すことはできないが、社会受容性が人・社会と科学技術との関係を問うテーマであるところに立ち戻ると、人々が、社会が、何を選ぶのか、また、選ぶ主体である人々、社会とは何なのかと問うことが、社会受容性に関する議論の本質の一部をなすのではないか。以下、章を締めくくるにあたり、これらの点についての論考として、社会受容性の議論が持つべき関心と今後の方向について述べる。

スマートシティが実現する価値と主体を考える

社会にとって価値あるものを生み出すことは、技術の使命であり、その社会実装を通して、技術の価値が社会に実現される。たとえば、利便性、効率、快適さという価値、さらには、防犯、健康、環境などに関わる社会課題の解決という価値であり、社会受容性は、これらの価値に対する人々の賛同であるとも解釈できるだろう。しかし、技術実装の中に組み込まれるこれらの価値は、中立、透明であり得るのだろうか。誰にとっても同じように価値があるのか、それを享受できるのか、また、価値が何であるのかが、誰にとっても明示的に示されているのだろうか。

技術が生み出す価値の享受は、多くの場合、経済的な対価やリテラシーを必要とする。豊かで、科学技術リテラシーが高い人は、その恩恵をより多く受けることができるだろう。また、所属するコミュニティの規模、経済力、人口動態などに左右されるかもしれない。技術が組み込んでいる価値は、中立性や透明性が保証されているものではなく、それを享受する対象の偏りや格差という問題をはらむものなのである。誤解のないよう確認しておくと、経済的対価やリテラシーを要求する技術・サービス実装が悪いということではなく、組み込まれる「価値」の性質を曖昧にした上で、中立性や透明性に関わる問題から目を背けることが問題だという指摘である。

技術やサービスが、価値中立的であったり透明だという前提をいったん横に置くなら、次に浮かび上がる論点は、誰がよしとする価値なのか、恩恵を受けるのは誰かという問題である。社会受容性という言葉の「社会」が何なのか、ひいては、スマートシティの主体が誰なのかが問われるともいえるだろう。人々、市民などの言葉が答えとして出てきそうだが、それは実際のところ「誰」なのか、さらには、スマートシティは、人々の態度や行動、また社会のあり方を、「より善い」方向に動かす場としたとき、その方向を誰がどのような形で決めるのかが問題となるのである。

社会受容性というテーマは、このような問いかけに対して、重要な論点を提起する役割を持つ。ひとつには、社会受容性の重視が、「人々の態度の集約」に基づき「こうあるべき」を決めることに加担してしまう罠を持つこと、つまり、社会受容性の重視ゆえに、なるべく多くの人が賛同する選択を行ってしまうことの問題という論点である。多くの人々の賛意が重要なことは否定しがたいが、格差や不平等、マイノリティへの対応という問題、さらには、多数の賛同自体が「その正しさ」を保証しないことを、社会受容性に関する議論にどう反映させるのかが課題となる。

このような問題への対応として、多様性への配慮を重視するという答えがあるかもしれない。技術やサービスが個人に与える満足に焦点化し、各自の欲求充足に忠実な対応を行うシステム、個別最適化を推進するなどだ。これ自体は、一人一人の幸福の実現に資する発想だろう。しかし、そうであっても配慮すべき多様性は何かという問題を生むことには留意したい。何に配慮し、何を切り捨てるのか、誰がどのような原理でそれを決めるのかという問いは依然として残る。また、個人の必要や欲求の充足は、一見望ましいように思えるが、人間としての成長可能性を損なうことや、欲求をひたすら追求することを疑問視しない状況を生む可能性にも目配りすべきだろう。

二つ目の論点は、先ほど述べた、社会受容性が「人々の態度の集約」に基づく問題と、人や社会を「変える」ために社会受容性の議論がなされる問題とが交差する場にある。「技術やサービス受容のために人や社会を変える」というと、人中心ではないように思える。したがって、人や社会を変える方向は望ましくないことだととらえ、その逆をめざす、つまり、「人々の態度の集約」を確認した上で、それに即して技術実装やサービスのあり方を決めるというアプローチがあるかもしれない。人々の態度を尊重することは重要なので、このような方向は、ある程度歓迎すべきことだろう。しかし、そうであっても課題は残る。社会受容性に依存して「どうあるべきか」を決めることは、人々の満足感を高めるかもしれないが、それは本当に「善いこと」なのだろうか。例えば、現在、皆が望むことを実現するような営みにより、次の世代に負債が残らないのだろうか。また、人々が受容するような技術開発とサービス実装を推進したという論理は、結果に対する責任の所在を曖昧にし、科学技術のガバナンスに対する深刻な問題を生んでしまわないだろうか。

このような問題提起は、社会受容性に関する議論を面倒で複雑にするという印象を与えるかもしれない。しかしここに挙げたことは、科学技術の成果を社会実装する際、避けて通れない論点であり、社会受容性はその言葉に託す意味次第で、これらの論点を深める役割を持ち得るのではないか。

託す意味を考える際、重視したいのは、受容するという、いわば受け身的な立ち位置から、主体への転換である。スマートシティの社会受容性は、「そこに生活する人々」が技術やサービスの恩恵とリスクを「受ける」からこそ、重視されるべきことであった。しかし恩恵やリスクを受ける立場だけではなく、価値選択に主体的に関わる立場も重視するなら、サービスの与え手である事業者（自治体・企業）とその恩恵（またはリスク）の受け手である人々という、二項対立的な枠組みで社会受容性を考えることには限界がある。社会受容性は、第一義的には「受け手である人々が、与えられた技術やそれに基づくサービスを受け入れる」という意味であったとしても、それに加えて「与え手と受け手からなる人々が、技術のあり方やサービス実装に関わる様々な決定に関与する」という意味も、託していくことが必要なのではないだろうか。つまり、技術やサービスを作る主体、選ぶ主体、ひいては価値選択の主体として、「多様な人々の集団である社会」がどのように関わるのかが、社会受容性の根幹だという考え方である。

この考え方に基づけば、社会受容性のこれからの課題は、社会に属する多様な人たちが、将来に向けての重要な意思決定に関与する過程、それを可能にする仕組み、そして市民としての主体性と責任のあり方に関して、総合的な議論を展開することになるだろう。そこでの議論は、科学技術と社会との善い関係を求める共創的な営みのあり方を求めるものとなり、そのなかで、人々が「受け入れる」ことから「関与する」ことへと、「社会受容性」の意味も変容していくのではないだろうか。

参考文献

[1] Eagly, A.H. &Chaiken, S., *The Psychology of Attitudes*, Fort Worth, TX: Harcourt Brace Jovanovich College Publishers, 1993

[2] Earle, T. & Siegrist, M. , "Trust, Confidence and Cooperation Model: A Framework for Understanding the Relation between Trust and Risk Perception", *International Journal of Global Environmental Issues*, Vol.8(1), pp.17-29, February 2008, DOI: 10.1504/IJGENVI.2008.017257

[3] Davis, F. D., "Perceived Usefulness, Perceived Ease of Use, and User Acceptance of Information Technology", *Management Information System Quarterly*, Vol.13, No.3, pp.319-340, September 1989, DOI:10.2307/249008

[4] Soma, K. & Haggett, C., "Enhancing Social Acceptance in Marine Governance in Europe", *Ocean and Coastal Management*, Vol.117, November 2015, pp.61-69

[5] 小山虎編著『信頼を考える：リヴァイアサンから人工知能まで』勁草書房、2018年

[6] Shimizu, Y., Osaki, S., Hashimoto, T. & Karasawa, K., "How Do People View Various Kinds of Smart City Services? Focus on the Acquisition of Personal Information", *Sustainability*, Vol. 13(19), 11062, 2021, DOI：10.3390/su131911062

[7] 橋本剛明、ターン有加里ジェシカ、唐沢かおり、田井光春「『データ駆動型社会』に対する人々の態度構造」日本心理学会第84回大会、ポスター発表、2020年9月(東洋大学、ウェブ開催)

[8] Fiske, S. T., Cuddy, A. J. C., Glick, P. & Xu, J. , "A Model of (Often Mixed) Stereotype Content: Competence and Warmth Respectively Follow From Perceived Status and Competition", *Journal of Personality and Social Psychology*, Vol. 82, No.6, pp.878-902, June 2002, DOI: 10.1037/0022-3514.82.6.878

[9] Earle, T. C., "Trust in Risk Management: A Model-Based Review of Empirical Research" *Risk Analysis*, Vol. 30(4), pp. 541-574, April 2010, DOI: 10.1111/j.1539-6924.2010.01398.x

[10] 中谷内一也、G. Cvetkovich「リスク管理機関への信頼：SVSモデルと伝統的信頼モデルの統合」社会心理学研究、第23巻第3号、pp.259-268、2008年

[11] 戸田山和久、唐沢かおり『〈概念工学〉宣言! -哲学×心理学による知のエンジニアリング』名古屋大学出版会、2019年

Chapter 6 データガバナンス

6.1 スマートシティとデータの関係

日本の多くの都市、地域において遭遇している人口減少、高齢化、災害多発、そして最近は温室効果ガス排出の抑制や感染症リスク等の様々な社会課題に対して、新技術やデジタル化の取り組みによって、課題の解決を図ろうとする取り組みがスマートシティである。その際デジタル化の取り組みにおいては、データと人工知能（AI）の利用が頻繁に検討される。例えば高齢化の進む都市では、高齢者のひとり歩きの際に、外出中に行方不明になったり、ひとり歩き中の事故が起きることがある。ご家族から、高齢者が行方不明になったと自治体に連絡があると、早期に保護することを目的に、防災行政用無線を利用するなどして、「季節はずれの服装、寝間着やスリッパで車道を歩いている人」などを見たら連絡するように呼びかけているところも少なくないだろう。

このようなときに街中に設置されているモニターカメラが作動していれば、その画像データを用いて、該当する特徴を持つ人物をAIで分析することによって容易に該当者を探索することができる。実は現在AIと称されているのは、膨大なデータをもとにコンピュータがルールやパターンを学習する技術である機械学習をベースとしたものであり、AI自身もデータに依存した技術である。つまりこのような機械学習をベースとするAIでは、正解データとして該当する特徴をコンピュータに教えるためのデータがまず必要である。そしてモニターカメラの膨大な画像データから、正解データで学習した推論モデルを用いて、該当する画像を特定するという一連のプロセスが行われる。

このようなデータとAIの活用は、モニターカメラだけではなく、スマートシティにおいて提供される多くのサービスで利用される。いくつか例を挙げれば、多くの人にあわせて交通手段や移動機会を提供するためにも、その時々の公共交通の運行データや周囲の交通データを用いたり、災害時には災害発生情報に関するデータをリアルタイムで利用したりすることが試みられている。地球温暖化の原因となるCO_2排出を抑制することは世界的に対策が急がれているが、そのためには、地域の電力の需要データと供給データの把握が必要である。感染症リスクにおいても、2019年以降に発生したCOVID-19（新型コロナウイルス感染症）のパンデミックでは、世界中で接触データを利用したアプリや、人流制限のためのデータ利活用を用いて感染リスクを低減させる試みが行われた。

スマートシティにおいては、このようなデータの利用は不可欠であり、そのようなデータとAIを利用することで住民に対して有益なサービスの提供が可能となる。すなわち、地域の住民にとってのスマートシティであることの意義は、上記で述べたような社会課題を解決するためのサービスであり、そのサービスが、よりよく提供されることのために、データやAIは不可欠であるという関係にある。

6.2　データやAI活用において発生するリスク

このようにスマートシティに不可欠で、様々な便益を住民に提供することを可能とするデータやAIの活用に際しては、他方、様々なリスクがあるといわれている。そのリスクを理解するためには、まず、スマートシティで活用されるデータの性格を理解する必要がある。

一概にデータといっても、大きく性格が異なるものが含まれている。例えば、ヘルスケアサービスなどで利用されるのは、一人一人の個人にかかわるパーソナルデータである。スマートシティではこのパーソナルデータの利用を試みるものが多いが、パーソナルデータ以外にも、スマートシティで活用が試みられるデータは様々ある。太陽光発電など変動する再生可能エネルギーを都市の電力に活用するためには、様々な事業者のエネルギー需要のデータも必要となるが、このデータは、その電力を必要とする会社などの組織の活動に由来するデータであるという面で、パーソナルデータとは異なる。

さらに先述の防災の目的では、雨量や風速などに加えて河川の水位など、気候や土木、交通など環境データが用いられる。また移動手段の確保という側面から見れば、渋滞情報なども用いられるが、これらは人間の活動に由来はするものの、パーソナルデータとは性格が異なる。

すなわちスマートシティに用いられるデータとは、パーソナルデータと非パーソナルデータがあり、非パーソナルデータには、組織活動に由来したデータと、その他の自然および環境データの二つに分けられる。実はこの三者で、データの利用において発生するリスクの種類や性格が大きく異なるのと同時に、そのデータを活用するうえでのルールや管理の考え方も異なってくる点が重要である。

AI活用も特有のリスクが伴うが、先述のように現在主流のAIは、データに依存した技術（機械学習）をベースとしていることから、AIに用いられるデータに起因するリスクも少なくないという意味で、AI利用のリスクにもデータが深く関与している。

AI利用についてのリスクガバナンスも詳しく検討されているが[1]、ここでは割愛するとして、以下に3種類のデータ（パーソナル、非パーソナルの2種類）に関して、リスクの例を示す。

(1) パーソナルデータ利用に伴うリスクの例

SDGs（Sustainable Development Goals）は、2015年9月25日に国連総会で採択された、持続可能な開発のための17の国際目標のことを指す[2]。このSDGsでは「目標とターゲットがすべての国、すべての人々、及びすべての部分で満たされるよう、誰一人取り残さない」という原則が示されている。

貧困などの世界的問題に取り組むにあたって、少数者であっても後回しにせず「一人一人に寄り添い、誰一人取り残さない」姿勢を原則としたものであるが、スマートシティにおけるサービスにおいても同様「一人一人の住民に寄り添い、誰一人として取り残さない」という考え方が必要だといわれる。

スマートシティの一人一人の住民に寄り添うためには、その住民のニーズをいつでも把握できることが不可欠である。そのためにはパーソナルデータが必要であるが、他方、パーソナルデータには個人の氏名、生年月日、住所、顔写真など特定の個人を識別できる情報が含まれているため取り扱いに注意を要する。例えば、このような個人を識別できる生存者の情報は不特定多数の人物にアクセスされると悪用されるおそれが生じる。その情報を取得した人物からストーカー行為をこうむったり、迷惑メールや振り込め詐欺などの犯罪に利用される可能性もある。そのため個人情報をサービスに取り扱う場合は、その個人情報が適切に管理されることが非常に重要になる。この管理方法については後述する個人情報保護法で厳密に規定されている。

そのような重要な個人情報であっても、個人情報の取得を目的としたサイバー犯罪は巧妙化しており、個人情報の漏えい事案は年々増加していることは注意する必要がある。2021年の統計では、個人情報の漏えい事故を公表した企業は120社、事故件数は137件、漏えいした個人情報は574万9,773人分に達しているとされている[3]。このことからみてもパーソナルデータを取り扱う際には、厳密な管理を要することに加えて、管理する側としては万が一であっても個人流出することを前提として、必要以上のパーソナルデータは持たない、必要なデータしか手元に残さないというような管理が必要である。

一方、個人情報が実際に流出したり、それが悪用されたりといった可能性が実際にはないのに、自分のデータがどのように取り扱われるのについて不安があるため、データ提供をためらうというケースも少なくない。

例えば、先に述べたCOVID-19対策のため開発された接触確認アプリ（COCOA）は、濃厚接触の疑いのある利用者間の接触を、Bluetoothによって検知・記録し、接触者から新型コロナウイルスの陽性者が発生したときに通知がなされるというシステムである（2022年でサービス終了）。アプリをダウンロードしたユーザーの感染の有無や感染者との濃厚接触の有無などの情報自身は、他者に共有されることはシステム上ありえなかったのだが、このアプリに関してアンケートを行ったところ「パーソナルデータが政府や職場に転送されるのではないか」などの心配から利用をためらっている例もかなりあることが分かった[4]。このような不正確な理解に基づくデータ提供への懸念が生じることは、パーソナルデータを利用したシステムではしばしばみられる。

別の例として、2022年1月にデジタル庁が教育デジタル化の工程表の発表を行い、「個人の生涯学習データを一元管理する」と報じられた際にも、政府が個人の生涯学習履歴をすべて把握しようとしているのではないかとの懸念が生じて、政府側の弁明が必要になった。このケースでは、教育デジタル化の目的はあくまで個人が学習履歴に合わせた指導や行政支援を受けることができ、社会人になってからも職業訓練や生涯学習で生かせるための仕組みであって、データは分散して保存・管理される予定であり、政府側に学習履歴が把握されるようなものではなかったのだが、ツイッター（現・X）等で炎上して反対表明が多数示されるという事態に至っている。

このようないわゆる「炎上」は、パーソナルデータを利用する民間企業のサービスでは過去にもしばしば起きている。サービスに対してユーザーの反発が高まる事態になると、法令違反でなかったとしても、事業の継続自身が難しくなる。データ提供者がデータを提供して、スマートシティのサービスが成り立つためには、そのようなデータ提供、そしてそのデータ利用の方法が社会全体に受け入れられる必要がある。逆にそのようなデータ利活用の受容性が著しく乏しいケースだと、このような「炎上」が生じ、そのスマートシティ全体の受容をも困難にする可能性がある。

データ提供に関しては、まず、法令等で手続きに従って「個人情報を含むパーソナルデータについて、どのような目的で、どのように利用するのかについて、データ提供者の同意を得ること」が最も重要になる。しかしデータ提供者の同意だけではカバーできない問題も生じる。冒頭で示したモニターカメラの例では、画像データに映り込むのは不特定多数の個人であり、その時点で本人はデータ提供をしたという認識はない。このようなケースでは、データ提供を行うデータ取得者によって観測される「被観測者」がデータ利活用の重要な利害関係者になる。このようにパーソナルデータを利用する場合には、データ提供者の上流に重要な利害関係者が存在していることが少なくない。このようなケースで、事後に映像データが取得・利用されていることを知った被観測者が、「自分の画像データが知らない間に取得されて、望まない形で使われていた」との懸念が生じ、苦情や炎上などにつながれば、サービスそのものの提供も難しくなる。

(2)組織活動に由来したデータ利用に伴うリスクの例

組織活動に伴うデータに関しても、同様なリスクが生じ得る。先に企業の電力の例を示したが、スマートシティのサービスを対象とする地域には、さまざまな事業活動を行っている事業者が存在する。これらの事業者の事業活動や商業活動に関するデータも利活用の対象になりえる。新型コロナウイルス禍では、感染防止のための人流制限と経済活動の両立を図るため、飲食店や店舗の人流と売り上げなどの関係の把握が試みられた。「何時から何時に何人の来客がありそれがどの程度の売り上げにつながっているか」などのデータは、それぞれの事業者にとっては競争相手に知られたくないデータかもしれない。生産や物流に関しても同様に、競争相手に知られたくないデータは少なくない。このような企業の事業競争上重要なデータは、通常営業秘密として、対外的には秘密とするような管理が行われている。その点個人情報と同じく、そのようなデータの提供を仮に受けた場合は、その取扱いについては、契約に基づき適切に管理することが必要になる。

このような組織活動に由来するデータについても、パーソナルデータと同様、法令違反に当たらなくても、利害関係者の懸念が生じる場合は、なんらか対処する必要が生じる。

例えば、最近のAI技術の進歩によって、公開情報のみからでも個人や企業に関する情報を相当程度正確に獲得できるようになっているが、これらは公開情報から得られたデータであったとしても、当事者にとって望んでいない形で公表・利用されることがあれば、それはやはり反発や炎上につながり、そのサービス自身の受容性に影響する。公開情報によって観測された被観測者の問題は、パーソナルデータだけでなく、組織活動に由来するデータの場合も問題になり得る。例えば最近の低軌道衛星の画像データからは数十センチの解像度の情報が得られるとされるが、これは、今後プライバシーの問題に加え、企業の秘匿したい情報との関係で懸念を呼ぶ可能性がある。公開情報の利用といえども、個人と組織を含む被観測者の懸念が生じれば、やはりサービスの提供が難しくなることが予想される。

(3)その他の非パーソナルデータの利用に伴うリスクの例

自然や気象、災害に関するデータなどでは、基本的には利害関係者や被観測者の問題は生じにくいと考えてよいが、他方、データの管理が適切に行われていない場合、特にAIを利用するサービスでは深刻な問題を生じる可能性があり、その点、同様のデータガバナンスが求められる。

その問題とは、データの真正性、つまりはそのデータが本当に正しいのかということである。これはパーソナルデータや組織活動に由来するデータなどでも生じ得る。具体的にはパーソナルデータや組織に関するデータとして記録されている内容が間違っていた場合に、サービスが適正に行われなくなるというリスクが生じる。例えば防災関係では災害救助の行き先が誤ってしまうなどにつながることから、深刻な問題になり得る。特にAIに学習させる学習用データが誤っていると、AIの判断が誤ることにつながることから注意が必要とされる。AIの学習用データでは、学習させたい特定の画像を認識させるための人の手による加工作業が含まれるため、このような作業を誰がどのような管理下で行ったか、ということを含む「データの来歴管理」が重要になる[5]。

さらにAIの利用には倫理的な問題も指摘される。例えばAIをドローンに応用してカメラの画像データに基づいて自律飛行を行ったり、周辺状況を認識して作業を行ったりすることで物流や自然環境保全などに役立てることができるが、同じ技術とデータが自律飛行する殺傷兵器システムへ流用されることも懸念されている。無害に見える地形データなどであっても、これらの軍事的な用途に用いようとする海外組織に流出するなどが懸念されることもある。

6.3 データ利用に伴うリスクへの対処方法

ここまでデータ利活用に伴うリスクについて述べてきたが、本節では、どうやってこれらのリスクを低減することができるかについて述べる。その第一のポイントは、関係する「ルールを把握」し「ルールを守る」ということである。この場合のルールは法律や規則として明示的に定められているものを指すのが一般的であるが、法令で定められたルールに加えて、倫理的な側面で配慮すべき留意点も重要になる。

先にあげたCOCOAの事例や教育デジタル化の事例、さらにAIの利用に関する事例などは、法令違反ではないのに、データをそのような用途に用いることで懸念を生じたり、その結果が受け入れられずに炎上するなどして事業へのリスクが生じるものだった。このような懸念や炎上は、地域の被観測者やデータ提供者などの受け止め方によっても異なるので、事前に明確な白黒の判断が付きにくい、あるいは、実際サービスをやってみないと住民に受け入れられるかどうかわからない、といった側面がある。その点データとAIの利用に関しては法令の遵守のみで十分リスクが払しょくできると期待することは難しく、明示的ルールへの対応に加えて、配慮しないといけない事項があり、これらをあわせてデータを適切に管理することを「データガバナンス」と呼ぶこととする。

(1)法令に違反しないこと

パーソナルデータに関する法令として最も重要なのは、個人情報保護法である。正確には「個人情報の保護に関する法律」[6]と称し、個人情報の有用性に配慮しながら、個人の権利や利益を守ることを目的とした法律で、国の行政機関や独立行政法人と大学、地方公共団体などはもちろん、個人情報を取り扱う全ての事業者や組織が守らなければならない共通のルールを定めている。この法律では何が個人情報に当たるのか、さらに個人情報の中でも、特に差別などの人権問題につながり得るため、特別に配慮すべき「要配慮個人情報」[7]の定義がなされている。そしてそれぞれの個人情報の取り扱いのルールとしては、「保管」「管理方法」などに加え第三者に提供するときの同意の取り方、さらに個人情報の漏えいが生じたときの通知義務などが定められている。

ただしスマートシティで利用されるパーソナルデータには、例えば地方公共団体が持つ医療、介護等の情報を活用する場合もあり、高齢者の医療の確保に関する法律、国民健康保険法、介護保険法等なども関係するため、まずそのサービスを行うために用いるパーソナルデータに関して、どの法令が関与するのかを把握・確認していくことが必要になる。

企業などの活動に関するデータをスマートシティのサービスに利用する場合も、そのデータに契約や法令に基づき保護されているデータが含まれるのかどうかが重要になる。通常企業など組織が管理しているデータの提供を受ける際には、契約によってデータの取り扱いが定められ、「データの利用用途の限定」や「第三者への提供禁止」などが求められる。データの提供を受けた側は、これらの契約に定められた事項を遵守する必要がある。契約に違反すれば損害賠償請求がなされる可能性があり、また条件によってはこのデータを用いたサービス全体の差し止めを命じられることもある。具体的には、営業秘密または限定提供データとして管理されている企業のデータが提供された場合で、契約に反したデータの利用や開示などが行われた場合は、差し止め請求が命じられるケースがある。これは不正競争防止法[8]によって規定されている不正行為に当たるケースで「営業秘密」[9]として保護されているものと、「限定提供データ」[10]として保護されているもので、罰則などが異なってくる。前者はデータ提供者が厳密な秘密管理を行っているようなデータの場合で、後者はデータ提供側が一定の条件でデータの頒布を行っている場合に相当する。企業など組織由来のデータをスマートシティに利用しようとする場合、これら法律で規定されているどのような保護を受けているデータが用いられているのか、そのデータに該当する法令を確認し、遵守することがリスク回避の第一番目のステップとなる。

その他の非パーソナルデータについても、例えば交通関係では道路交通法、通信関係では電波法など関係する法令は少なくないため注意が必要である。

(2)必要に応じ、法令を超えたガバナンスを行うこと

以上の各種法令遵守を行うことは最低限のガバナンスであるが、先述したように、データやAIの利用に際しては、法令に違反していなくても、データやAIの利用方法について、住民の反発を招き、炎上につながれば、サービスの提供も困難になる。

パーソナルデータについては、特にプライバシーへの配慮という形でこのような懸念への対処を行う必要がある。法令遵守に加え、これらの対処を含むガバナンスをプライバシーガバナンスと称する。このプライバシーガバナンスのあり方は、データ活用やAIの利用に関する社会的受容性に依存する。技術の進歩などによって、例えば同じデータであっても、そこから重要な情報を引き出すことが過去はできなかったのに、技術の進歩で「最近はそんなこともできるようになったのか」というような新たな認識を与えることになれば、データ利用に対する受容性も変化する。すなわちパーソナルデータの活用に際して考慮すべき範囲は、個人情報保護法などの範囲に限定されず、取り扱う情報や技術、社会環境の変化などによっても変わってくることから、

図表6-1 プライバシーガバナンスの概念

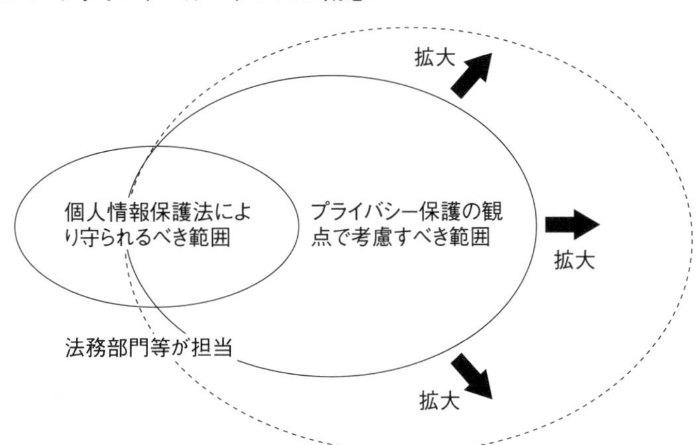

プライバシー保護の観点で考慮すべき範囲は、消費者保護とプライバシー保護の重要性に基づき、個人情報保護法等の法令によって保護される範囲を超えて、取り扱う技術や情報、社会環境によって変化するため、特段の配慮が必要となる

より広い範囲を意識したプライバシーガバナンスが必要になる[11]。このようなケースでは、まず懸念される可能性のある事柄について、対象者にあらかじめ説明をし、またサービス提供後も、環境変化があればその都度十分説明することが重要になる。

スマートシティでは、そのサービスの設計段階から住民を巻き込んで、その目的などが十分理解されたうえで、リスクを説明して、実証段階から協働した活動ができることが望ましい。前述したように直接のデータ提供者がプライバシー配慮の対象者ではなく、被観測者が重要なケースも少なくないが、その場合も、スマートシティのサービス設計に際して、まず住民全体の理解を得ることが重要になる。

(3) アジャイル・ガバナンス

それでもサービスを開始していくと、住民やユーザーから新たな懸念点が生じてくることもある。事前に綿密に設計して住民の理解を得たとしても、その後の技術の進歩や、他の事例で生じた問題点などにより、新たに生じる懸念から誘発されることがあることは先述の通りである。

その点、一度スタートしたデータ利活用やAIの利用などであっても、新たな懸念点が生じた際には、関係者でレビューを行い、必要に応じてその対策を取っていくことも重要である。逆にそのような対応が技術的に可能となるような設計を考えておくことも有益である。例えば、個々のパーソナルデータの場合は、本人の要望に応じて、そのデータのサービスへの組み込みを、事後に停止できるようにすることが必要になる。

これは組織活動に由来する場合でも同様の配慮が必要で、この場合、特にデータ利用の下流側に様々な事業者が関わっている場合、データ利活用の上流側の要請に下流側がこたえられるようにしておくことが重要になる。このような配慮は、特にスマートシティのサービスをデータプラットフォームを介して行おうとする場合、プラットフォーム運営者が、被観測者を含むデータの上流側の懸念に対して、上流側の懸念を払しょくするための措置を、下流側に位置するプラットフォームのデータを利用する事業者に対して、契約や規約などを通じて実効的に可能にする必要がある[12]。

これらの結果、ガバナンス方法自身も変更されていくことになる。スマートシティは、まちをより良い環境にするためのトライアンドエラーの活動であり、データガバナンスにおいても同様の考え方が求められる。つまり、最初から完璧なルールを形成できると考えるのではなく、スマートシティの取り組みの中でルールを運用し、評価し、見直すというループを迅速に回すことが求められる。このようなガバナンスの考え方を「アジャイル・ガバナンス」と称する[13]。スマートシティのデータガバナンスの方法として必ず求められる考え方である。

6.4 スマートシティのデータ利用の受容性を決める便益とリスクのバランス

スマートシティではデータやAIの活用は不可欠であるが、他方データの利用、そしてAIの利用に際しても、ここまで述べてきたような様々なリスクが伴う。それは法令に従えばよいというものではなく、どんなに事前に緻密に設計したとしても、リスクはゼロにならないという性格を持ち、そのようなリスクがあることは事前に関係者と住民が理解する必要がある。その上でアジャイル・ガバナンスなどの考え方で運用することを伝えて、そのようなガバナンスを踏まえたデータ利用に関して、関係者と住民に理解されることが必要である。最終的には、そのような「ゼロにならないリスク」が受容されるかどうかは、「データやAIを使ったサービスが住民やまち全体に与える便益が、そのリスクを上回るものであるかどうか」がポイントとなる。この優先順位が重要で、データやAIの活用が目的ではなく、まずは「そのデータでこれだけ優れたサービスが可能になる」こと、「他の方法では得られない便益が提供できること」が前提でなければならない。

現代の地域社会には多くの悩ましい問題が山積している。スタートアップの世界ではバーニングニーズといって、髪の毛に火が付いていてすぐに消すことが求められるような切迫したニーズをみつけて、そこを解決するサービスを提供するビジネスモデルが求められるが、スマートシティも同様で、データやAIを使うことが重要なのではなく、「それを使って、いかにまちの深刻な問題を解決できる」かということが重要なのだといえる。この順番を間違えると、データやAIの利用に対する受容性は決して生まれてこない。

この際のサービスの恩恵は、必ずしもそのデータ提供を行う当人や被観測者に直接還元されるケースだけではない。その点スマートシティのバーニングニーズは、まち全体にとって深刻な問題を解決する公益的なニーズであるかもしれない。このようなケース、すなわちデータ提供の見返りが個人への便益でない場合でも、データ提供の受容性は促進されるという結果がアンケート調査で得られている[4]。つまり、サービスの便益がまち全体、地域全体の課題を解決するという公益的なもので、直接個人的な便益につながらなくても、その効果を適切に説明して理解されることで、データ提供の受容性が高まることが期待できる。いずれにしても、どのようなサービスや便益が得られるのか、スマートシティは「サービスファースト」の考え方で、ゼロにならないリスクを許容していくストーリーを構築することが大切である。

参考文献

[1]　経済産業省 AI 原則の実践の在り方に関する検討会 AI ガバナンス・ガイドライン WG「AI原則実践のためのガバナンス・ガイドライン Ver. 1.1」2022年1月28日
https://www.meti.go.jp/press/2021/01/20220125001/20220124003.html　(2022年12月9日最終閲覧)
[2]　外務省「SDGsとは？」
https://www.mofa.go.jp/mofaj/gaiko/oda/sdgs/about/index.html
[3]　東京商工リサーチ調査。2012年1月～2021年12月までの期間で、上場企業と子会社の情報漏えい・紛失事故をプレスリリースなどの自主的な開示に基づいて発表日ベースで集計したもの。
https://www.tsr-net.co.jp/news/analysis/20210117_01.html(2022年12月9日最終閲覧)
[4]　渡部俊也、平井祐理「データ提供における懸念点と公益貢献意識効果の影響: COCOA 利用に関する質問票調査から」日本知財学会誌、Vol.18、No.3、pp.29-38、2022年3月
[5]　データ取引における来歴情報の管理については、一般社団法人AIデータコンソシアムにおいて検討したデータ提供契約において詳しく検討されている。
「AIDC プラットフォーム におけるデータ提供契約に関する報告書」
https://aidata.or.jp/wp-content/uploads/2022/02/AIDCプラットフォームにおけるデータ提供契約に関する報告書.pdf(2022年12月9日最終閲覧)
[6]　「個人情報の保護に関する法律」
https://elaws.e-gov.go.jp/document?lawid=415AC0000000057(2022年12月9日最終閲覧)
[7]　人種、信条、社会的身分、病歴、犯罪の経歴などの情報は、不当な差別、偏見その他の不利益が生じないようにその取扱いに特に配慮を要する
[8]　不正競争防止法については以下を参照。
https://elaws.e-gov.go.jp/document?lawid=405AC0000000047(2022年12月9日最終閲覧)
[9]　営業秘密の要件等については以下を参照。
経済産業省「営業秘密～営業秘密を守り活用する～」
https://www.meti.go.jp/policy/economy/chizai/chiteki/trade-secret.html(2022年12月9日最終閲覧)
[10]　限定提供データの要件については以下を参照。
経済産業省 知的財産政策室「限定提供データについて」2021年12月20日
https://www.meti.go.jp/shingikai/mono_info_service/sports_content/pdf/002_s01_00.pdf　(2022年12月9日最終閲覧)
[11]　総務省・経済産業省「DX時代における企業のプライバシーガバナンスガイドブックver1.1」2021年7月
https://www.meti.go.jp/press/2021/07/20210719001/20210715009.html(2022年12月9日最終閲覧)
[12]　デジタル庁・内閣府知的財産戦略推進事務局「プラットフォームにおけるデータ取扱いルールの実装ガイダンスver1.0」2022年3月4日
https://cio.go.jp/sites/default/files/uploads/documents/digital/20220304_policies_data_strategy_outline_01.pdf(2022年12月9日最終閲覧)
[13]　経済産業省 新たなガバナンスモデル検討会「アジャイル・ガバナンスの概要と現状 Governance Innovation Vol.3」2022年1月
https://www.meti.go.jp/press/2022/08/20220808001/20220808001.html(2022年12月9日最終閲覧)

Chapter 7

生活者参画

7.1 スマートシティにおける生活者参画

スマートシティでは公民学を中心にデータやICTを活用したサービス開発や実装などの先端的な取り組みが進められている。しかし振り返ってみて、これらの取り組みにまちの生活者が関われる場面はどれほどあるだろうか。自分のまちで何をしているのか知らない、気づいたら新しいサービスが導入されていたなど、そのまちに住む人々との距離が生まれてしまうと、スマートシティが本来めざそうとしてきた、人々のWell-being（ウェルビーイング）向上という大目的が次第に見失われ始め、手段のための取り組みと化してしまう恐れもある。持続可能な人中心の都市となるためには、スマートシティの取り組みが常に誰に対しても公開され、まちの人々によく理解されていること、意見が割れるようなセンシティブな課題を伴えば、根気よく対話を行いそのまちのサービスとして取るべき方針を民主的に決めること、そのまちの人々のWell-beingを高める要素を見つけ出し次の成長施策として設定すること、そのまちにより良いサービスを生み出すために当事者である生活者が主体的に開発プロセスに関与することなど、スマートシティへ生活者が参画できる多様な場を用意することが重要であると考える。

国内のスマートシティに向けては2021年に内閣府が公開した「スマートシティ・ガイドブック[1]」でも生活者の参画が重要なトピックとして取り上げられている。しかし、現時点で適切な方法やあるべき形は未だ明らかになっておらず、各地で様々な挑戦が手探りで行われている状況である。そこで日立東大ラボでは、市民を交えた多様なステークホルダーとのオープンイノベーション手法の一つである「リビングラボ」に着目し、スマートシティの市民参画にリビングラボのフレームワークを活用する手法の研究を行っている。本章では、この「リビングラボ」がどのような手法であるかを歴史から紐解き、なぜリビングラボという手法をスマートシティの取り組みに活用すると良いのかを考えていく。また日立東大ラボは、これまで千葉県柏市の「柏の葉スマートシティ」と連携し、リビングラボ（みんなのまちづくりスタジオ柏の葉[2]）の立ち上げから、運営チームの一員として様々なテーマでリビングラボの実践を行ってきた。本章後半ではこれまでの実践を紹介し、スマートシティにおいてリビングラボの活用が期待できるテーマを明らかにした上で、それぞれのテーマに応じたリビングラボを運営する際の工夫点を議論する。

7.2 「リビングラボ」の歴史と定義

リビングラボの概念は1990年代後半にMITのウィリアム・ミッチェル（William J. Mitchell）により初めて提唱された[3][4]。当時は研究者が技術の使われ方や効果をユーザーの日常生活の中で観察・分析・評価するための実験的な生活空間を意味していた[5][6]。また同時期にリビングラボという言葉が米国から欧州に渡り、2000年にスウェーデンのルーレオー（Luleå）で欧州初のBotnia Living Labが設立された[7]。2006年には欧州の大規模なリビングラボネットワークであるENoLL（European Networks of Living Labs）[8]が設立された。ENoLLではリビングラボを「実生活のコミュニティと環境での研究とイノベーションプロセスを統合した、体系的なユーザー共創アプローチに基づくユーザー中心の、オープンイノベーションのエコシステム」と定義しており、初期の定義から、コミュニティや共創、イノベーションといった概念が新たに加わるようになったことが見て取れる。この頃からリビングラボでは、家具や日用品などの身近なものからヘルスケアや都市計画などの社会全体に関わるもの等、様々な対象をテーマとして共創が行われるようになっている。また、2010年にはリビングラボの研究や活動の発信を行う国際会議「Open Living Lab Days」が初めてパリで開催され、参加者も年々増加傾向にある。このように、リビングラボは世界各地で受け入れられ多様な実践が行われる活動になっている。

日本では、2010年代から「リビングラボ」と呼称する組織が出現し始めた。2016年に「第5期科学技術基本計画」[9]の中で「市民参画」の重要性が提示されたことや、2020年に経済産業省から「リビングラボ導入ガイドブック[10]」が発行されたことで広く注目を集めるようになり、現在リビングラボの新規設立は増加傾向にある。またスマートシティの分野においても、国土交通省が2021年までに採択したスマートシティ先行モデルプロジェクト及び重点事業化促進プロジェクトの対象36地域[11]のうち千葉県柏市の「柏の葉スマートシティ[12]」、熊本県荒尾市の「荒尾ウェルビーイングスマートシティ[13]」、広島県呉市の「スマートシティ くれ[14]」の3地区の実行計画内でリビングラボの設置・運営の計画が盛り込まれている。このようにスマートシティの取り組みにおいても少しずつリビングラボの活用が試み始められている。

日立東大ラボで行った事例調査により、国内のリビングラボを個別に見ると、住民との共創の「場」を指すもの、共創の仕組みを運営する「組織」を指すもの、共創の「プロセス」そのものを指すものなど、少しずつ異なる定義がなされてはいるものの、赤坂ら[15]がリビングラボの重要な方法論的特徴として指摘しているように、①ユーザーを含む多様なステークホルダーとの「共創」や、②「実生活環境」での実験やデザイン実践を行っていることが共通する特徴として多く見られている。このことから日本では、2000年代以降に出てきたコミュニティによる共創やオープンイノベーションを試行する意味合いの強いリビングラボが多く存在する傾向にあると考えられる。

以上の事例調査を踏まえ、日立東大ラボではスマートシティにおけるリビングラボを「多様なステークホルダーや生活者が地域課題解決などの共通の目的のために、課題探索・ビジョン形成、アイデアデザイン、サービス開発

図表7-1 日立東大ラボの考えるスマートシティにおけるリビングラボのプロセス

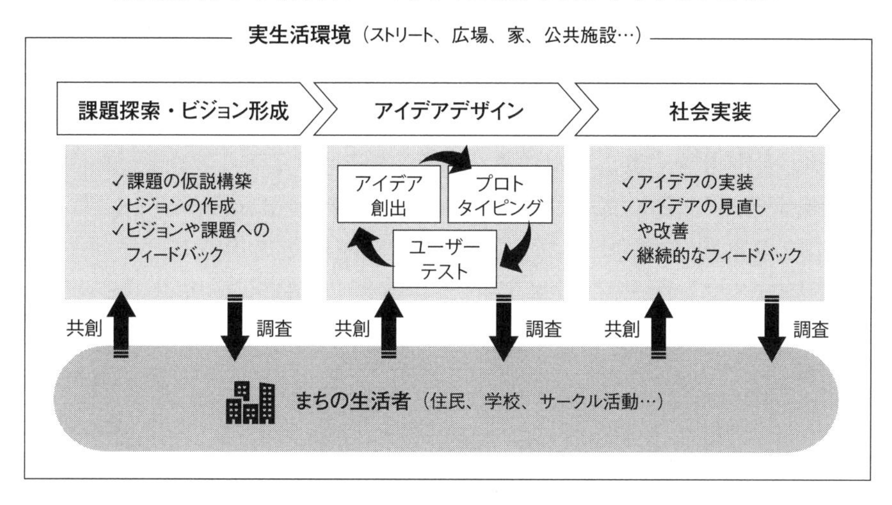

の各プロセスにおいて、実生活環境での実験や試行を通じて共創活動を行う一連の手法」と定義する。ここで示すリビングラボの一連の活動プロセス（**図表7-1**）は、他の様々な取り組みでも見られる典型的なデザイン思考プロセスを踏襲している。一方で、スマートシティのリビングラボならではの特徴として、①サービス開発を担う企業や組織と、将来そのサービスを利用するであろう生活者がそれぞれの強みを活かしながら開発プロセスに関わること、そして②スマートシティという恵まれた実証フィールドを活かしてリアルな生活環境の中でPDCAを回していくことが挙げられる。

7.3 「柏の葉スマートシティ」でのリビングラボの実践

千葉県柏市の北西部に位置する柏の葉エリアは、都心30キロ圏に位置する首都圏郊外地域である。2005年に開通したつくばエクスプレスにより、30分で都心との行き来が可能になり、沿線では鉄道整備と一体となった土地区画整理事業が進められてきた。中でも柏の葉エリアには、東京大学、千葉大学、国の研究機関など様々な施設が立地しており、柏市の都市拠点として位置づけられている。柏の葉エリアではそのような土壌から、柏市と三井不動産株式会社、柏の葉アーバンデザインセンター他、合計19団体が柏の葉スマートシティコンソーシアムを組織し2019年に立ち上げられた。柏の葉キャンパス駅を中心とした半径2km圏を対象エリアとして、モビリティ、エネルギー、パブリックスペース、ウェルネスを軸としたスマートシティの取り組みを展開している[12]。

この柏の葉スマートシティの実行計画の中で、リビングラボは、オープンイノベーションを活性化する市民参加型の新たな仕組みとして位置付けられ、2020年12月に、「みんなのまちづくりスタジオ柏の葉（以下、みんスタ）」

図表7-2　**みんスタで実施した4つのリビングラボプログラム**

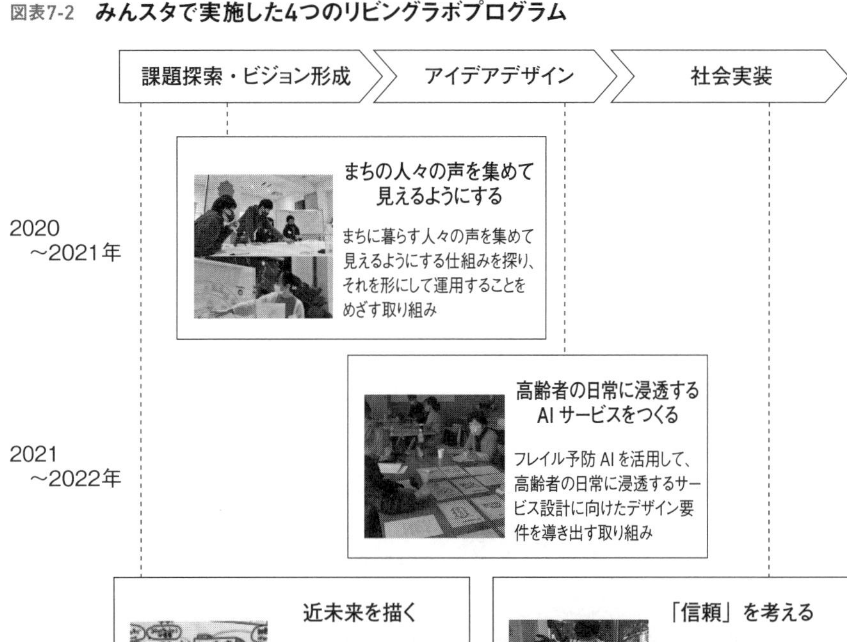

という名称で活動を開始した[16]。まちのユーザーである「生活者」が中心となり、行政・企業・学術機関とともに「柏の葉スマートシティ」を共創し推進することを目的に掲げて様々なプログラムを展開している（**図表7-2**）。みんスタの企画運営は、柏の葉スマートシティコンソーシアム幹事を兼ねる柏の葉アーバンデザインセンター（UDCK）、一般社団法人UDCKタウンマネジメント（UDCKTM）の2者と、学術的観点の支援として日立東大ラボが参画し、みんスタ事務局としてより良い方法論を探りながら運営に取り組んでいる。

ここでは、2020年にみんスタが開始されてから2022年現在に至るまで実施してきた四つのプログラムで取り組まれてきた活動を詳しく紹介する。これらを通して、スマートシティにおけるリビングラボが担う役割の多様性と可能性を実感していただけたらと思う。また、リビングラボの運営を手探りで進めてきた事務局が直面してきた悩みや学びを示していくことで、リビングラボを立ち上げる際に気をつけると良いことを皆さんにも少しでも共有できれば幸いである。

プログラム1. まちの人々の声を集めて見えるようにする

みんスタで初めて取り組んだプログラムでは、「まちの人々の声を集めて見えるようにすること」をテーマとして掲げた。その背景には、UDCKでは2006年から十五年来、柏の葉の地域に寄り添い、様々な市民参加型のまちづくりの取り組みを続けてきた一方で、生活者との接点やコミュニケーションはまだまだ不十分ととらえていた点がある。まちで暮らす人々が何を考え、これからのまちをどうしていきたいのかといった、人々の視点に立った活動づくりをしていきたいという強い意志や、当時から盛んに進められていたスマートシティの取り組みと市民の心理的距離にはまだ大きな隔たりがあるという実感が、このようなテーマ設定に意識を向かわせた。そのため、この初めてとなるみんスタの取り組みでは、まず参加住民とともに、まちに暮らす人々の声を集めて見えるようにする仕組みを探り、それを形にして運用することをめざした。将来的にはここで検討した仕組みで集められた人々の声から地域の潜在的な課題やありたい未来を拾い上げ、今後のみんスタや「柏の葉スマートシティ」が取り上げるテーマを草の根的に検討することまでを構想している。

最初の半年間は、このテーマに関心のある人を募集し、柏市内外から集まった参加者19名とアイデアを検討していった。まず互いの理解や対話に慣れるワークを行った後、一人一人の想いを形として表していく中で、挑戦・発見・共育・出会いという四つの異なる理想のまちの姿が抽出された。

抽出されたそれぞれのまちの姿に対して、チームに分かれ、アイデアの具体化を進めた。簡易なウェブサービスのプロトタイプを作りSNSで広く感想を収集したり、まちの中で対話の場作りを実践するなど、プロトタイピングとまちの中でのテストを続ける中で、参加者は声を広く集めることの難しさと手応えを実感したようだった。最終発表会では、全5チームからプロトタイピングやテストの結果を含めアイデアが披露され、地元のスタートアップ企業や行政、研究者をゲストに迎え、今後の展開可能性について様々な議論を行った。

披露されたアイデアの中には、ノートやSNSを使い交換日記のような短文でのコミュニケーションを生み出す仕組みや、インスタントなイベントの場を設けて立ち寄る人との偶発的なコミュニケーションから声を探るといった、参加者自身が活動を続けていくことで実現をめざせるものもあれば、駅前のデジタルサイネージを活用するもの、オンライン上で誰もが意見を投稿・投票できアイデアを形にするための熟議まで取り組めるプラットフォームなど、新たに技術導入が必要ですぐには実現できないものも提案された。

企画運営を行った事務局としての悩みは、参加者のアイデアをどのように形にするかであった。われわれは、最終発表会の意見交換の場で、アイデアを形にできる企業が現れることを願っていたが、良いアイデアであることとビジネスとして成り立つかは全く違う次元の話であった。そのため、しばらくは参加者自身で取り組めるアイデアを少しずつ形にしていく自主的な活動のみが続けられ、リビングラボ全体の活動としては次なるステップを見出せずに休眠状態が続いていた。しかし1年ほど経過した頃、全く別のルートから新たなつながりが生まれることになる。柏の葉で行われたスタートアップの発表会で、とある企業が提案したプロトタイプが、今回の声を集めて見えるようにする仕組みのコンセプトと合致し、完全ではないが参加者のアイデアを一部形にできる期待が持てるものであった。そこで、みんスタの取り組みを紹介したところ、プロトタイプのブラッシュアップを兼ねて柏の葉のケースを当てはめた実証実験に漕ぎ出すことにつながったのである。現在は、初期のアイデアを考えた参加者の方々にも声をかけ、企業が用意したプロトタイプを「まちの声を集めて、見えるようにする仕組み」として一緒にカスタマイズし、試運用に取り組んでいる。

ここでの学びは、初めの段階で絡められるシーズが見えないままプログラムを開始すると、形に結び付かずアイデアを出しただけで終わってしまうリスクが付きまとうことであろう。生活者目線のニーズから始めるとシーズと結び付きにくいというのは、技術開発の現場で多く見られる現象である。しかし、長きにわたりプログラムに参加する生活者にとっては、自分たちの活動が自分たちの住むまちへ何らかの貢献につながることを望んでおり、アウトプットが形にならないことはストレス度の高い問題となる。そのため、生活者ニーズから始めるプログラムにおいては、開始段階で形にならないリスクやプログラムが長期戦になる可能性を参加者に伝え、十分に理解してもらうことが重要になる。

一方で、ニーズから始めるプログラムが必ずしもうまく行かないというわけではなく、今回のケースのように、時を経て良い縁が生まれることもある。今回はこのみんスタの取り組みを行っていなければ、スタートアップ企業との実証実験につながることはなかっただろうし、生活者の意向をこれほど深く伝えて、地域の実態に根差したカスタマイズは実現していなかったであろう。その意味では、企画運営者が希望を捨てずに常にアンテナを張り巡らせて良いマッチングを探し続けることが不可欠であり、またスタートアップや多様な企業のシーズに出会えるセレンディピティ*の高いまちであることも、プログラムのフェーズをステップアップさせるために重要な要素であると考える。

*セレンディピティ（Serendipity）：偶然をきっかけに予想外のものを見つけ、価値を見出し、幸運をつかみ取ること。（日本の人事部「人事労務用語辞典」より）

プログラム2. 高齢者の日常に浸透するAIサービスを作る

日立東大ラボが開発を行っている技術に「フレイル予防AI」がある（詳しくは第12章を参照）。これは、国保データベースなどの医療・介護に関するビッグデータを活用しフレイル状態になるリスクを予測する人工知能（AI）技術である。この技術を活用して、住民一人一人に合わせたオーダーメイドのフレイル予防方法を提供するサービスにつなげることをめざしている。しかし主な利用者として想定される高齢者が、こうした高度なデジタル技術を活用したサービスを日常生活の中で継続的に利用できるよう設計するためには、高齢者との対話やユーザビリティ評価等を通して明らかにしなければならない問いが様々ある。フレイル予防AIのケースで言えば、このサービスのために自身の健康に関する様々な情報を提供することに対してどう考えるか、自分の状態を記録する負担の少ないタイミングはいつか、どのような入力方法が好まれるか、どのような結果出力を行うとフレイル予防の実践につながりやすいかなどがわかりやすい例である。これらの問いを明らかにし、高齢者の日常に浸透するサービス設計に向けてのデザイン要件を導き出すため、みんスタの新たなプログラムとして、フレイル予防AIを活用したサービスを考えるプログラムを立ち上げた。

対象となるユーザーが70歳以上の高齢者に限定されることから、参加者は初回のプログラムとは異なりSNSやチラシによる一般的な公募だけでなく、柏の葉に立地し登録者が3,000人を超える参加型健康づくり拠点「まちの健康研究所あ・し・た」に協力をいただき参加を呼びかけた。また、今回検討するサービスは、サービス運用や支援に関わる人財像もある程度明らかにできたことから、高齢者の家族、医療関係者（医師、薬剤師、理学療法士等）、訪問介護・配食サービス等日頃高齢者との接点がある事業従事者、またはこれらの事業に過去、従事した経験のある方についても募集をかけ、さらには行政職員の方々にもオブザーバー参加いただいた上で、全3回、各回9~12名の多様な立場の参加者とともにプログラムを進めた。本テーマの一連のプログラムでは、アイデアやプロトタイプを作るのは技術者とみんスタ事務局メンバーが担当し、参加者には日常における悩みや困りごと、アイデアに対する率直な意見やプロトタイプを触ってみての感想を出してもらいながら、少しずつサービスのデザインを具体化した。最終的には三つの異なる利用シーンを前提としたアイデアが生まれ、参加者に様々な観点から評価してもらうことでサービス化に向けて欠かせない要件を抽出し、プログラムの幕を一旦閉じた。

この取り組みを進めるにあたり、事務局として新たに様々な悩みが生まれた。まず一つは、前回のようなニーズからゼロベースでアイデアを検討するプログラムとは異なり、すでにある程度開発の進んだ技術シーズからスタートした点がある。前者の場合、参加者自身が創造性を発揮し共創に参加できるワークを作りやすいことから、楽しさや主体性が増し、参加のモチベーションも継続しやすいが、後者の場合には、意見や感想を伝える一方向のワークになりがちで、参加の意義やモチベーションが失われやすい傾向がある。

また二つ目の悩みとしては、明らかにしたい仮説と、制約のある中で実行可能なプログラムに乖離が生じてしまう点がある。例えば、高齢者にとってサービスを受ける代わりに自身のデータを提供することについてどのように考えるかは、当初明らかにしたい一つの課題であったが、プログラムの中で人数の限られた高齢者に普段意識していない「データ」について考えていただくのは無理があり、有効な結果が得られないことが予想された。そこで事前に1,500名の高齢者を対象としたアンケートを実施することで、代わりにその答えを得ることにした。また技術者サイドは、今回検討したサービスアイデアによってフレイル予防の活動が継続するかを定量評価したいと考えていたが、その評価を実施するためには、製品段階に近いサービスのプロトタイプを日常生活の中で使ってもらう介入実験を行うことが必要であった。しかし今回は、技術の成熟度が十分でなく運営側に医学系倫理審査を踏まえた介入実験を設計するノウハウもなかったことから断念せざるを得なかった。このように、サービス開発において明らかにしたい問いが多数あったとしても、その時の条件下で実現可能なプログラムは一部に限られることから、プログラムの設計当初に、どの問いを優先して明らかにするべきか適切に選択することが重要である。

プログラム3. 近未来を描く

以上二つの取り組みは、検討したいサービスの形が明確なものであったが、産業技術総合研究所と共に取り組んだプログラムは、それらとは異なっていた。住み慣れた場所で住みつづける（Aging in place）ための居住環境やデジタル技術に関する研究開発において、技術者が構想するものと生活者が求めるもののギャップを埋めるために、リビングラボを通じて生活者が望む近未来の暮らしのイメージをとらえ、今後の研究開発の基軸となるデザイン指針を明らかにすることを目標に設定した。そこでみんスタでは、特定のサービスのアイデア出しをするのではなく「高齢になっても夢や希望に満ち溢れた生活を送れる近未来の住宅を描くこと」をテーマとした新たなプログラムを立ち上げることになった。

参加者を募集したところ、年齢や性別、家族構成なども多様な17名が集まった。これまでのプログラムでは、現在の暮らしの中にある課題を考えることが多かったが、今回は「少し先の未来」という参加者も体験したことがない暮らしを想像する必要があった。そのためプログラムのデザインにも工夫が求められた。例えば、参加者が想像した「10年後の暮らし」についてペアになり取材しあうセッションや75歳の自分の「未来関係予想図」をつくるセッション、高齢になると起こることについての専門家レクチャーなどを通して、自分が高齢になってからもココロとカラダが健康でいられる住宅での暮らしのイメージが徐々に具体的になっていった。最終的には「ポジティブエイジング」「ほどよいつながり」「つながる『ひと』の輪」「自分（ソロ）充活」という四つのタイプの暮らしのコンセプトと取り入れたい暮らしのサービスのアイデア集が生まれた。

当初事務局として心配したのは、参加者が経験したことのない未来をどこまでリアリティを持って想像できるかということだった。しかし実際走り始めてみると、回を重ねて丁寧にプログラムを設計できるリビングラボの特性は、参加者の未来への想像力を引き出す上で適しているという認識が強まっていった。未来を想像することは生活者一人で突然行えるようなものではない。専門家から高齢になった時の身体的・認知的変化や、まちの環境や未来のテクノロジーなどをエビデンスを持って紹介してもらったり、多様な参加者の価値観に触れながら、少しずつリアリティのある想像ができるようになるためである。専門家や他の参加者とのインタラクションを介すことで成熟していく未来像はまさに共創の賜物であり、これも一つのリビングラボが生み出せる成果の形であると学んだ一幕であった。

プログラム4.「信頼」を考える

最後に、既に社会実装を行ったサービスに着目したみんスタでのプログラムを紹介したい。このプログラムは、2021年より柏の葉キャンパス駅周辺に設置され動作している29台の「AIカメラ」をテーマに行われた。このAIカメラは、映像をサーバーに送らずにカメラ側だけで異常行動（倒れる、うずくまる、凶器を持っている等）の検知や、歩行者の年齢・性別の推定処理を完結できる機能を持ち、プライバシーに重点的に配慮した機能・運用がなされている。一般的にこうしたプライバシー配慮が求められる技術を社会実装する場合、適切な運用をすることと並行して、運用実態の透明化や周知によって利用者の信頼を得ることが重要になる。柏の葉ではAIカメラ設置前に説明会を実施したり、チラシ等による周知に力を入れたりしてきたが、実際にこうした仕組みが機能していることについて柏の葉に暮らす方々がどのような印象を持っているのか、知る機会がない状況であった。そのため、みんスタでは、現在動作中のAIカメラの役割や機能について柏の葉の生活者の方々と理解を深め、信頼できる運用にはどのようなことが必要なのかを一緒に考えてみること、そしてAIの機能拡張などによって自分たちの暮らしを豊かにする新たな活用方法を検討することを目的に取り組みをスタートした。

まず信頼できる運用方法を探索する上で、市民参加によるトラストガバナンスを検討する世界経済フォーラム第四次産業革命日本センターのチームが協力し、東京大学未来ビジョン研究センターが開発したリスクチェーンモデル[17]というツールを用いた市民ワークショップ手法を実装した。リスクチェーンモデルは、もともとAIサービスに伴うリスクと対応策をサービス開発や運用に携わるスタッフが分野を越えて検討できるようにしたワークショップツールであるが、今回は専門知識がない一般市民でもリスクや対応策を議論できる形に改良した。これを用いてAIカメラの運用時のリスクと対策を検討したところ、「役割、機能が整理できた」「データサイエンティスト、事務局、利用者のステークホルダーの役割と関係性が理解できた」といった声があがり、15名の参加者のうち73%が「リスクチェーンモデルの実践はAIカメラの運用を考える際に役立った」と回答するなど、市民にとってリスクを検討するワークが技術や運用の仕組みを理解する上で役立つことが明らかになった。

次に、AIカメラの機能を拡張することで自分たちの暮らしを豊かにする新たな活用方法を検討するため、個々人の感じるまちの課題やありたい未来が近しいメンバーごとにチームを組み、アイデアを検討しプロトタイピングを行う活動を約半年間続けた。その結果、路面温度やペット同伴可の施設の混雑情報、他の犬がどこを散歩しているかの情報など、犬と飼い主に役立つお散歩情報が共有されるアプリの提案や、ポジティブにAIカメラの認知度を上げていくためまちの人々の表情の明るさを測り駅前サイネージなどに可視化する提案、AIカメラの眼と住民の眼をハイブリッド化し市や整備会社と協調しながらまちの修繕を行えるアプリの提案が生まれた。最終発表会ではAIカメラの業者や市の職員、コミュニティデザインの専門家など8名がゲストとして参加し、そのうち75%の人が自身の活動に関連づけてこれらのアイデアを支援・連携したいと回答するなど、彼らにとっても多くの気づきをもたらし、その後の活動が希求されるプログラムとなった。

本取り組みの実施によって参加者のAIカメラへの印象がどのように変わったかを明らかにするため、プログラム実施前後で同じ設問を尋ねるアンケート調査を行い、結果を比較した(**図表7-3**)。プログラムを通してAIカメラの有用性についての理解が深まり、また不安の軽減や信頼性の向上の変化が見られた。特に他者にとってAIカメラが有用であると考える人がプログラム終了時に29%増加したことから、今回のプログラムが様々な人の価値観に触れる経験を提供したことで、他の参加者を思いやる意識の醸成につながったのではないかと推察される。また、AIカメラに対する不安を持つ人は当初から20%にとどまり、管理・運営者が信頼できると答える人も70%を超えていたことがわかった。しかし一部の人はプログラムを経ても不安の軽

図表7-3　**みんスタAIカメラ編プログラム実施前と実施後における参加者のAIカメラに対する意識変化**

（回答1から5をアミの濃さで表している）

自分自身にとってのAIカメラの有用性
あなたは、柏の葉におけるAIカメラが、あなた自身の安心・安全・快適な暮らしの実現に役に立つと思いますか?
(1: 全くそう思わない , 5: 非常にそう思う)

他者にとってのAIカメラの有用性
あなたは、柏の葉におけるAIカメラが、あなた以外の人の暮らしや仕事に役に立つと思いますか?
(1: 全くそう思わない , 5: 非常にそう思う)

AIカメラに対する不安
あなたは柏の葉において、AIカメラを使うことに不安を感じますか?
(1: 非常に不安を感じる , 5: 全く不安を感じない)

AIカメラ管理・運営者への信頼性
あなたはUDCKタウンマネジメントがAIカメラを管理・運用することに対してどれほど信頼できますか?
(1: 全く信頼できない , 5: 非常に信頼できる)

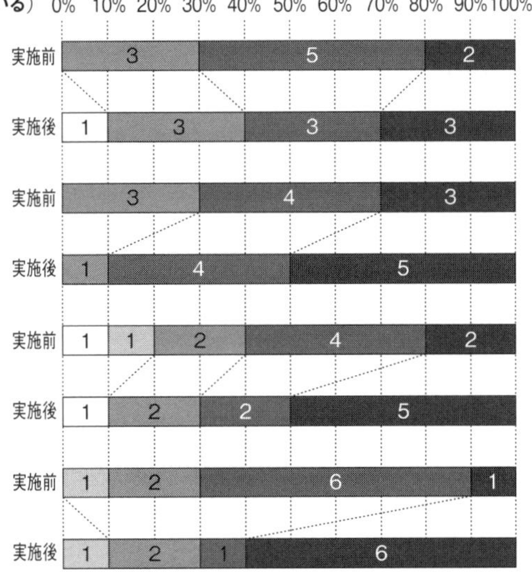

注:棒グラフ中の数字は回答数

減や信頼性向上の変化が見られなかったことから、そのような人々に対しては不安の原因を掘り下げ、異なるアプローチでケアしていくことが重要と考える。

7.4　スマートシティにおけるリビングラボを運用する上での工夫点

　これまでの事例調査や柏の葉での実践から得られた知見をもとに、これから生活者共創の場としてリビングラボを設けたいと考えているスマートシティに向けて、リビングラボがどのようなテーマで活用しやすいかという観点を以下の表にまとめた(**図表7-4**)。タイプとしては、サービス共創、未来構想、理解醸成の大きく三つに分けられる。

　まず、一番よく持ち込まれるタイプとして考えられるのが、サービス共創である。図表7-4では四つのサービスの例を挙げているが、それぞれリビングラボで取り組みたい目的が少しずつ違ってくるので、その特性に合わせてプログラムをデザインすることが重要となる。柏の葉では、まちの人々の声を集めて見えるようにする仕組みやフレイル予防AIサービスの開発がこれに当たる。

次に未来構想を挙げる。現在行っている実装ではなく、将来のまちや自分の暮らし方を構想して、これからの技術開発に役立てたいという要望もやってくることがある。サービス共創とは違い、未来を想像しやすくする工夫が求められるため、プログラム設計で意識することが重要である。柏の葉では、近未来住宅編の取り組みがこれに当たるだろう。

三つ目として理解醸成を挙げる。スマートシティで実装されるサービスなどへの理解を市民に深めてもらい、さらには安心感や信頼の醸成につなげていくプログラムもこれから非常に重要になってくると考えられ、ニーズも高まってくることが考えられる。柏の葉では、AIカメラ編の例がある。

この三つのタイプはあくまでこれまでの取り組みを踏まえて抽出されたものなので、今後スマートシティにおけるリビングラボの取り組みが全国に発展していくにつれ、新たに求められるテーマも見えてくるかもしれない。今後は、現場で実践されている方々と意見交換を続けて、スマートシティのリビングラボで取り上げると有効なテーマをアップデートしていければと思う。以下に、ここで紹介した三つのテーマ(サービス共創タイプは四つの性質の異なるサービス)ごとに実際に運営するにあたり起こりやすい課題を紹介し、われわれがこれまでの実践の中で考えた対応策や工夫点を提示する。リビングラボを実践するにあたり、ぜひ参考にしていただければ幸いである。

サービス共創タイプ
①生活者の課題やアイデアを軸としたサービスを共創する

多くのスマートシティでWell-being向上が目標として掲げられる昨今、生活者のアイデアやニーズに基づき新たな施策やサービス実装をゼロから計画する動きが出始めている。こうしたスマートシティプロジェクトにおいては、仮説探索や生活者のインサイトを引き出すことから始めるリビングラボプロ

図表7-4　スマートシティに備わるリビングラボで取り扱う可能性の高いテーマ

タイプ	テーマ	リビングラボ実施の目的	みんスタ事例
サービス共創	生活者の課題やアイデアを軸としたサービスを共創する	・仮説探索 ex. 生活者の Well-being を高めるには？	1,3
	企業やスマートシティが育てた技術を軸としたサービスを共創する	・仮説検証 ex. この機能は生活者の Well-being を高めるか？	2,4
	生活者の特定の属性に利用してもらえるサービスを共創する	・ユーザビリティ改善 ・実社会とのタッチポイント探索 ex. どこで、どのような形で使えると良いか？	2
	複雑な社会課題に対応するべくマルチステークホルダーの連携が必要なサービスを共創する	・ソーシャルイノベーション ・オープンイノベーション ex. 誰と誰がどのように連携すると何が生まれるか？	1,2,4
未来構想	将来のまちや社会、自分の暮らし方を構想する	・将来ニーズの高まる技術やサービスの兆しの察知 ex. 将来に向けて何を開発すれば良いか？	3
理解醸成	サービスの仕組みやそこに使われている技術やデータを知る、理解する	・スマートシティの取り組み周知 ・安心感、信頼の醸成 ex. 自分の街のスマートシティって知ってる？	4

グラムを設計することは有効であると考える。

一方、仮説探索から始めるプログラムにおいてよく起こりがちな課題として、「まちの人々の声を集めて見えるようにする」の事例でも紹介したように、生活者のニーズと技術シーズがそう簡単にマッチングしないことがある。そのため、参加者にも形にならないリスクやプログラムが長期戦になることを理解してもらった上で協力していただくことは不可欠である。またリビングラボの運営組織自体に企業とのマッチングの機能を持たせておく、多様な事業者やスタートアップ企業等とのチャンネルを持っておく、など運営組織のパフォーマンスを強化し、プログラムから出た成果（アイデア）を実装したい企業に引き継げる機会を豊富に持つことも重要である。

もう一つの代表的な課題として、リビングラボプログラムの中でビジネスモデル（収益化）や技術的な実現可能性の検討が手薄になることがある。生活者は自分自身の日常生活をよく知るプロフェッショナルである一方で、サービスの収益化や技術そのものへの専門性は必ずしも高いとは言えないためだ。そのため例えば、アイデアの種が出されたプログラムの途中段階から興味・関心のある企業や研究機関などがあれば巻き込んで、一緒にアイデア検討を行うことで、より実装の確度が高いアイデアに育てていくことができると考えられる。

②企業やスマートシティが育てた技術を軸としたサービスを共創する

現在スマートシティで取り組まれているプロジェクトは、活用するコア技術が先行してあり、それを用いてサービス実用化を検討するものが圧倒的に多い。この場合に留意すべき点は大きく三つあると考える。

一つは、リビングラボプログラム内での生活者の関わり方が単なる技術モニターになってしまいやすい点である。一方向に意見や感想を伝えるだけの参加では、「共創に参加している」という意識が芽生えにくく、共創への参加のモチベーションも下がってしまいがちになる。スマートシティのプロジェクトは自分たちの生活の質を大きく変えるものであり、自分たちに大きく関わるものだということを理解・共感してもらうためにも、プログラム開始時に共創を行う意図や生活者が共創に参画することの意義を正しく伝えることが重要になる。

二点目に、アイデア発想の前提条件設定の難しさを挙げる。例えば、アイデアの起点となる技術がはっきり示され過ぎていると現状の限られた機能に固執したアイデアしか出ない、逆に技術がよく理解できないと非現実的なアイデアばかりで形になりにくいといった問題はよく起こる。そのため、生活者と活用技術の決まっているサービスを共創する場合に効果を最大化するためには、アイデアを発想する上で何を前提とし、どこまでを仮想の話として発想に含めてよいかの条件や範囲を慎重に定め、プログラムの中でも「どのような機能を新たに追加すると良いか」「活用の幅を広げる上での技術のボトルネックは何か」と問いかけるなど、参加者がアイデアを膨らませる手助けや仕掛けも重要になる。

三点目に、企業やスマートシティが育てた技術は、大量の個人情報や機微なデータを取り扱うものも多いが、リビングラボに参加する生活者だけの意見では、データの適切な取り扱い方が判断できないという問題がある。多くの場合、国によってガイドラインが作られているものの、個別ケースの法的・倫理的問題は、解釈が難しいことが多い。そのため、倫理委員会等の専門組織を設置する、法律の専門家等との連携体制を作る、など専門家の力を借りられる体制を作る、先端的な取り組みを行える特区指定等の仕組みを活用するなどの様々な対応策を早い段階から用意しておくことが重要である。リビングラボの組織だけでは賄えないこともあるので、スマートシティのリソースなどを活用できるようにすることが望ましい。

③生活者の特定の属性に利用してもらえるサービスを共創する

スマートシティには市民全員を対象とした取り組みやサービスも多いが、子育て世代や高齢者世代など、特定の属性に特化した取り組みもある。特定の属性が利用しやすいサービスを構築するためには、リビングラボにもそれに応じた対象者に参加いただく必要がある。しかしターゲットとする属性によってはSNSやチラシで募集するだけでは想定する対象者にアプローチすることは難しい。「高齢者の日常に浸透するAIサービスを作る」で取り上げたフレイル予防AIの想定ユーザーは70歳以上の高齢者であったため柏市の高齢者が多く登録しているコミュニティ（まちの健康研究所あ・し・た）に協力をいただき参加者を募る工夫を行なった。このようにリビングラボの参加者を募る上で、地域の中の特定の属性が集まるコミュニティとのコネクションを持っていることは重要と言える。

また、プログラム開始当初では利用者の属性が想定されていなかった場合でも、アイデアの検討が進むにつれて、サービスの対象者が絞られてくるケースもある。例えば、「『信頼』を考える」では、プログラムが進むにつれてAIカメラの新たな機能として犬の飼い主をターゲットとしたサービス案が出され、ニーズを検証するために犬を飼っている住民にアンケートを実施したが、愛犬家サークルなどとのコネクションがあればもっと多様な巻き込み・共創の仕方があったかもしれない。リビングラボ運営組織が、高齢者、子育て世代、中高生、共働き世代など、多様な属性のコミュニティとの接点を持っておくことで、各属性に特化したアイデアが突然に出てきた場合でも想定ユーザーに参加の協力を依頼しやすくなり、より良い共創プログラムを実施できるようになると考えられる。

④複雑な社会課題に対応するために マルチステークホルダーの連携が必要なサービスを共創する

高齢化社会における介護医療費や、人口減少の地方都市におけるインフラ整備、ハザードマップリスクエリア内の防災対策など、複雑な社会課題に対応するためにはマルチステークホルダーの連携が求められる。そして、多様なステークホルダーがそれぞれの持ち味を発揮してより良い共創を行うためには、考えられるステークホルダーを広く洗い出した上で、それぞれの役割を体制として整理することが不可欠である。「高齢者の日常に浸透するAIサービスを作る」リビングラボプログラムを参考にステークホルダーの理想的な関係図を整理したものが図表7-5である。まずリビングラボを推進する上での役割は大きく三つに分類される。リビングラボで取り組みたいテーマを持ち込み、技術等の素材を提供する「リビングラボプログラム実施主体」、リビングラボ全体の運営と各プログラムの進捗管理、プロジェクトマネジメント、ファシリテーションや広報などプログラム実施主体の支援を担う「リビングラボ組織」、サービス利用者やその家族、取り上げるテーマに関わる可能性のある関係者など市民を中心とした「プログラム参加者」である。図表7-5ではそれぞれの役割を担い得るステークホルダーを書き入れているが、プログラムの段階によって関与するステークホルダーは変化することもあるため、初めからこのような体制が整っている必要はない。しかし、リビングラボに関わる人がそれぞれの役割を自覚し活動することは、複雑なステークホルダー構成になるテーマほど重要になる。

また、洗い出したステークホルダーのプログラムへの関わり方は、さらにそれぞれの属性に合わせて丁寧な設計が求められる。例えば、共働き世代や高校生は平日昼間のワークショップに参加するハードルが高い。そこで、ワークショップだけでなく、ヒアリングやウェブで意見を寄せてもらうなど、プログラムへの関わり方のバリエーションを持たせておくことも重要である。

図表7-5　「高齢者の日常に浸透するAIサービスを作る」リビングラボプログラムでのステークホルダーの理想的な関係図イメージ

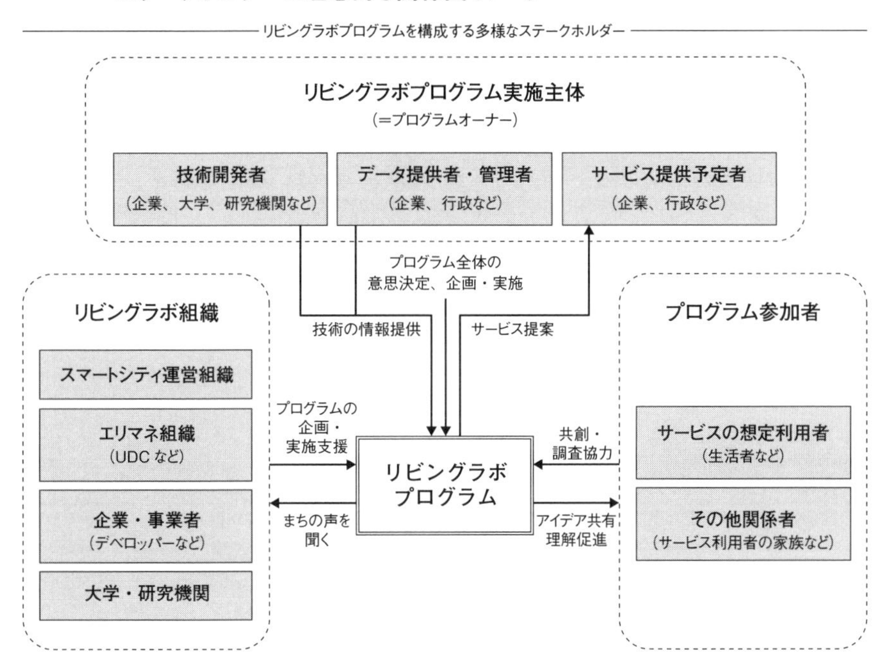

未来構想タイプ

スマートシティのプロジェクトには、今すぐに社会実装をめざすものもあれば、数十年先の未来のまちに適合する技術やサービスを構想することもある。このようなタイプの取り組みにおいては、現時点で構想できるビジョンやアイデア形成までで活動を留め、技術の進化が追いつくまで待つような長期間のリビングラボプログラムの設計が求められる。

未来に実現したいサービスを構想する上で起こりやすい問題の一つとしては、「近未来を描く」事例でも述べたように、参加者が数十年後の自分の暮らしを想像しながらアイデアを考える必要があることである。実際に体験したことのないことに基づき、意見を述べたりアイデアを考えるワークは、時として参加者に大きな負荷をかけることもある。そのため、できるだけ未来を具体的に想像できるようにするために、予測可能な身体や環境や社会の変化を示してあげることは特に重要である。また、多様な年代性別の参加者が、お互いの日常を話すことで、自身の将来像を想像しやすくなる効果もある。

また、比較的長期間になるリビングラボプログラムにおいて起こる問題として、参加者の共創のモチベーションが継続しにくいことがある。短期で一部のプログラムが終わった後、実装フェーズまで時間が空いてしまう場合、参加者は自分の貢献がどのように活用されたのかが見えないために、参加したことの意義を見失ってしまうこともある。そのため、企業が実装のためにリビングラボの活動で生まれたアイデアを持ち帰る場合でも、参加者の貢献がどのように次につながっているかなどの進捗を、逐次参加者と共有できることが望ましいだろう。また、リビングラボのプログラムで生まれたアイデアの活用を一つの実装にだけ生かすのではなく、広く公開しオープンナレッジ化することで、多くの組織がその知識を活用できるようにすることも、リビングラボの成果を社会や地域に広く還元していく意味で非常に意義がある。

理解醸成タイプ

「『信頼』を考える」事例でも見られたように、最先端の技術やデータを活用したスマートシティの取り組みやサービスの仕組みを知って理解してもらうこともリビングラボの重要なテーマと言える。理解を醸成することにより、サービスの有用性への共感や不安感の軽減、運営組織への信頼性を高めることにもつながる可能性がある。一方でサービスの仕組みを伝える際に、技術の細部を利用者に理解してもらうことは非常に難しいという問題がある。そのためリビングラボでは技術の細部の理解ではなく、まずはサービスのコンセプトや目的、利用のシーンを優先して理解してもらえる工夫を行うことが望ましいと考える。また、目に見えないデータや技術の詳しい仕組みを理解してもらうことが難しかったとしても、特に利用者のプライバシーに関わるサービスなどの根幹に関わる部分は、単純化しすぎることなく正確に伝えることが重要である。そのため、科学技術コミュニケーターなどの協力を得ながら、一般の人にも理解ができる適切な伝達デザインを行なっていくことが望ましい。

また理解醸成タイプのリビングラボでは、周知と理解促進を図るだけに留まらず、参加者の安心感や信頼の醸成を試みるプログラムに工夫できる可能性がある。「『信頼』を考える」の事例では、プログラムの中にAIカメラのリスクを洗い出すグループワークを組み込み、データや技術に対する不安の洗い出しを行った。その結果、技術に対する抵抗感の軽減や、運営者に対する信頼向上につながった。サービスや技術について知ってもらうだけでなく、その上で個々の生活者が感じたリスクや不安感や懸念を表現できる機会も合わせて組み込んでいく工夫が有効と考える。

リビングラボの実践へ向けて

以上三つのテーマごとの課題と対応策を紹介してきた。リビングラボの実践の際にはぜひ参考にしていただきたい。

最後に日立東大ラボでは、リビングラボを軌道に乗せる上で特に鍵となる開始段階のフェーズとしてリビングラボプログラムの設計に着目し、テーマを持ち込んだプログラムオーナーに対してリビングラボ組織が行うヒアリングシートを開発した（**図表7-6**）。これをもとにリビングラボのプログラムをプログラムオーナーと共創することができる。理解の齟齬が起きやすい点を可能な限り事前に洗い出し、明文化しておくことは、適切なプログラムをデザインする上で非常に重要である。共通理解があらかじめ構築されていれば、多くのステークホルダーがいてもプログラムが方向性を見失わずに遂行でき、お互いの役割も理解してスムーズな連携が行える。以下にヒアリングの手順を示す。

1. 検討したいテーマがもたらす最終的なゴールを尋ね、図表7-6中の①に書き入れる。この時、企業中心の観点ではなく、生活者目線で見た社会や暮らし、環境の変化を書くことが重要である。
2. リビングラボプログラムとしてめざすゴール（図表7-6中の②）とプログラムの中で検証したいこと（図表7-6中の③）をそれぞれ書き入れる。なお、①で書いたことが②に書かれることはほとんどないと考えた方がよい。リビングラボプログラムは有限であり、限られた期間や予算、人員で実現可能なゴールや検証項目を検討する。

3. 開発中のサービスやすでに実装されたサービスを取り上げ検討する場合、そのサービスの開発がどの程度進んでいて、何がどこまでできているか、何ができていないのか、いつ頃社会実装に入れるかを把握する。これがリビングラボプログラムの出発地点を把握する情報になる（**図表7-6中の④**）。
4. リビングラボプログラムのゴールと現在地を結んだ時に、その間でやるべきことがプログラムの内容になる。具体のプログラムデザインを考える上で、想定期間や予算、工数を把握しておくと良い（**図表7-6中の⑤⑥**）。

本章では、スマートシティにおける生活者参画を進める手法の一つとして、「リビングラボ」に着目して柏の葉での実践を紹介した。その上で、スマートシティで取り上げられやすいリビングラボプログラムのテーマやそれに応

図表7-6　日立東大ラボが開発したリビングラボプログラム開始段階用のヒアリングシート

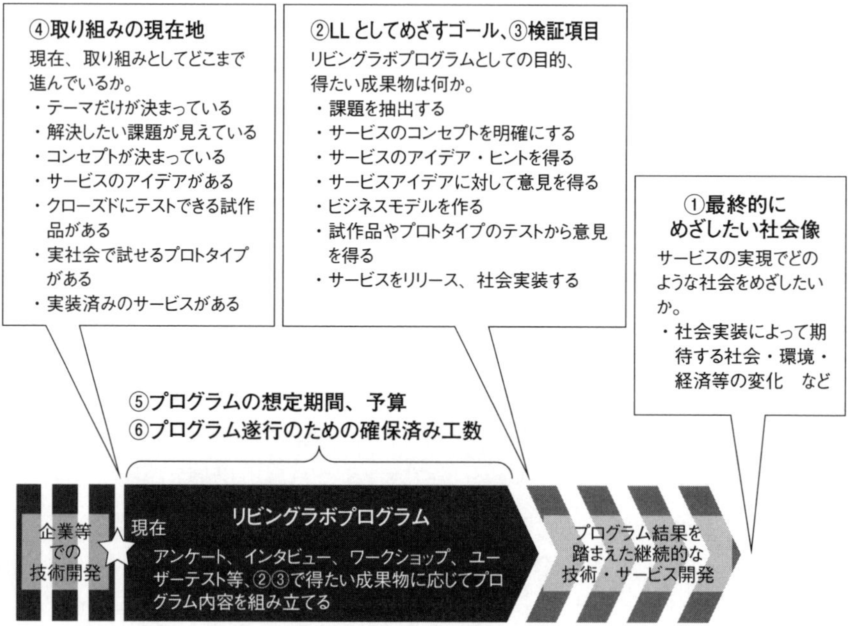

じた課題と対応策、工夫点を議論した。生活者と共にスマートシティを作り上げる活動を行う際には、ぜひ本書を参考にリビングラボの導入を一考いただければ幸いである。またリビングラボの運用を持続的に担う組織を地域に立ち上げようとする場合、組織体制の構築も重要となる。運営体制の構築に関しては、第14章のデジタル社会的インフラとしての六つのキーファクターにて解説しているため、合わせて参照されたい。

参考文献

[1] 内閣府・総務省・経済産業省・国土交通省、スマートシティ官民連携プラットフォーム事務局「スマートシティ・ガイドブック(第1版)」2021年4月、第2章1
https://www8.cao.go.jp/cstp/society5_0/smartcity/index.html (2022年12月9日最終閲覧)
[2] (一社)UDCKタウンマネジメント「みんなのまちづくりスタジオ」https://www.udcktm.or.jp/studio/ (2022年12月9日最終閲覧)
[3] Mulvenna, M., Martin, S., et al., *TRAIL Living Labs Survey 2011: A survey of the ENOLL living labs*, Ulster University, 2011
[4] Eriksson, M., Niitamo, V., Kulkki, S. & Hribeinik, K., "Living Labs as a Multi-Contextual R&D Methodology", 2006 IEEE International Technology Management Conference (ICE), pp. 1-8, 2006
[5] Hossain,M., Leminen, S. & Westerlund, M, "A Systematic Review of Living Lab Literature", *Journal of Cleaner Production*, Vol. 213, pp.976-988, March 2019
[6] Schuurman, D., De Moor, K., De Marez, L. & Evens, T., "A Living Lab Research Approach for Mobile TV", *Telematics and Informatics*, Vol. 28 no.4, pp. 271-282, Nov.2011
[7] Livinglab Vorarlberg, 'LL Botnia', 1. BASIC FACTS
http://www.livinglab-vorarlberg.at/cms/page=ll-botnia&hl=en_US.html (2022年12月9日最終閲覧)
[8] European Networks of Living Labs, 'What are Living Labs?'
https://enoll.org/about-us/what-are-living-labs/ (2022年12月9日最終閲覧)
[9] 内閣府 総合科学技術・イノベーション会議「第5期科学技術基本計画」2016年1月22日閣議決定
https://www8.cao.go.jp/cstp/kihonkeikaku/index5.html(2022年12月9日最終閲覧)
[10] 経済産業省「リビングラボ導入ガイドブック」2020年3月
https://www.meti.go.jp/policy/servicepolicy/living_lab_tebiki_a4.pdf(2022年12月9日最終閲覧)
[11] 国土交通省「先進地域のスマートシティ実行計画・取組内容」
https://www.mlit.go.jp/toshi/tosiko/toshi_tosiko_tk_000051.html (2022年12月9日最終閲覧)
[12] 柏の葉スマートシティコンソーシアム「柏の葉スマートシティ実行計画」
https://www.kashiwanoha-smartcity.com/images/pdf/kashiwanoha-smartcity-action-plan-panfuretto.pdf (2022年12月9日最終閲覧)
[13] あらおスマートシティ推進協議会「荒尾ウェルビーイングスマートシティ実行計画」2020年10月策定(2022年7月改定)
https://www.mlit.go.jp/toshi/tosiko/content/001514524.pdf (2022年12月9日最終閲覧)
[14] KUREスマートシティコンソーシアム「KUREスマートシティモデル事業実行計画」
https://www.city.kure.lg.jp/uploaded/attachment/59543.pdf (2022年12月9日最終閲覧)
[15] 赤坂文弥、渡辺健太郎「リビングラボ実践のためのインフラストラクチャ構築に向けて」ヒューマンインターフェース学会論文誌、24巻1号 pp. 1-14 、2022年
[16] (一社)UDCKタウンマネジメント「みんなのまちづくりスタジオ」
https://www.udcktm.or.jp/studio/(2022年12月9日最終閲覧)
[17] 東京大学未来ビジョン研究センター 技術ガバナンス研究ユニットAIガバナンスプロジェクト「リスクチェーンモデル(RCModel)ガイドVer1.0」、2021年6月
https://ifi.u-tokyo.ac.jp/wp/wp-content/uploads/2021/07/RCM_210705.pdf(2023年1月17日最終閲覧)

Chapter 8

スマートシティQoL評価

8.1 背景

生活者の視点に立ったスマートシティ評価

政府、自治体に代表される都市を運営する側の究極的なゴールは、住民が幸福である社会を形成することである。Society 5.0が提唱する「人間中心の社会の実現」や、国のスマートシティ推進母体であるデジタル庁のデジタル田園都市国家構想[1]が掲げる「心ゆたかな暮らし」などのビジョンはこれを念頭に置いたものだ。では果たして、この掲げたビジョンに自分のまちはどれだけ近づけているだろうか。スーパーシティやスマートシティと銘打って、住民のために先進的な取り組みを進めたとしても、それが本当に住民の幸福につながっていなければ真の成功とは言えない。スマートシティを評価する上では、住民が幸福な社会を形成するというゴールに対して現状がどうであるか、どういう手段、施策を講じて都市の運営をするかという課題につながる観点を持つことが重要である。

しかしこれまで都市を評価する観点の主流は、都市を運営する側がどれだけのアクションを起こしたか、あるいは形に見える施策の結果を定量化することを基本とした指標にもとづいたものになっている。例えば、環境対策施策の数、運動・レクリエーションサークルの支援補助額、病院数、施設の収容規模、公園の数、緑被率（面積あたりの緑地比率）や緑視率（視界に入る緑の量）のような物理的に測定できる値である[2]。これらは施策を実施する運営者視点の指標ともいえる。

しかし、住民のその時々の価値観や住環境により、同じ施策でもゴールに対する効果は変わる。よって、施策やその結果を住民がどうとらえ、どのような（良い）変化を受け取ったかということを基準とした生活者視点の指標が必要となる。もし住民の幸福感を直接測定することができれば、住民が日々の暮らしにどれだけ満足しているか、実施した施策によって住民の暮らしが本当に良くなっているか、実質的な効果を知ることのできる指標となるのではないだろうか。では、住民の幸福感はどのように直接測ることができるだろうか。

住民が人間らしく満足し日々の生活を送っているか、自分らしい生活が送れているかをとらえるためのコンセプトとしてQoL評価がある。QoLとはQuality of Lifeの略称で、個人が生活する文化や価値観のなかで、目標や期待・基準、または関心に関連した自分自身の人生の状況に対する認識を意味する[3]。これは個人がどれだけ人間らしい生活や自分らしい生活を送り、人生に幸福を見出しているか、ということを尺度としてとらえる考え方である。QoLでは、身体的健康状態、心理的な健康状態、自立の度合い、対人、地位などの社会的な関係性、生活環境、精神性や宗教的な背景、信念から人生の状況に対する認識が発現すると考え、これらの背景をもとに尺度が定義、評価される。QoLは元は健康関連の概念である。単に疾患の程度や、身体的健康状態などの医学的な尺度では、疾患、障害がその他の因子と複合的に作用することで発現する生活面の影響が充分考慮されていないという課題の認識から提案された概念である。QoLで考慮される上記のような背景は、生活を送る社会、都市の環境に密接に関わる。すなわち、住民がまちでの生活に満足しているか、幸せに暮らしているかをとらえるための考え方とも言え、スマートシティを住民の幸福度から直接測定する時の「幸福感」を考える上でも重要な指針になると考えられる。

関連する動きとQoLの測り方

これまでにも住民の幸福感を直接測定し、評価し、施策へ反映させる試みはいくつか事例がある。

内閣府は、2019年より1年おきに、標本抽出された国民にウェブを通した調査票を送り「満足度・生活の質に関する調査」を実施している[4]。日本の経済社会の構造を人々の満足度の観点から多面的に把握し、政策運営に活かしていくことを目的としている。結果はダッシュボードの形で公開されており、国民の生活とその満足度の関係を様々な角度から分析することができる。

東京都荒川区は、2006年より住民の幸福度を測る指標を検討し、荒川区民総幸福度（GAH）[5]を開発した。荒川区の施策に紐づいた6分野39項目の指標を導出するための設問を、抽出した住民へアンケートで尋ね、幸福実感度を算出する。結果から課題を拾い、施策評価を行ったり、区の重点施策策定に活用している。

上記の二つの事例は、ともに紙またはオンラインのアンケートによりデータを収集する手法を用いている。しかしアンケートは質問数が増えるほど回答側の負担が増えるため、多くのことは聞けず、また頻繁に実施することが難しい。

Society 5.0やスマートシティでも提唱されているように、近年は価値観の多様性に加え、社会、環境の速い変化により、日常生活の満足度の移り変わりが加速している。したがって、施策推進、評価、フィードバックのサイクルをより短くすることにより、よりきめ細やかで、その時々で住民の満足度を高めることができる形での施策が求められている。これを支える術としてデジタルデータやこれを利用するIT技術の活用が推奨されている。各種データ取得技術に加え、都市のデータを統合的に管理、情報化するプラットフォームとなる都市OS[6]の必要性が唱えられ、その環境整備が国主導でも進められている。QoL評価も、センシングデータなどデジタルデータを用いて継続的に、かつリアルタイムにできるよう、新たに指標を定義する必要がある。これにより、Society 5.0やスマートシティが打ち出す施策に活用できるQoL評価を実現できる。

日立東大ラボでは、上記の課題や、これら課題を解決するIT技術の進展を背景として、スマートシティのQoL評価のための、新たな評価手法である“ActiveQoL”を提案した[7]。以下では、“ActiveQoL”について解説する。

8.2 “ActiveQoL”の提案

生活活動の質に着目した評価の考え方

われわれは、日々の生活の中で行われる様々な活動についての満足度を向上させることが、特に人々の生活の質を上げ幸福感を高める重要な鍵であると考えた。そこで、われわれが提案するスマートシティのQoL評価手法“ActiveQoL”では、睡眠、仕事、食事、家事、子育て、余暇などの様々な生活活動の質に着目し、それを個人の主観的な満足度で評価することにした。つまり、スマートシティの施策によって、対象となる生活活動で起きていた問題が改善されたり、これまでよりも心地よく自分らしく活動が行えるようになると、その活動に対する満足度が上がり、施策を実施した効果が住民に届いたと判断することができる。

“ActiveQoL” は、主観的な満足度に大きく影響を及ぼすと考えられる以下の四つの要素から生活活動の満足度を推定できるよう構成している。

一つ目の要素は、「対象となる生活活動を本人がどのくらい好きであるか」である。生活活動の好き嫌いは満足度に大きな影響を及ぼすと考えられる。活動自体が好き、もしくは嫌いであれば、以下に挙げる活動の条件の変化は満足度にあまり影響を受けないであろうと推察される。二つ目の要素は、着目する生活活動をどのくらいの時間行ったか、そして対象者にとって望ましい時間とどのくらい合致していたかである。生活活動によっては短ければ短いほど満足度が上がる活動や、その逆で長ければ長いほど満足度が上がる活動、あるいは最適時間がある活動もあり、望ましい時間からずれれば満足度は下がる。施策との関連では、例えば移動や支援施策などで変化がある要素である。三つ目の要素は、着目する生活活動をどのような条件下で行ったか、そして対象者にとっての理想とどのくらい合致していたかである。ここでいう条件とは、生活活動をする場所、手段などを指す。同じ生活活動でも、それを行う条件で満足度が大きく変わる場合があると推察される。例えば移動を考える場合、車で効率よく移動したいか、自転車や徒歩で周囲を楽しみながら移動したいか、それらは家の周囲でのことなのか、勤務地付近のことなのかなど、価値観や嗜好で満足度へ大きな影響を与えると推察される。またこれらは活動の場に相関して変化するものなので施策により大きく変化を受ける要素である。四つ目の要素は、着目する生活活動を誰と行い、対象者にとっての理想とどのくらい合致していたかである。例えば食事など1人で行う場合と、家族、友人で行う場合とで、その他は同じ活動環境下で行う生活活動の満足度が大きく異なる事例は経験的に想起されるであろう。生活活動の満足度は、これら四つの要素によって決まるという仮説のもと、われわれはこれらの要素の積を"ActiveQoL"として仮に定義した。

上記の定義により"ActiveQoL"では、好きな生活活動を自身が好む適切な環境下で行えば評価値が高くなるという性質を持つ。ここでいう「適切な環境」とは、時間や場所、誰と活動するかといった個人的なこだわりのようなものであり、それらは人により異なるものである。同じ活動を同じ場所で行っても、人により感じ方は異なり、満足度に差が出るという、価値観の多様性を"ActiveQoL"では組み入れていると言っても良い。こうした一人一人の特性に応じた評価軸により都市を評価することはこれまでになく、多様な生き方を包摂する都市へと進化する足掛かりとして利用されることが期待できる。

8.3 "ActiveQoL"の測定

"ActiveQoL"の自動推定

"ActiveQoL"は、その生活活動をどのくらい好きか、どのくらいの時間行ったか、どのような環境下で行ったか、誰と行ったか、そして、それらが対象者にとっての理想とどのくらい合致していたかで決まる。これにしたがってQoLを求めるためには、①何をしているか（生活活動を知る）、②どんな状況でそれを行っているか（どのくらいの時間、どのような環境下で、誰とその生活活動を行ったか）、③その人にとって、その活動が好きなのか、どんな状況で行うのが良いのかという活動に対する好みの条件、の3点を知る必要がある。

日立東大ラボではこの3点のうち、①と②はウェアラブルセンサーとスマートフォン内蔵のセンサーの情報を活用して自動推定することをめざして技術開発中である。③に関しては、個人の嗜好であり、基本的には対象者本人にアンケートなどを通して直接尋ねる必要がある。簡便に③好みの条件を知るための工夫として、(A) 少ない質問から生活活動の嗜好をいくつかのパターンに分類して推定する方法や、(B) 日々の活動及びその条件に関する質問とその活動の満足度を聞く質問を繰り返しながら対象者の活動ごとの好みの環境を学習していく方法を開発している。

ウェアラブルセンサーとは、スマートウォッチや、リストバンド型センサーに代表されるデバイスで、日頃衣服のように着脱可能で、歩数や心拍数を測定しデータを蓄積する活動量計が進化したもの等を指す。現在多くの製品が販売されていて一般への普及も進み始めている。また、GPS情報から、滞在場所の把握や移動手段の推定をする機能があり、歩行やランニングなどの運動状態や睡眠状態を自動識別する機能を持つものもある。"ActiveQoL"の開発中の機能では、こうしたウェアラブルセンサーやスマートフォンを活用する（**図表8-1**）。

図表8-1 **"ActiveQoL"の自動推定システム**

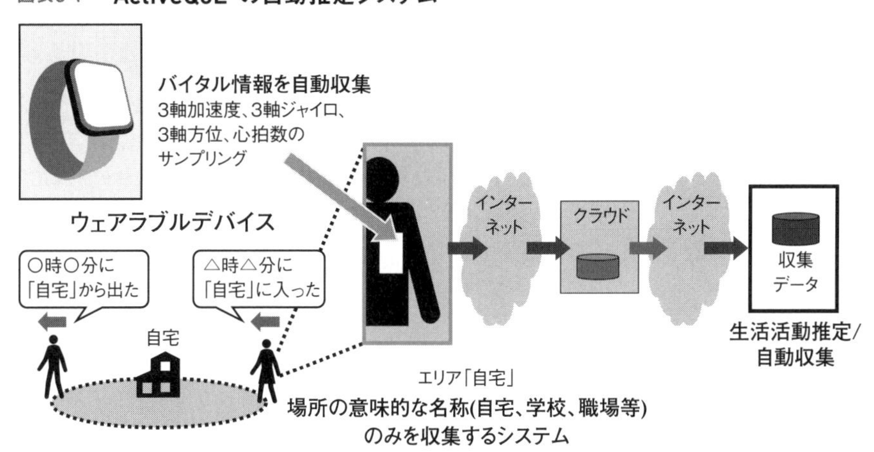

“ActiveQoL”の自動推定に向けた満足度取得の試み

ウェアラブルセンサーやスマートフォンのセンサーを活用して、将来的には活動を自動認識する仕組みを構築することをめざしている。以下では、その実現に向けて、まずは学習データを集めながら主観の満足度も合わせて取得可能な、24時間いつでも指定したタイミングで通知を送りその時の回答入力を得ることのできるLINEアプリについて紹介する。チャットアプリとして普及しているLINEを用いたオンラインのアンケートにより実際に行っている活動とその条件、及び満足度をデータとして収集するシステムについても説明する。

このシステムは“ActiveQoL-ESM”（Experience Sampling System）と呼ばれ、参加者が送る日常の生活を半自動的にサンプリングする機能を持つ。すなわち登録した参加者のスマートフォンに定期的に「現時点で行っていること」に関する数問の質問セットを配信し、通知で知らせることで、通知に気づいた対象者がその時の状況を踏まえて回答する仕組みである。質問は1回あたり5問で、その時行っている活動の種類、その時間、誰と行っていたか、場所、そして満足度をサンプリングする。日常生活を送っている中では参加者は通知に気づかない、忙しくて答えられない場合もあるため、通知に気づいたときにだけ回答すればよく無理を強いられない仕様となっている。機能としては、配信時刻、質問文、選択肢は参加者ごとに設定できることから、配信者がサンプリング内容を柔軟に設計することが可能だ（**図表8-2**）。

この“ActiveQoL-ESM”はまだ実験段階であり、回答する際の負担はまだ大きく、活動の切れ目で質問を送れずにタイムアウトするなど、課題はある。しかし紙面のアンケートとは異なり、データ化の作業が不要であること、設問・選択肢の変更が容易であること等、実施者側の負担軽減に有効であることがわかっている。また回答者側もスマートフォンがあれば、タップのみで作業を進めることができる。今後は回答回数を減らすことや、スマートフォンのセンサー情報を活用するなどしてさらに負担感を減らす工夫を加えていく。

図表8-2 LINEによる活動状況の収集

1日に最大5回、質問送付
放っておけばタイムアウトする

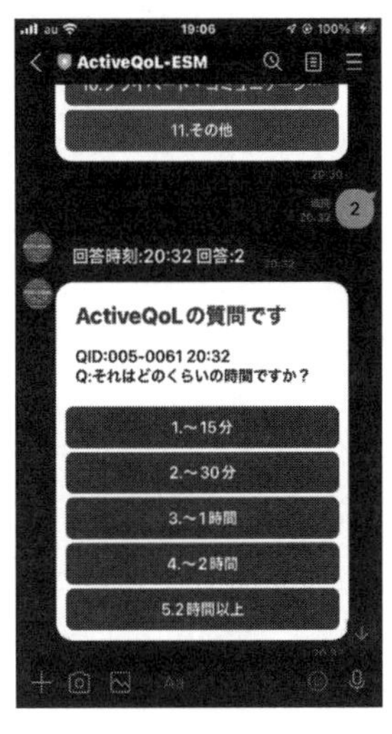

1つ目の質問に回答すると、連続して質問が送付

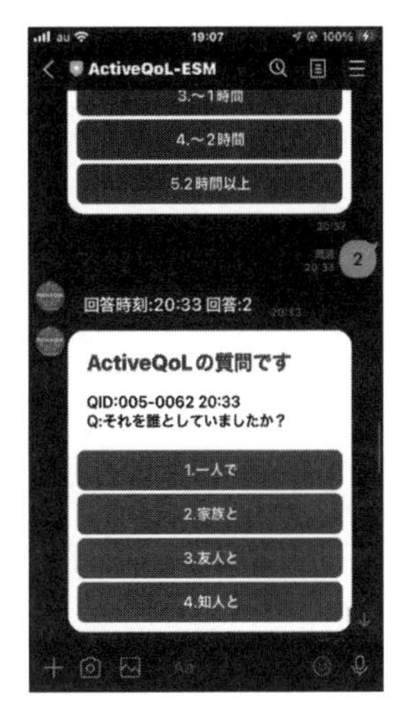

連続して1回あたり4-5問質問を送付

8.4 “ActiveQoL”を用いた都市施策の評価

“ActiveQoL”では測定対象者の活動ごとにQoLを評価し、それを集計して都市の施策評価を行う。評価者は評価したい内容により測定対象者を自由に設定可能である。例えば住民を一括りにとらえた評価を行うのであれば、対象の絞り込みは不要であるが、高齢者を対象とする施策で、高齢者に対する効果を評価する場合は対象を高齢者に絞って評価を行うことを想定している。実施する施策の内容、施策がターゲットとする住民の属性等を勘案し対象を絞り込むことで、評価者が狙う施策の対象、ゴールに対して、より直接的な効果評価結果と施策改善の方針を得られる。本節では、“ActiveQoL”によって集めたサンプリングデータをスマートシティ評価のためにどのように用い

るのかを説明する。

“ActiveQoL”では、生活活動の満足度は1（満足していない状態）～5（満足な状態）の5段階で評価する。「好きな生活活動を適切な環境で行えばQoLが高い」という考えに基づけば、例えば、1日に「睡眠」「仕事」「食事」「運動」「家事」の五つの活動を行った場合に、その日の五つの活動満足度の総和や平均値は1日の満足度を表す評価値としては適当ではない。そこで「好き」と回答があった生活活動に対する実際の活動の条件に着目する。1日24時間の中で、好きな活動を適切な環境で行っている時間が多いほどQoLが上がることから、好きな活動を好きな条件でできている人がそのまちに多ければ多いほどそのまちのQoLが高いと考える。

以下に“ActiveQoL”を用いてスマートシティ評価を行う具体例を示す。例えば、そのまちに暮らす人々の「運動・スポーツ」活動に注目したとする。その場合、まず運動・スポーツが好きかどうかという事前情報と、ウェアラブルセンサーで測った運動・スポーツを実際に行った際の活動満足度を取得する。回答の内容は図表8-3のようにカテゴリに分類できる。①は運動・スポーツの好き嫌いにかかわらず、満足度が高かったと回答した住民、②は運動・スポーツは好きなのにもかかわらず、実際の活動を行っていないか、行っていても満足度が高くなかった住民、③は運動・スポーツがそもそも嫌いで、実際の活動を行っていないか、行っていても満足度も低かった住民である。評価では評価対象者である住民が①から③のどのカテゴリに属するかを求め、それぞれのカテゴリの人数（割合）を求める。

図8-3 “ActiveQoL”の活用方法

「運動・スポーツ」に関する嗜好・満足度		満足度			
		行っていない	不満・やや不満	どちらでもない	満足・やや満足
嗜好	好き	②好きなのに満足できていない ⇒QoLは低い			①うまくいっている ⇒QoLは高いはず
	どちらでもない				
	嫌い	③嫌いな人に無理にやってもらうこともない ⇒普通はQoLが上がらない 本来やるべきなのにやっていない人には別のアプローチがある			

スマートシティの評価値として用いるのは②の人数の割合である。②のカテゴリでは、好きなのに満足していないか、行っていない人が問題になる。すなわち②の領域の人は本来活動が好きなのに満足できていないので改善の余地がある人たちである。このように複数の質問の回答を組み合わせて、対象者をいくつかのカテゴリに分類し、改善の余地のある人が多いのか少ないのかを見ることで現状を把握する。そしてカテゴリごとに対策を検討していくことで、「ある活動」から見たスマートシティの現状の位置側面を理解し、改善の余地のある人に向けた適切な施策を検討することができるようになる。

さらに、何らかの対策を行った結果、②にいた人が①に変化して、①の人数が増えればその対策が成功した、と考えることができる。

実際にはウェアラブルセンサー方式で住民全員にセンサーをつけてもらうのは困難であり、一定の人数のサンプルを用いて評価することになる。その場合、対象サンプルのQoLの平均、分布、あるいは地区ごとの違い、年齢層ごとの違い、さらには時系列の変化などを追っていくことになる。

自治体などが“ActiveQoL”の評価結果から施策を検討する、あるいは施策の結果を評価するような場合は、さらに対象を絞った評価が必要になる。例えば公園の評価のように特定のアセット（施設や道路など）を対象にする、あるいは特定のサービス、例えば高齢者向けのサービス導入により高齢者の日々の行動にプラスの変化があったかどうか、といった評価である。このような評価は、対象の場所に紐づいた生活活動に評価対象を絞る、あるいは対象者を利用者に絞る、などで実現できる。

サービスの評価という点では情報提供のみのデジタルサービスであっても、その結果として行動に何らかの変化が起こることが想定できるのであれば、“ActiveQoL”によりそのデジタルサービスの評価が可能になる。これは“ActiveQoL”が都市の施策評価だけでなく、企業が開発するサービスも対象にできるのであれば、活用範囲は大きく拡大することになる。

自治体の施策への適用という観点では、内閣府が全省庁や自治体向けに活用を広げているEBPM（Evidence-Based Policy Making）[8]のKPIとして用いることもできる。EBPMとは、政策の目的を明確にし、政策手段と目的の論理的なつながりを明確にし、このつながりの裏付けとなるようなデータ等のエビデンス（根拠）を可能な限り求め、「政策の基本的な枠組み」を明確にする取り組みと定義される。EBPMの実践により、住民や社会情勢をきめ細かく、すばやく、的確に反映した政策の立案・実行が可能となり、さらに政策の効果を可視化して、誰もが効果を実感できるようにすることが可能となる。内閣府はEBPMを導入するにあたり、ロジックモデル[9]と呼ぶフレームワークを用いてKPIを決め、PDCA（Plan/計画→Do/実行→Check/評価→Action/改善）を回すことを推奨している。ロジックモデルは、「資源」欄にヒト・モノ・カネ、すなわち実行に必要なリソースとステークホルダーをリストアップし、長期成果、中期成果、初期成果を想定して初期成果を実現する活動とその直接の成果を設計する。この時、直接の成果を測る仕組みとして“ActiveQoL”を用いることが可能であると考える。例えば、図表8-4に示す例では高齢者の社会参加プログラムという自治体の施策に対して、コミュニケーションに関わる行動、移動（歩行、および移動先

図表8-4　高齢者の充実した社会生活支援施策に関するロジックモデルの例

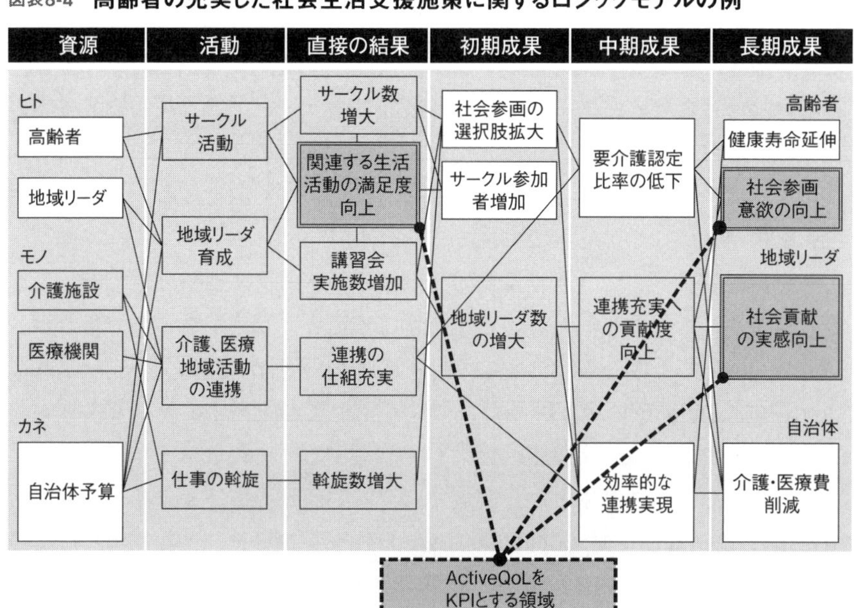

多様化）に関わる行動に由来するQoLの増加など、施策により期待できる行動の変化をKPIとして設定している。

8.5 “ActiveQoL”のコンセプトの実証事例

日立東大ラボでは、“ActiveQoL”の考え方にもとづく評価を、兵庫県加古川市が行った施策に対して実施している。加古川市では高齢者に対する施策として、スマートフォン初心者に対する講座を開催している。講座は、これを受講した参加者のスマートフォンの使いこなしを助けるだけでなく、その後の参加者のコミュニケーションの機会創出や、外出、新しいことへの参加・関与など意欲増加につながっていくと期待される。日常生活とその満足度が、受講前後でどのように変化するかを、例えば図表8-5に示すような生活活動毎の満足度レーダチャートのような形式でとらえ、施策の効果を可視化することを想定している。特に強い影響を与えた生活活動を中心に、施策の改善や他の関連施策との関連性を評価し、より有効な施策、施策群を検討するサイクルをPDCAとして回していくことをめざす。

講座受講後は“ActiveQoL-ESM”を用いて生活活動とその満足度を尋ねているが、受講前は参加者がスマートフォンを使用できないため、紙面のアンケートによりデータを収集している。紙面、“ActiveQoL-ESM”ともに回答者の負担感が大きいことが判明しており、図表8-1で示すような自動収集システムの構築が急務である。今後は収集したデータを分析し、講座内容の改善や、有効な高齢者施策の立案に活かせる情報を抽出していく。

図表8-5 “ActiveQoL”による高齢者向け施策評価の事例(兵庫県加古川市と実施中)

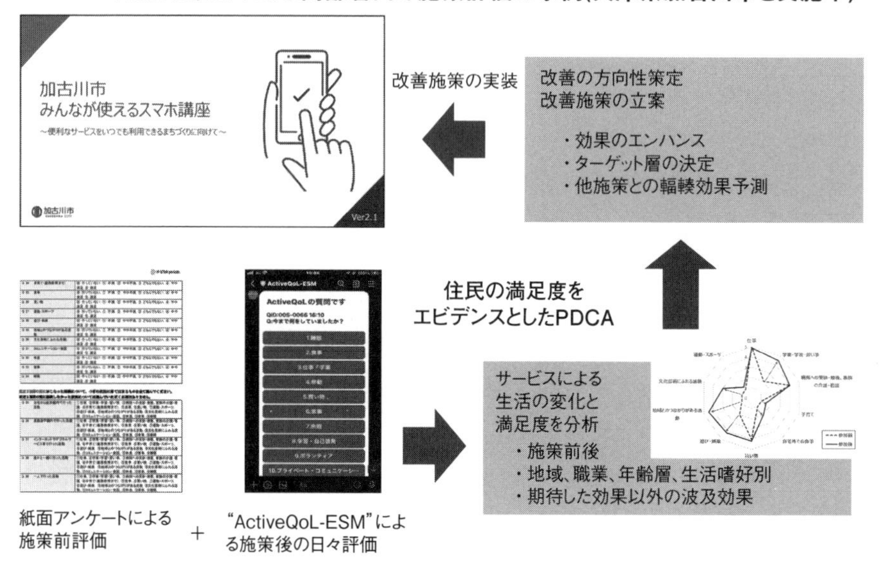

8.6 都市のQoL評価に向けて

“ActiveQoL”を都市の施策評価の観点に加えることで、特にこれまでは評価が難しかったソフト施策(例えば健康づくりのサークル活動など)の効果が定量的に可視化できるようになり、効果の高い活動へ予算を付ける根拠として活用が期待できる。またハード施策に関しては、ハードを整備すれば施策が完了するわけではなく、いかに運用し、住民が享受する価値に結びつくかが施策の本質であるが、ハード整備後の運用についての評価手法は検討が乏しかった。今後、“ActiveQoL”によってこうした運用に対する効果検証を定量的に実現することが期待される。

さらに“ActiveQoL”は、活用する側が対象となる属性を絞って評価値を算定することが可能な手法と言える。例えば住民全体の平均を見ていては見落としがちな、子育て世代の女性であったり、車椅子を使う住民などに対象を絞ってQoL評価を行うことで、少数の困り事を抱える当事者に優しいまちづくりを推進していくことができる。

一方で、都市運営を行う者は、自分たちのまちをどういうものにしていきたいか、住民にどのような価値を提供していきたいかというビジョンをしっかり持ち、公正な評価を行うことを心がけることが重要である。ビジョンがなければ、QoLを高めたいターゲットを的確に定めて評価することができなくなるため、自ずと平均的、均質な都市が増えることにつながってしまう。また調査の設計次第では、ターゲットを恣意的に選んでQoL値が高くなるように見せてしまうなど、不適切な評価が横行する可能性もあるため、評価の客観性や公正さは、欠かせないと考える。

これらの課題に十分に気をつけながら、QoL評価を実行し、結果をPDCAの施策立案、施策評価に活用していくことは、めざす社会の実現とともに、それぞれのまちの個性を伸ばすことにもつながっていくだろう。運営者は、都市運営の究極的なゴール、住民が幸福である社会を形成することに立ち返り、"ActiveQoL"を有効に活用してもらえればと考える。

参考文献

[1] デジタル庁「デジタル田園都市国家構想」
https://www.digital.go.jp/policies/digital_garden_city_nation/ （2022年12月9日最終閲覧）

[2] 国土交通省「都市モニタリングシート」
https://www.mlit.go.jp/toshi/tosiko/toshi_tosiko_tk_000035.html
（2023年1月14日最終閲覧）

[3] World Health Organization（WHO）, 'WHOQOL: Measuring Quality of Life'
https://www.who.int/toolkits/whoqol （2023年1月13日最終閲覧）

[4] 内閣府「満足度・生活の質に関する調査」
https://www5.cao.go.jp/keizai2/wellbeing/manzoku/index.html （2023年1月5日最終閲覧）

[5] （公財）荒川区自治総合研究所「荒川区民総幸福度（Gross Arakawa Happiness: GAH）」
https://rilac.or.jp/?page_id=307 （2022年12月9日最終閲覧）

[6] 内閣府「SIPサイバー／アーキテクチャ構築及び実証研究の成果公表」2020年3月
https://www8.cao.go.jp/cstp/stmain/20200318siparchitecture.html （2023年1月8日最終閲覧）

[7] 日立東大ラボ「人中心のスマートシティの評価とQoL」、第3回ハビタット・イノベーションフォーラム（2021年10月）
http://www.ht-lab.ducr.u-tokyo.ac.jp/wp-content/uploads/2021/10/5b6a7c4315a29b81340890b7402209ff.pdf （2022年12月9日最終閲覧）

[8] 内閣府「内閣府におけるEBPMへの取組」
https://www.cao.go.jp/others/kichou/ebpm/ebpm.html （2022年12月9日最終閲覧）

[9] Newcomer,K.E., Hatry, H.P. & Wholey,J.S.,eds., *Handbook of Practical Program Evaluation*, 4th Edition,San Francisco : Jossey-Bass & Pfeiffer Imprints, Wiley,2015

Chapter 9

スマートシティの人財育成

9.1 スマートシティに求められる人財像

専門分野を横断するスマートシティの仕事

スマートシティでは、デジタル技術を基礎として、モビリティ、環境/エネルギー、防災/防犯、健康/医療、地域社会など複数の専門分野を横断する施策を行うことになる（**図表9-1**）。例えば、シミュレーションと交通、AI

図表9-1　スマートシティに関連する分野一覧 [1]

大分類	分野	施策テーマ
サービス	モビリティ	交通／モビリティ、物流、交通拠点
	環境／エネルギー	環境、エネルギー、水資源、廃棄物
	防災／防犯	防災、防犯
	インフラ／施設	インフラ維持管理、都市計画・整備、施設マネジメント、住宅、建設、不動産
	健康／医療	健康、医療、介護
	産業／経済	農林水産業、観光、地域経済活性化、産業創出、産学連携、デジタル通貨・決済、働き方
	地域社会	地域コミュニティ形成、地域自治、社会活動
	教育／文化	教育、子育て、文化・アート
	行政	e-サービス、デジタル運営、セキュリティ
基盤	IT基盤	都市OS、データ連携基盤、デジタル通信網、オープンデータ、3D都市モデル、データガバナンス、アクセシビリティ
	運営体制	官民連携、住民参画、運営のオープン性・透明性、マネタイズ
	人材	スマートシティ人材育成・活用、リテラシー／デジタルデバイド対策

と防犯、というような「デジタル技術×○○」という組み合わせもあれば、交通、観光、決済といった複数分野のデータを連携させて計算するMaaSのような「デジタル技術×△△×□□」という3分野以上の組み合わせもある。

このような、様々な専門分野の組み合わせによるサービスが提供されることが、スマートシティの特徴である。また、これらを支える情報基盤としての都市OSや、分野を超えたデータ連携の仕組み、データガバナンスなどを整え運用することも欠かせない仕事となる。

スマートシティに求められる3種の人財像

このようにスマートシティにおいてはサービスが多分野にわたり、またデジタル技術への理解も求められるため、従来の縦割り体制では対応が難しい。多分野を横断する体制を築きながら、それらを動かすことができる人財が求められ、具体的には、次の3タイプの人財像が考えられる（**図表9-2**）。

第一に、スマートシティの統括的人財である。スマートシティ全体を構想し、実現・推進に係る判断を統括的に行う役割である。都市OSの仕組みなどの基盤分野からサービス分野にわたって総合的に理解した上で、スマートシティのアーキテクチャを構築する役割が求められる。このような役割を、内閣府では「アーキテクト」[2]と定義している。

第二に、分野横断型のコーディネート能力を備えたチームリーダー的人財である。様々な専門分野が組み合わさるスマートシティの施策を検討し推進するためには、必然的に分野横断型のチームが求められる。ただし、そのチームは、個別分野の専門家を集めただけではうまく動かないであろう。専門分野を橋渡しするコーディネート能力を備えた役割が求められる。これを「コーディネーター」と呼ぶことにする。

第三に、個々の専門分野を持ちつつも、関係他分野にも一定の理解があり、分野横断の協働が可能な「のりしろ」を有する専門人財である。少しわかりにくいので具体例を挙げる。例えばビッグデータを解析して都市計画施策案の妥当性を検討する際、データアナリストと都市プランナーが協働することになるが、互いに相手の分野について一定程度理解をしていて、初めて円滑な連携が可能となる。そのような協働の素養を有する専門スタッフを「連携

図表9-2　**スマートシティに求められる3種の人財像**

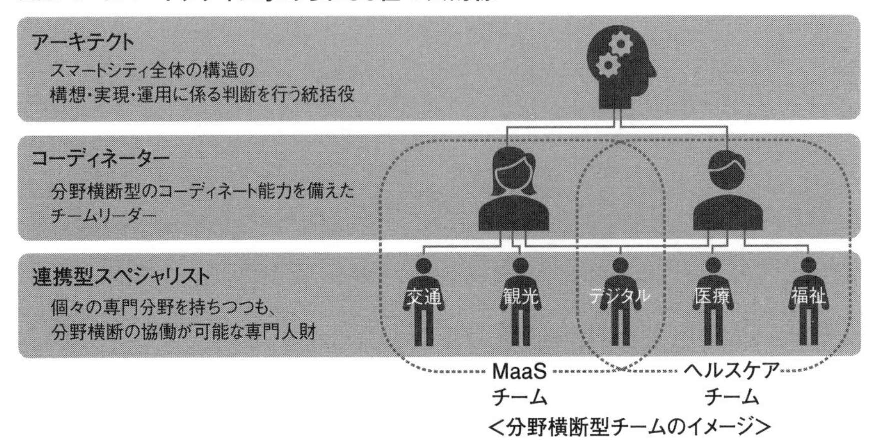

型スペシャリスト」と呼びたい。

次節において、これら3種の人財のうちアーキテクトとコーディネーターについてもう少し詳しく掘り下げてみよう。

9.2　アーキテクトとコーディネーターの役割

アーキテクトの役割

アーキテクトはスマートシティ（またはスーパーシティ等）を統括する役割である。内閣府では、アーキテクトを「地域課題の設定、事業計画の作成、先端的技術の活用など、スーパーシティ構想全体を企画する」と定義[3]しており、これは「スマートシティ リファレンスアーキテクチャ ホワイトペーパー」に掲載されている図（**図表9-3**）の全体をアーキテクトが所掌することを意味するととらえられる[4]。つまり、地域課題の設定からはじまり、スマートシティの目標やKGI（Key Goal Indicator）・KPI（Key Performance Indicator）などを定める戦略を構想し、それに向けて具体的な都市マネジメントを推進する。同時に、スマートシティのアセットから提供されるデータを用いてサービスを生む基盤となる都市OSの構想・具現化・運用をも担当する。このように、アーキテクトは、都市についてフィジカルとデジタルの双方からトータルに構想し、関係者調整等を通じて実現・推進に向けたマネジメントを行う役割を担っている。

このような役割を果たすためには、アーキテクトは幅広い分野に通じている必要があるが、このような万能な人物はそうそう存在しない。そのため、アーキテクトは、広範な分野・役割を補完し合うように構成された少数メンバーのチームであることもあり得るだろう。

また、スマートシティの構想を実現していくために、様々なステークホルダーとの調整や協働が必要になるが、これを先導することもアーキテクトの重要な役割である。議会や行政（デベロッパー等による再開発エリア内などの場合は再開発事業者）にスマートシティの意義を理解してもらい、協力関係を築くための調整はもちろん、地域のめざすビジョンを達成するために必

図表9-3　スマートシティ リファレンスアーキテクチャの全体像

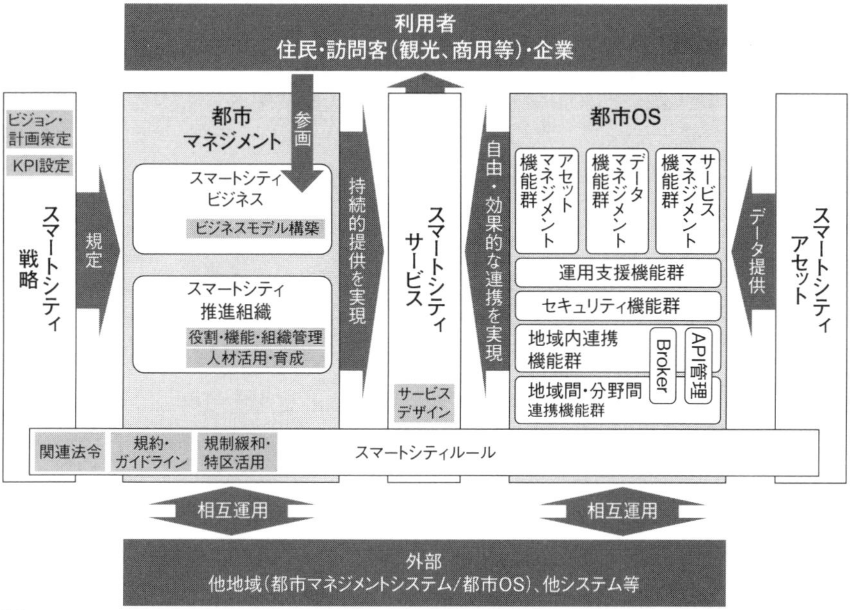

［4］を参照し筆者作成

要な技術・資源等を有する民間事業者に加入してもらうために、ビジネスとしても成立しつつスマートシティとしての公益的な価値も発揮するような仕組みの構築に向けた調整も求められる。また、場合によっては近隣の大学等の研究機関に研究フィールドを提供する代わりに専門知や研究成果をフィードバックしてもらうなどの連携体制を組むための調整も視野に入ってくるであろう。

コーディネーターの役割

本稿で紹介するコーディネーターは、国による位置付けはなく、われわれが独自に提案するものである。コーディネーターは、複数分野の専門家と協働しながら、アーキテクトの構想したスマートシティの中身を具体的に作り込んでいく役割を担う。それゆえ、アーキテクトの描く全体像をよく理解し、その本質をとらえながら、様々な専門分野と的確に連携して仕組みや事業を具体化していく必要がある。

このコーディネーターの立場は、「翻訳者」にも喩えられる。本稿執筆時現在は、「スマートシティ」という言葉ひとつをとっても、人によってそこに抱くイメージや期待の振れ幅が大きい。行政職員と民間企業社員といった立場の違いや、医療や交通や情報といった専門分野の違い、またはその人のデジタル技術またはまちづくりへの理解度によって、「スマートシティ」という言葉に対する考えが違ってくる。このような「言葉の違い」が存在するがゆえにコーディネーターが「翻訳」を行い、異業種・異分野間の相互理解を促進させながら現場を駆動させていくことには大きな意義がある。

このような役割が必要となるのは、まだスマートシティが黎明期であるためだ。将来、都市OSが一般に普及し、医療や交通といった個別分野の担当者にデジタル技術等のスマートシティに関する素養が十分身についてくれば、コーディネーターはいなくとも、連携型スペシャリストのチームだけで十分に機能するかもしれない。

9.3 人財育成の方法論

3種の人財像の進化モデル的理解

スマートシティの人財、特にアーキテクトやコーディネーターはどのようにして育成することができるだろうか。おそらくこの問いに対する唯一の正解はない。その前提に立ちつつも、育成の方法論の手がかりを得るべく、次のように考え方を整理してみた。

前節で述べたように、専門性を持った人間が、デジタルや関連他分野の知識や考え方を身につけていけば、コーディネーターがいなくとも相互連携していけるようになると考えられる。つまり、連携型スペシャリストの持つ「のりしろ」が幅広く強固なものになっていけば、おのずとコーディネーター的役割を果たせるようになるはずだ。このように考えれば、連携型スペシャリストはコーディネーターの卵であると考えることができる。同様に、コーディネーターにスマートシティ全体の構想力や実現力がついてくれば、アーキテクトの役目を果たすことができるであろう。ゆえに、コーディネーターはアーキテクトの卵と言える。

連携型スペシャリスト、コーディネーター、アーキテクトという三つの役割は、何らかの専門性を持った人物が、多分野との連携ができるようになり、スマートシティ全体を俯瞰し構想・実現する力を獲得するに至るまでの3段階の進化モデルとしてとらえることができる。そのため、人財育成においては、各人がひとつ上の階層へとレベルアップするためのプログラムを考案していくことが求められる。

アナリシスとシンセシス

このような、コーディネーターやアーキテクトを育成するプログラムは、まだ確立されているとは言い難い。また、この二つのプログラムの違いも明確ではない。しかし、いずれの育成プログラムにおいても、基本的にはアナリシス・アプローチとシンセシス・アプローチの組み合わせが有効ではないかと考えている。

アナリシス・アプローチとは分析、すなわち理解すべき対象をいくつかの要素に分解し、性質や構成等を理解しやすくした上で学習するアプローチである。シンセシス・アプローチとは統合、すなわち取り組むべき問いに対して創造的に知を組み合わせ、論理的に解を提出するアプローチである。前者はスマートシティに関連する専門分野の理論や知識を学習する座学的プログラム、後者はそれらの理論・知識を応用しながら、仮想的なスマートシティ構築シナリオを検討する演習プログラムが考えられる。

アナリシス・アプローチでは、スマートシティに関連する（または関連し得る）分野の今日的な課題や取り組みを幅広い分野において習得することが重要である。個々の分野を深掘りするというよりは、多分野の重要技術やトピックについて理解を広げていく、ジェネラリスト的な教育方針を意識すべきである。

シンセシス・アプローチでは、論理的で筋道の立ったプランを検討する力をつけることが重要になる。その際スマートシティ特有の「身につけるべき力」があると考えている。三点ほど紹介したい。

一点目は、デマンドサイドからの発想力である。「この技術で何ができるか？」というような技術ありきの（サプライサイドからの）発想ではなく、その地域において求められているものは何か、というデマンドサイドから発想していく力をつけることが重要である。スマートシティでは、地域のビジョン達成や課題解決を目的とすべきであり、「スマートシティをつくること」自体を目的化してはいけない。

二点目は、包括性よりも突破性を持った提案をする力である。美しく、齟齬や抜け漏れのない総花的な提案をめざすよりも、実際に民間企業がビジネス的にも乗って来られる仕組みや、市民が真に求めていることを射抜くような取り組みを提案する方が好ましい。言い換えれば、コトが動くアイデア、さらには自走に向かうアイデアが求められる。

三点目は、ドキュメンテーションである。立場や関心が異なる複数のステークホルダーと共有できるわかりやすいドキュメントにまとめる力が重要である。これは前節のたとえを用いて「翻訳力」と言い換えてもいい。具体的には、スマートシティの実行計画を取りまとめていく力が必要である。背景となる地域の特長や課題を押さえ、これにスマートシティ関連技術を導入することで、どのように新しい価値が発現し得るのかを明快に説明する必要がある。

9.4 専門家と市民・住民の双方の人財育成に向けて

人財育成プログラムの活用と人財を活かす体制づくり

本章では、スマートシティに求められる人財像として、アーキテクト、コーディネーター、連携型スペシャリストの3種を示し、これらは進化モデル的にとらえることができるとした。その上で、アナリシス・アプローチとしての座学的プログラムとシンセシス・アプローチとしての演習プログラムの組み合わせによる人財育成の方法論とそのポイントを解説した。

ただ、人財育成プログラムをスマートシティ運営者や自治体が自前でつくり出すことはなかなか難しい。そこで、大学等の外部機関が提供する社会人リカレント/リスキリングの教育プログラムやセミナー等[5]学びの機会をうまく活用することが考えられる。

これら外部の人財育成プログラムは、プログラムの内容そのものだけでなく、受講生同士のネットワークも大きな財産となり得る。ビジネスの文脈から一定の距離を置いた場で机を並べ、共に考え議論をする経験がフラットなネットワークの形成を促進する。他分野・他企業・他都市とつながり、互いに情報交換をし、学び合い続けられる関係性は得難いものである。個々の人財の力量の向上とともに、相乗的に学び続けられる仲間の存在が、スマートシティ界隈全体の人財を豊かにしていくために欠かせない。

加えて、自治体においては、専門家を育成することと合わせて、行政内部において分野横断的に指揮がとれるポジションを創設することや、分野が複合したスマートシティ推進担当部署を設置するなど、人財育成の成果をいかんなく発揮できる体制構築も重要である。専門家を育成しても、その人財を活かすポジションがないと宝の持ちぐされである。

住民・市民のリテラシーの涵養と担い手育成

SNSなどによる個人の情報フローが活発になっている昨今、デジタル技術やデータ等に関する正しい理解を促進するなど、広く市民のスマートシティに関するリテラシーを向上させるための施策も重要である。特に、スマートシティの構築と発展において、対象地域の市民や住民のデジタル技術に対する知識とデータに対するリテラシーの涵養は極めて重要である。データはスマートシティの運営や改善において中心的な役割を果たし、住民がそのデータを適切に理解し活用できることが、より効果的で包括的なスマートシティの運営の実現につながる。

データリテラシーを育成するための方法として、市民向け教育プログラムの強化が考えられる。地域の教育機関やコミュニティセンターを通じて、データ解釈の基礎や分析手法、グラフやチャートの読み方などを学ぶ機会を提供することに加え、具体的な事例を通じて、データが日常生活や都市改善にどのように関わるかを示すことも効果的である。例えば、犯罪発生率の増加したことを示すデータをどのように解釈するかで、地域の対策もかわってくる。治安が悪くなり、犯罪行為そのものが増えているのか、または犯罪行為は増えていないが捜査の方法が改善され、検挙される率（犯罪としてカウントされる率）が高まっているのかで、大きく意味が異なるためである。

また、千葉県柏市の柏の葉スマートシティの例が示すように、デジタルコンシェルジュを住民が行きやすい場所に配置することも有効である。市民が気軽にスマートフォンの使用方法やアプリに関する問合せをすることで、データの理解を深めることに寄与し、地域のサービスアプリへの参加を促す効果もある。

個人情報保護とセキュリティの意識を高めることも欠かせない。住民が個人データがどのように収集・利用されているかを理解し、必要な保護策を講じることも重要である。ワークショップやセミナーにおいて、データ共有のリスクとその対処法について正しい知識を共有することを通じて、市民の意識向上を図ることができる。

データを通じて地域の状況を迅速に伝えることもコミュニティのスマート化の点で効果的である。視覚的なデータダッシュボードを通じて、市民がデータを直感的に理解しやすくすることに加え、専用アプリを通じてデータの見える化を行う方法や、解釈や活用法を提供することで、市民がデータを意識的に扱う能力を高めることができる。

最後に、市民参加の重要性も強調しておきたい。市民が都市計画や政策決定に積極的に関与することで、データを通じて自身の声を届け、より適切な意思決定を促進することができる。そのためには行政が提供する都市開発やまちづくりに関する最新情報の提示の仕方にも工夫が必要であり、住民のリテラシーが高まることで、双方向の住民参加のツールを活用することも可能となってくる。

総括すると、スマートシティの成功には市民や住民のデータリテラシーの涵養が欠かせない。教育、意識啓発、視覚的なコミュニケーション、市民参加の推進など、幅広いアプローチを組み合わせて、市民がデータを有効に活用し、より良い未来を築くための基盤を築くことが重要である。市民のデータリテラシーが、スマートシティの持続可能な発展において極めて重要な要素であり、社会受容とも関連して、成否を握ると言っても過言ではない。専門家の人財育成に加えて、自治体による市民や住民のリテラシーを高めるための地道な取り組みも重要であることを強調しておきたい。

9.5 組織体制づくり

公・民・学連携のコンソーシアム

人財育成は、組織体制づくりと合わせて考える必要がある。組織体制づくりは、民間企業だけでなく、地域のスマートシティ事業の立ち上げや工程管理を担う地方自治体や、専門的な見地から長期にわたり参画できる地元大学といった地域のステークホルダーがそれぞれの役割を踏まえた上で、協働して行うことが肝要である。

図表9-4　**スマートシティの推進組織体制のモデル**

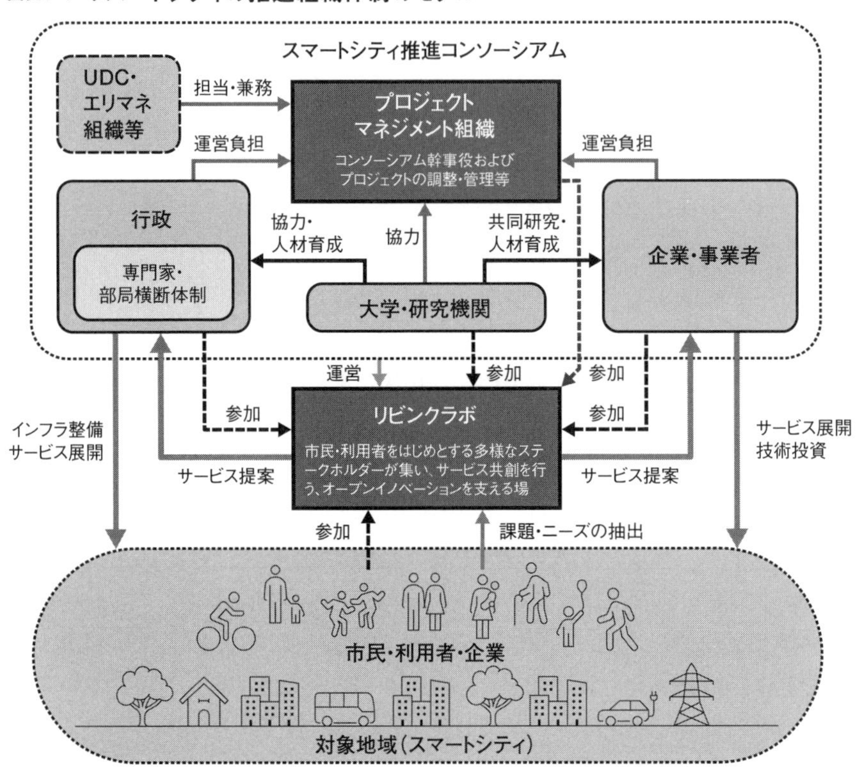

また、地域の特性に合わせて、自治体「公」、企業・事業者や住民等の「民」、大学等の「学」の役割を明確にした推進体制づくりと仕組みづくりをめざすべきである。地域の「公・民・学」それぞれによるコンソーシアムの協働には、「プロジェクトマネジメント組織」が必要であり、地域住民の参加には「リビングラボ」の機能がカギを握ることとなる。図表9-4は、日立東大ラボがスマートシティの組織体制の一つのモデルとして提案したものである。柏の葉スマートシティなどを参考としている。

プロジェクトマネジメント組織

図中の「プロジェクトマネジメント組織」は、コンソーシアムの幹事役やプロジェクトの調整・管理機能を担う。スマートシティでは関連する様々な分野（データ、医療、エネルギー、都市計画……）を横断した調整が不可欠であり、幹事役はその任を担う。そのため、柏の葉アーバンデザインセンター（UDCK）やエリアマネジメント組織など、特定の地域を拠点として複合的なテーマを取り扱う既存組織がこの任に向いている。もし存在しない場合は、新たに立ち上げることも検討の価値がある。なお、行政内部でのプロジェクトマネジメントも必要になるであろう。その場合、外部から専門家を登用し、縦割りの部局を横断して助言を得る仕組みの構築や、横断的な部署の創設なども有効である。

リビングラボ

図中の「リビングラボ」は、7章で詳説しているように、オープンイノベーションを支える場を提供するものである。即ち、企業コンソーシアムからの一方的なサービス供給ではなく、市民参加型で新しいサービスを創造する場を提供するものである。ただ、コンソーシアムから対象地域への一方的なサービス供給ではなく、地域から課題やニーズを吸い上げ、市民参加型で新しいサービスを創造していくことをめざすものであることを忘れてはならない。そのために、市民・利用者をはじめとする多様なステークホルダーが集い、サービス共創を行う、オープンイノベーションを支える場として有効な仕組みでなければならない。

繰り返しになるが、リビングラボは、市民・利用者のニーズと企業のシーズを組み合わせ、新たなサービスを構想する場である。リビングラボの運営は、行政主導型や企業主導型など様々なパターンが考えられるが、基本的にコンソーシアムのメンバーが協力して担うことが望ましい。

ただ、組織体制も一気に理想的な体制にもっていくのは一般にハードルが高いことから、人財育成と共にスマートシティの推進組織体制を段階的につくり上げていく戦略を持つことも肝要である。

参考文献

[1] 内閣府 政策統括官(経済社会システム担当)付、内閣府 科学技術・イノベーション推進事務局「スマートシティ施策のKPI設定指針について」2022年4月
https://www8.cao.go.jp/cstp/society5_0/smartcity/01_sc_sihyou.pdf(2023年1月10日最終閲覧)

[2] 内閣府では、アーキテクトを「地域課題の設定、事業計画の作成、先端的技術の活用など、スーパーシティ構想全体を企画する」者としている。この定義はスーパーシティの区域指定に関する公募要領に掲載されたものであり、アーキテクトが存在していることが指定基準のひとつとなっている。また、「構想の企画段階から実現段階へと取組ステージが変わるに当たり、『アーキテクト』の交代もあり得る」という但し書きが入っており、アーキテクトが必ずしも固定的な存在として想定されていないことがわかる。
出典:内閣府地方創生推進事務局「スーパーシティ型国家戦略特別区域の指定に関する公募要領」2020年12月25日(2021年2月19日改正)
https://www.chisou.go.jp/tiiki/kokusentoc/supercity/koubo/youryou01.pdf (2023年1月11日 最終閲覧)

[3] 出典は[2]に同じ。

[4] 内閣府「スマートシティ リファレンスアーキテクチャ ホワイトペーパー」戦略的イノベーション創造プログラム(SIP)第2期 ビッグデータ・AIを活用したサイバー空間基盤技術におけるアーキテクチャ構築及び実証研究事業2023.08.Ver.2.0
https://www8.cao.go.jp/cstp/stmain/20230810smartcity.html(2023年8月18日最終閲覧)

[5] 本稿との関連の深い人財育成プログラムの実例としては、東京大学大学院新領域創成科学研究科の運営する「東京大学大学院新領域創成科学研究科スマートシティスクール」がある。ここではアナリシス-シンセシス・アプローチを採用しており、多様な講師陣による講義、ラウンドテーブル討論、現地視察・技術体験、演習からなるプログラムを実施している。2022年度4月より開始。春季コースと秋季コースの年2回開講。東京大学の出口敦教授がスクール長を務める(HP: https://smartcity-school.k.u-tokyo.ac.jp)。また、一般社団法人スマートシティ・インスティテュートでは、アーキテクト育成に向けた検討を開始しており、その様子が無料で閲覧できる。このほか、膨大な動画教材が無料で提供されている。(HP: https://www.sci-japan.or.jp)

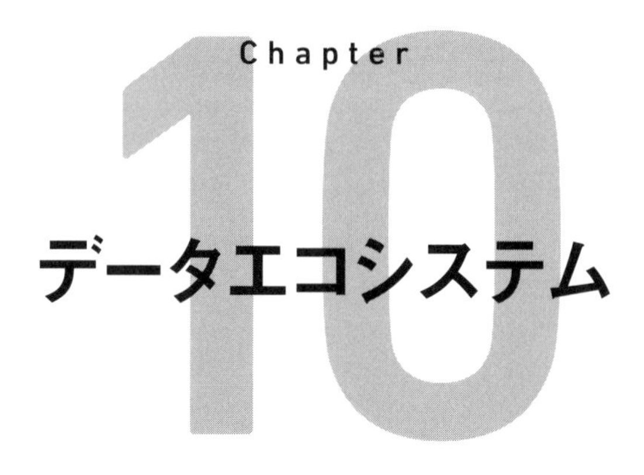

データエコシステム

10.1 地域の新しい資源としてのデータ

Society 5.0は、データ駆動型社会であるともいわれている。そこでは社会活動のより多くの場面で、データに基づいた意思決定や設備の操作を行う。スマートシティにおいても、データに絡む関係者の合意や許可の下で、まちづくりや交通、エネルギーのような多くの分野でデータが生成・活用されて、高い満足度、付加価値、迅速なサービス、あるいは無駄なコストの削減などが実現できる。

これらサービス等を通して集められるデータが継続的に活用されることで、地域に新しいビジネスを生み出すことにもつながり、スマートシティを持続的に運営していくための貴重な資源ともなり得る。それゆえに、組織や分野をまたがってのデータの活用や、民間企業の積極的な参加は、スマートシティの持続性にとって極めて重要である。

データの横断的活用が広く普及すると、データを主なメディアとしたデータによる経済圏―データエコシステム―が形成される。これはデータ提供者とデータ利用者から構成され、特にデータ利用者は交通やヘルスケアなど住民向けサービス提供者のケースがあり、データのやりとりの結果、データ利用者であるサービス事業者はよりよいサービスの提供や、従来業務へのコスト削減を実現できる。こうしたエコシステムを機能させるための社会の基盤的な機能やサービスがデータインフラである。データインフラには、データ転送のためのネットワークや、データのストレージ、売買の場としてのデータマーケットプレースなどが含まれる。本章では、データインフラとデータエコシステムについて詳しく説明し、スマートシティでとり得る活性化施策について考えていく。

なお、データの利用に関しては、単に価値を生む方法を考えるだけでなく、個人情報の保護をはじめとした倫理的な配慮や施策も重要である。この側面については関連するもう一つのキーファクターであるデータガバナンスとして第6章で議論している。

10.2 データエコシステムとは

データエコシステムとは、会社や団体などが相互にデータをやりとりしながら、価値あるサービスを提供し、またその価値を消費するような社会のつながりである。その中身や仕組みを理解するために、やりとりされるデータとその利用について整理する。

まず、価値の源泉であるデータの種類について紹介する。さまざまなデータが存在するがまずは、やりとりされるデータには組織が業務の目的で扱うインダストリアルデータや、個人に関わるパーソナルデータがある。インダストリアルデータであって、かつパーソナルデータとなるものも存在する。これらを以下に説明する。

インダストリアルデータ：事業者を含めたある組織がその業務や活動の中で生成するデータ。社会インフラのサービスを提供する電力、水道、交通、通信のような事業者は、それぞれのもつ設備やその稼働に関するデータや、サービス利用に関わるデータなどを生成し、保有している。またそれらに加え、自治体がまとめる地域の地形や気候、人や経済、社会に関する統計情報などもこれとして考えることができる。

パーソナルデータと情報銀行：データの中には個人や世帯のような生活者に関するデータ（パーソナルデータ）も存在する。パーソナルデータの扱いで問題となるのは、個人のプライバシーと利益を担保した上でのデータの収集と利活用である。例えば、個々人の物理的な活動をセンサーでデータ化したバイタルデータのようなデータは、ヘルスケアをはじめ商業的に価値あるデータである。しかしその一方で、製薬企業のようなデータを利用したい事業者が単独でこれらを集めることは大変である。多人数を対象に個人のデータを収集すること自体も大変だが、プライバシー保護の配慮、権利の管理など利用にあたっての注意、必要な配慮、処理も多い。そこでそうした業務を全部あるいは一部請け負う銀行のような機関が考えられていて、これらは情報銀行と呼ばれている[1]。人や組織から預かった上で、そのデータを利用させることで利益を預けた者へ還元するような仕組みもある。

ではこれらデータをスマートシティとして新たな価値を生むべく利用するとは一体どういうことであろうか。それはこれらデータの活用を、もともとの組織や個人に留めないことである。他の組織や当初の目的以外でも、関係者の合意を取りつつその活用範囲を広げていくことである。携帯電話会社から販売されているような携帯電話の位置情報から得られる統計的人流情報などを使って、スーパーや飲食店が出店計画を進めることなどは一つの例である。

では、こうしたデータの利活用が進むことが、どのようにして地域や社会への発展につながってゆくかを考えていく。

図表10-1は公共施設でのAIカメラに関するエコシステム発展のシナリオ例である。例えばある地域で、生活者を含めた関係者の了解のもと、治安対策として地域内に複数の見守りカメラを設置したいとする。これは犯罪抑止のほか、カメラが検出するうずくまりのような異常行動などを検知し警備関係者に連絡するなどによる、安心・安全サービスの提供と考えることができる。このデータをさらに活用することはできないだろうか。撮像画像を分析することによって通行人の移動の方向の概算をデータ化することができるだろう。継続的に測定すれば、曜日や時刻、天気に応じた人の流れのパターンを考えることができ、周辺の飲食店ほか小売業者へのマーケティング情報として有効な情報である[2]。予測される人出を示すことで、余分な食材の調達を避けたり、これまでは予測できなかった需要の増加に対応することで売上

図表10-1　データの利活用の広がりの例（AIカメラの場合）

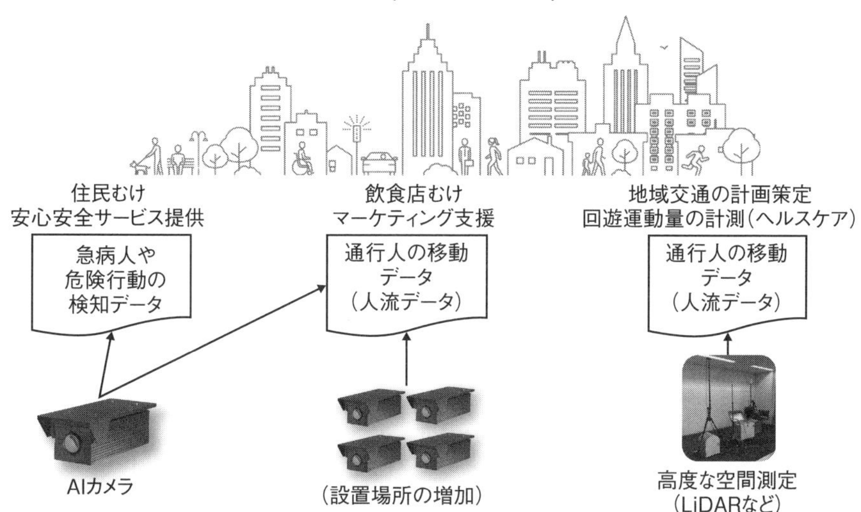

を上げることができるだろう。さらに高度な測定技術であるレーザーを使った空間の物体検知や測距技術（LiDAR）を併用することで、区域における歩行位置の詳細や、立ち止まりなどの滞留を観察できるようになり、効果的な宣伝や、イベントの企画のための基礎資料としても利用が期待される。まちのイベント企画、ベンチなど人が滞留するための施設の設計により、快適で安全なまちで自分の時間を使うことを好む人々が集まってくる。

物理的な物と違いデータには複製のコストがほとんどかからないため、こうした一つのデータで二度以上の価値が生まれるような価値生成を繰り返すことができる。そのようにデータの利用を地域全体で活性化させるのがデータインフラである。このデータインフラには様々な機能や施策が考えられるが、データインフラのフルセットを一足飛びに実現することが必ずしも活性化につながるわけではない。小さなエコシステムから利活用を始めて、データインフラを徐々に整備しつつ、エコシステムをそれに応じて大きくしていく必要がある。その施策を以降で議論する。

10.3 データ利活用を支えるデータのための社会基盤―データインフラ

前節で紹介したデータ利活用を支えるのがデータインフラである。インフラといえば社会活動を基盤として支えるサービスを提供するものであり、電力、ガス、水道、公共交通などが考えられるだろう。データインフラと言ったときに、この言葉は抽象的でイメージし難い。そこで、この理解を促進する目的で、電力インフラとデータインフラとを図表10-2に示すように対比しながら説明していく。

電力インフラと言ったとき何を想像するだろうか。発電所でできた電力を長距離の送電線で送った後、変電所で電圧を下げて、さらに街中でみかける電線を伝い、電力の需要家である住宅などに供給されるまでの一連の設備が

図表10-2　電力インフラとデータインフラの仕組み（概要）

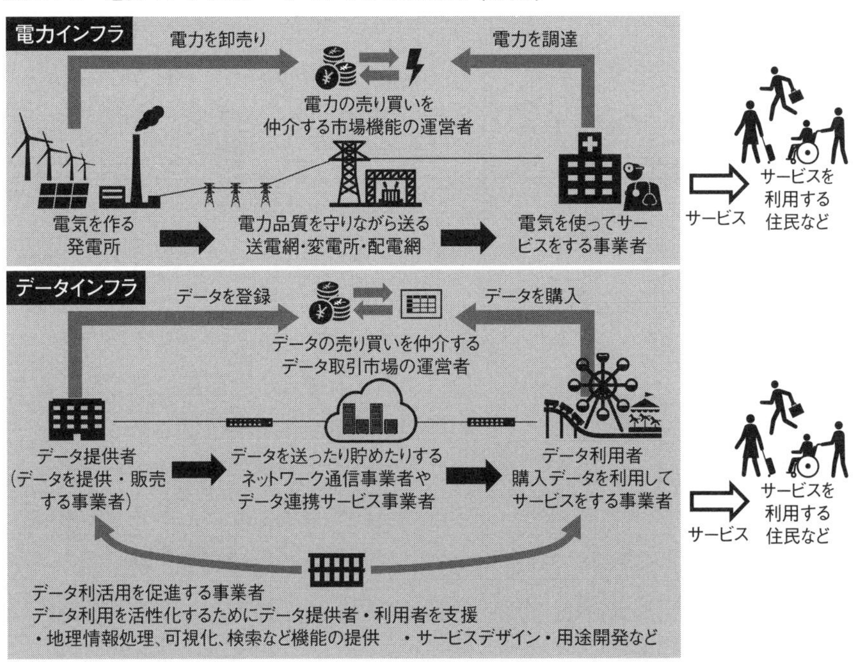

あるだろう。データインフラを理解するためには、さらにこれの裏側である契約の側面でのインフラの機能を理解したい。そこには、電力の売り買いを仲介しながら発電量と消費量とを調整する市場機能がある。電力小売事業者という会社が、自社の契約している多数の電力需要家が消費するであろうトータルの電力量を予測し、それに見合う発電量の買い付けを行っている。その買い付けを受けるのは、発電事業者である。市場機能を介して発電量の計画を決める。また、電力インフラは、電力品質、つまり電圧や周波数、波形などを保証する役割のほか、安全に電力を使うための様々なルールやブレーカーのような安全機能も備わっている。

データの利活用を支えるインフラについても、電力の場合と同様に、データ提供者からデータ利用者へとデータが流れる仕組みがあり、データを運ぶためのネットワーク通信事業者や、データセンターなどがある。電力取引市場のようなデータの提供者と利用者とが相対で取引する場も存在し、データ取引市場またはデータマーケットプレースと呼ばれている。さらには、電力インフラが電力の品質を扱うように、データインフラでもデータ利用者が価値を引き出しやすいようにいろいろな支援策を実施している。例えば、データ処理を行う事業者なら、データからナレッジを引き出す処理を代行したり、それらを可視化したりなどの技術的支援を提供する。データを安全に使うという観点でも、個人情報の保護などのデータの適切な利用を管理、統制する機能もスマートシティの運営の一部として実施されているものもある。

電力インフラになぞらえて、データインフラを構成するプレーヤーをまとめると次のようになる。

- データ提供者：ニーズに即したデータを提供・販売する。
- ネットワーク通信事業者：センサーからデータ連携基盤まで、そしてデータ連携基盤からデータ利用先まで、無線、有線、あるいは移動体など様々なチャンネルの通信サービスを提供する。さらには、データの蓄積・参照のサービスを提供するデータ連携サービス事業者もある。
- データ取引市場の運営者：データの提供者と利用者のマッチングを行い、また同時に価格付けなどの機能も持つ場合がある。ニーズボードなどによる新しい需要供給のマッチングの組成の支援も行う。この運営者がデータ連携サービス事業を兼ねる場合もある。

データの利活用の現状は、データの活用機会や方法を探している段階にある。その点では、データ提供者とデータ利用者とのマッチングが肝である。しかし、電力は家電量販店に行けばいろいろな電力の使い方を選べるのに対し、データの使い方は現段階ではまだまだ未熟であり、ここを整備する必要がある。

そのための施策には多くのものがあり、その一部を施策を担う主体者とともに簡単に紹介する。

- データ利用プラットフォーム事業者：地理情報処理、可視化、検索など共通機能を提供する。
- サービスデザイン・用途開発を行うコンサルタント等事業者：データ活用の機会を広め、サービス事業者が活用するシステム・サービスを企画する。
- データ分析事業者：データ利用に必要な分析を行う事業者。
- 情報銀行：扱いに注意が必要な個人情報の利用を支援する。利用目的などの同意の管理を行いながら、個人に関する情報を預かり、データ利用者へ許された範囲で提供したり管理したりする。
- データインフラを地域で運営する場合、その運営者であるエリアマネジメント機関：データ利活用の促進施策を企画、運営したり、データの適切な利用を管理、統制するデータ倫理審査会などを運営する。

データインフラが発展期にある現時点では、データインフラと言った場合、データ取引市場のようなデータ提供者と利用者とをつなげる技術的な基盤やサービスを意味することが多い。本章では広義に扱い、データ提供者、ネットワークやデータセンター、データ利用プラットフォーム機能、サービスデザイン・用途開発機能、データ分析機能、情報銀行、監査・統制機能なども含めて議論する。

これらのデータインフラを一度に配備することはできないので、中心的役割を準備し、利活用を増やしながら機能を拡充していく。では中心的役割には何が必要か。これを次節で説明する。その前に、これらデータインフラと都市OSの関係について、次のコラムで整理する。

データインフラと都市OSとの関係

ここで議論したデータインフラは、都市OS[3]とどのような関係にあるのだろうか。これを図表10-3の例を使って整理する。都市OSの主要な機能にデータマネジメントやデータ連携機能としての外部データ連携がある。これらは先に説明したデータインフラのデータ連携サービスに相当し、データインフラの基本的な機能と言える。これがあれば、技術的には組織間のデータ連携が可能になる。都市OSにはこれら以外に、サービス連携や認証、サービスマネジメントなどの機能があるため、都市OSの一部の機能がデータインフラの一部を構成すると理解できる。

図表10-3 データインフラと都市OSの関係

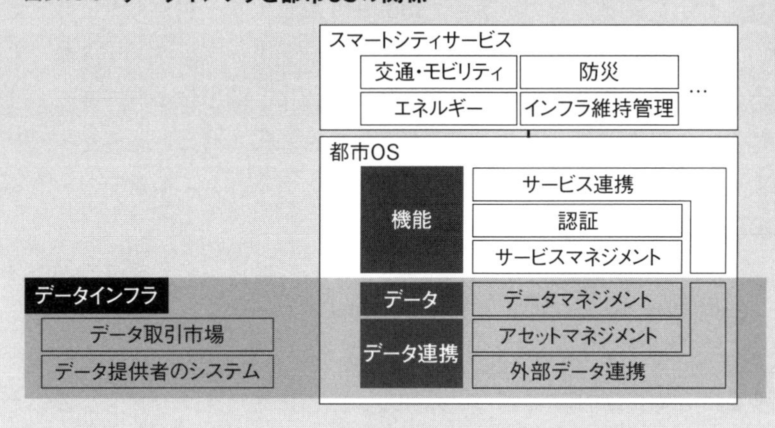

一方で、前述したデータ取引市場のようなデータの提供者・利用者間のマッチングや価格付け、あるいは利用者の「使いたいデータ」をリスト化したニーズボードのような新しい連携を促進するような機能群は、一般には都市OSのデータ連携基盤には含まれないことが多い。また本章ではデータ提供者側のシステムもデータインフラの一部として扱っており、これも都市OSと連携する外部のシステムである。

第4節以降で紹介するようなデータインフラの機能、あるいはそのエコシステムを活性化する機能は、都市OSとは別に実現し、運用する必要があると考えるとよい。ただし、都市OSをサービス基盤としてとらえたとき、これらデータ利活用促進機能群が都市OS上のサービスとして実現することも可能である。

10.4 データ流通のための機能群と利活用の活性化施策

われわれが普段暮らしている中ではあまり感じたり、見かけたりすることはないかもしれないが、データ利活用のプラットフォームサービスはこれまで国内外を含め、多くのプロジェクトにて実証化、商用化されてきた。その多くはデータ提供とデータ利用、それぞれを活性化させる仕組みを併せて提供してきた。これらには検索のような情報システムとしての機能もあれば、関係機関を集めたコミュニティ的な活動もある。

日立東大ラボ ハビタット・イノベーションプロジェクトでは、国内外のデータ活用事例の公開情報から、データ利活用の活性化施策となりうるものを調査した。この結果、図表10-4に示すような20種類以上の活性化施策を抽出することができた。これらを分類し、主にステークホルダーへの働きかけなどコミュニティ的な活動を「人的活性化施策」、そしてITシステムやサ

図表10-4 **データ利活用施策の整理**

分類	アプローチ	施策の内容	事例
人的活性化施策	社会へのメッセージ発信	データ所有者のデータ公開宣言	[4]
		市民の権利と恩恵の明文化	[4]
	人財の配置	オープンデータを整備する人財の配置	[4]
		地域外企業への参加インセンティブの設計	[5]
	人財の育成	開発者育成プログラム	[5]
		データ提供・利用者の動機付けイベント	[6]
	コミュニティの形成	利用者中心の機能拡張	[6]
		具体データを使った共創の場・コミュニティ作り	[7] [8]
	社会課題へのアドレス	市民参加型プログラムの運営	[4]
		ボランティアによる課題解決支援	[9]
		ユースケース探索	[6] [10]
機能的活性化施策	価値ある複合データの提供	テイラーメイドデータのデータカタログ登録	[11]
		生活者データを匿名化したサンプルデータの提供	[12]
	データ提供者	個人情報保護のような施策や配慮を必要とする個人からのデータ提供を促進するためのフレームワーク	[13]
		データ提供インセンティブ（報酬，ポイント等）	[13]
		効果的な値付け支援（他の取引値の参照）	[6]
	メンバー間のつながりの強化	地域課題によるデータの整理	[9]
		データカタログ利用者の登録やマッチング	[5]
	データ連携強化	データに関する付加情報（メタデータ）のデータ利用者による改善	[11]
		複数データのかけ合わせによる高度な情報の獲得のヒント提供	[14]
インターフェース活性化施策	データ閲覧・発見	カタログ化・検索	[4] [6]
		地図上へのプロット	[4] [6]
		サンプルデータの提供	[13]
		データのアピールポイントの要約情報（データジャケット）の提供	[14]
	データ分析	アプリケーション間連携のサポート	[4]
	データ売買	データ売買プロセスの簡略化	[15]

ービスの施策として実現されるものを、「機能的活性化施策」、「インターフェース活性化施策」としてまとめた。これらを順に簡単に説明する。

「人的活性化施策」は、データエコシステムを立ち上げる初期段階で特に重要となってくる施策群である。この段階では、まだ少ないデータ提供者や利用者の中から、いかにデータの活用事例を考案し実現するかがポイントである。その意味で、「データ提供・利用者の動機付けイベント」「具体データを使った共創の場・コミュニティ作り」「市民参加型プログラムの運営」「ボランティアによる課題解決支援」などがデータ活用事例の発案を促す施策群であると言える。さらにはこれらを補強する施策として、利用範囲の広いデータをオープンデータとして整備する「人財の配置」や、「地域外企業への参加インセンティブの設計」といった活動も前述の施策群を強化する取り組みとして効果を期待できる。

さらには、「データ所有者のデータ公開宣言」や、「市民の権利と恩恵の明文化」などにより、データ利活用の広がりや参画者の地域社会への貢献を広く認知させ、すそ野の広い活動へと深化してゆくことが期待される施策なども考えられる。

次に「機能的活性化施策」を見ていく。上記の人的活性化施策に加えて、ITシステムの機能としての取り組みとしてどのようなものが考えられるだろうか。システムによる施策としては、活用アイデアの発案を支援することよりも、発案したあとにそのアイデアを実現する具体的な手段をサンプルデータを使って示したり、利用が普及したとき多くのデータの中から検索機能により適切なデータを探すなどの機能の活用が多く考えられる。

例えば、「生活者データを匿名化したサンプルデータの提供」によるユースケースの開発促進では、データフォーマットやデータの頻度や密度などから、データを受ける前からある程度どのような分析や可視化が可能かを評価することができるため、とても有効な施策である。また、エコシステムがある程度大きくなった場合に、効果的に利用事例を作るためには、「地域課題によるデータの整理」「データカタログ利用者の登録やマッチング」「データに関する付加情報（メタデータ）のデータ利用者による改善」「複数データのかけ合わせによる高度な情報の獲得のヒント提供」などが有用だと考えられる。

さらには利活用が広まった上で、すそ野をより広げる施策として、「個人情報保護のような施策や配慮を必要とする個人からのデータ提供を促進するためのフレームワーク」や、「データ提供インセンティブ（報酬、ポイント等）」「効果的な値付け支援」は、多くのユーザーに求められる機能であると考えられる。

最後に「インターフェース活性化施策」としては、特にデータの種類や量が多くなった場合でも効果的にデータを利活用できるようにするための機能群がある。利用可能な全データについての「カタログ化・検索」の機能、「地図上へのプロット」機能、「サンプルデータの提供」「データのアピールポイントの要約情報（データジャケット）の提供」をするアイデアが見られた。

エコシステムを活性化させるためのこれらの人的、機能的、インターフェース的な各種の施策を一度に実施することは効率的でも効果的でもない。エコシステムの発展の度合いに応じて、適切な施策を順に実施していくことになる。エコシステム立ち上げ期には、データ活用事例を1個ずつ確実に実証し、社会実装につなげていくことが重要である。そのためには人的活性化施策によるデータ活用事例を生み出す施策を立ち上げることが優先的に取り組むべきことである。その先に、データ提供者やデータ利用者のすそ野を広げること、広がった利用可能なデータの使い勝手の向上、そして利用に係る手続き的なサポートなどへと続けることが理想的である。

10.5 データ提供者・利用者のニーズ・阻害要因の整理

前節では、一般的な地域社会を想定してデータエコシステム活性化の施策を議論した。実際の地域におけるデータ利活用では、どのような悩みや活性化を阻害する要因があるだろうか。日立東大ラボ ハビタット・イノベーションプロジェクトではデータ利活用に関する利用動機、データ利用目的、阻害要因を調べる目的で、「柏の葉スマートシティコンソーシアム」に協力いただき調査を実施した。本節ではこの結果について解説する。

本調査では、2022年において、「柏の葉スマートシティコンソーシアム」や関係組織を対象にウェブによるアンケートを実施し、25件の回答を得た。

地域内の事業者はデータ提供者、あるいはデータ利用者それぞれの立場で何を期待しているか。まず動機の観点から調査を進めた。調査協力者のほとんどが事業者であり、ビジネスチャンスやデータの収益化を期待しがちかと思われたが、回答としては予想とかなり異なる結果となった。まちの繁栄や生活者の課題解決など、地域へ貢献することがスマートシティデータ利活用の最も大きな動機であり、他組織とのコラボレーション、イノベーションに関する動機も次に高い。一方、データの収益化やビジネスチャンスの拡大など自社の利益に直結する動機は、比較的小さい結果となった（**図表10-5**）。

続いてその動機の強さをより詳細にみるため、データ活用への興味をスケールで回答していただいた。その際、次の二つの関連する質問を尋ねている。一つはスマートシティに集積されるデータを活用することへの（どこのスマートシティという特定を抜きにした）一般的な興味である。利活用全般への

図表10-5　スマートシティのデータを提供・利活用する主な動機についての回答の分布（複数選択可, N=25）

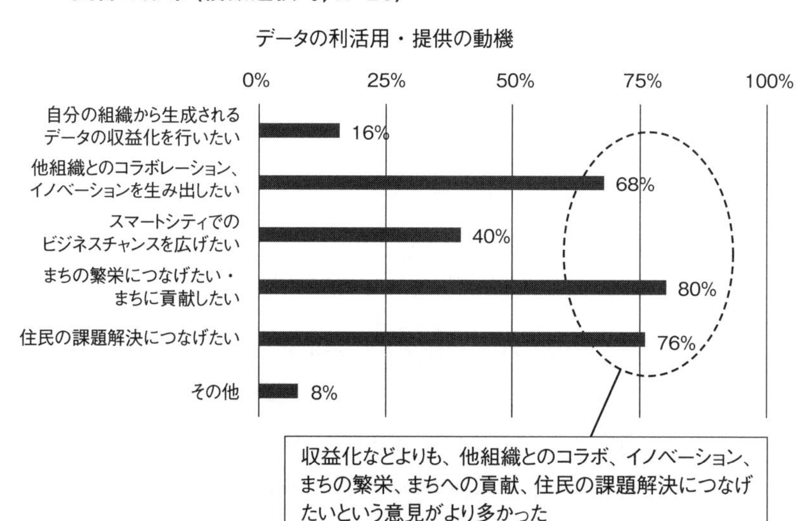

図表10-6　データを活用することへの興味の変化（スマートシティ一般としての回答（上）と、個別プロジェクトとしての回答（下）の比較）

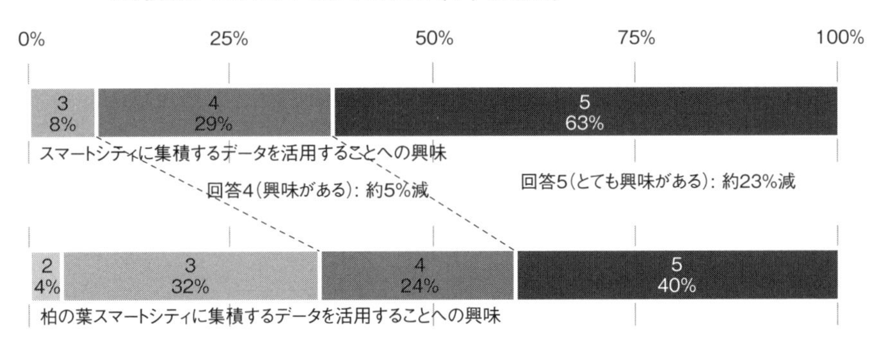

データ利用に対して興味は概ね高いと評価できるだろう。その上で、「柏の葉スマートシティ」で利用できるデータの一部のリストの例を示し、「『柏の葉スマートシティ』に集積するデータを活用すること」を尋ねると、さきほどの結果よりも、興味がやや弱まる傾向にあった（**図表10-6**）。データ利活用への一般的な興味がありながらも、具体的な地域のデータ項目をみたときに、具体的なデータ利活用の発想やその実現性に課題があると考えた。

次に、データ利用側へ、利活用を阻害する課題について質問した。その結果を図表10-7に示す。これによると「活用のアイデアが思い浮かばない」の回答が多かった。さらに僅差で「利用許諾・個人情報保護の適切性への心配」「利活用結果やプロセスに対する倫理的問題・炎上リスクへの心配」も同様に高い回答結果となった。さらには「コストが見合わない」という声も小さくなかった。

課題と感じるステークホルダーが多かった「プロセス・倫理に関するもの」については、利用許諾や個人情報保護への対応、倫理的問題や炎上リスク、の2点として課題の具体化を見ることができた。これは別のキーファクターである社会的な受容やデータガバナンスの重要性にも強く関係する結果である。

最後にデータ提供側への質問として、データ提供を阻害する課題について

図表10-7 データ利用時の課題についての回答の分布

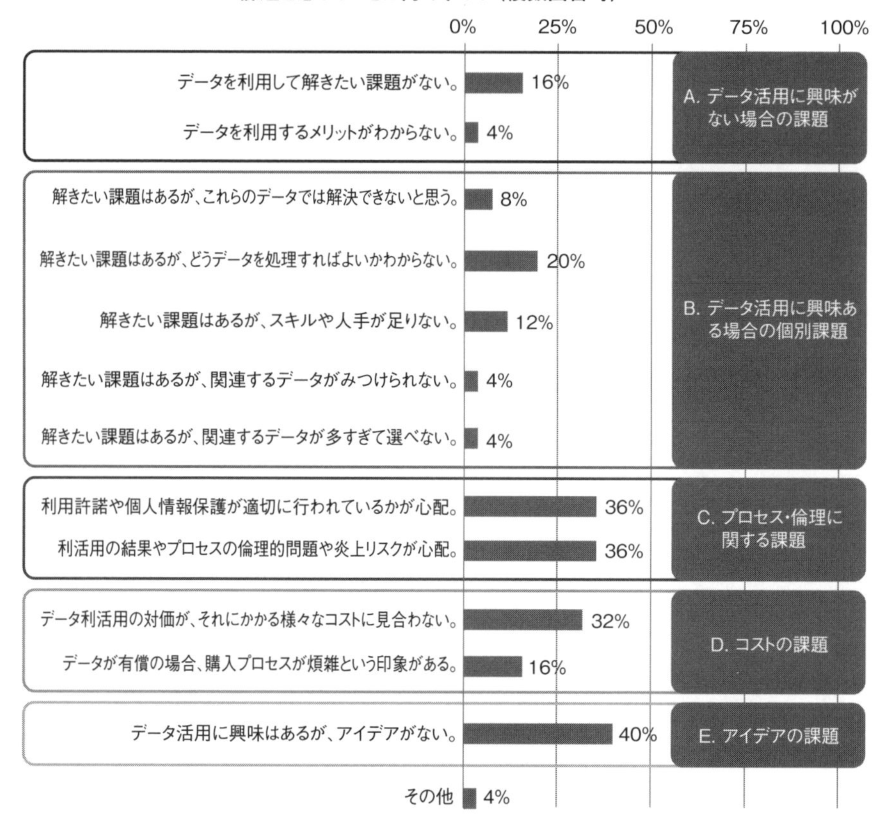

の回答結果を図表10-8に示す。最も課題として多く選ばれたのが「利用許諾・個人情報保護を適切に行えるかを不安視する声」であった。こうした課題へのサポートを行うことで、本来地域にあるデータやその提供動機を活かすことができるかもしれない。

また同じように重要な課題として、「そもそもどのようなデータを提供すればよいかがわからない」という声も二番目に大きい意見となった。

これらの調査結果より、データ利活用を活性化するための二つの支援策をまとめた。

図表10-8 データ利用時の課題についての回答の分布

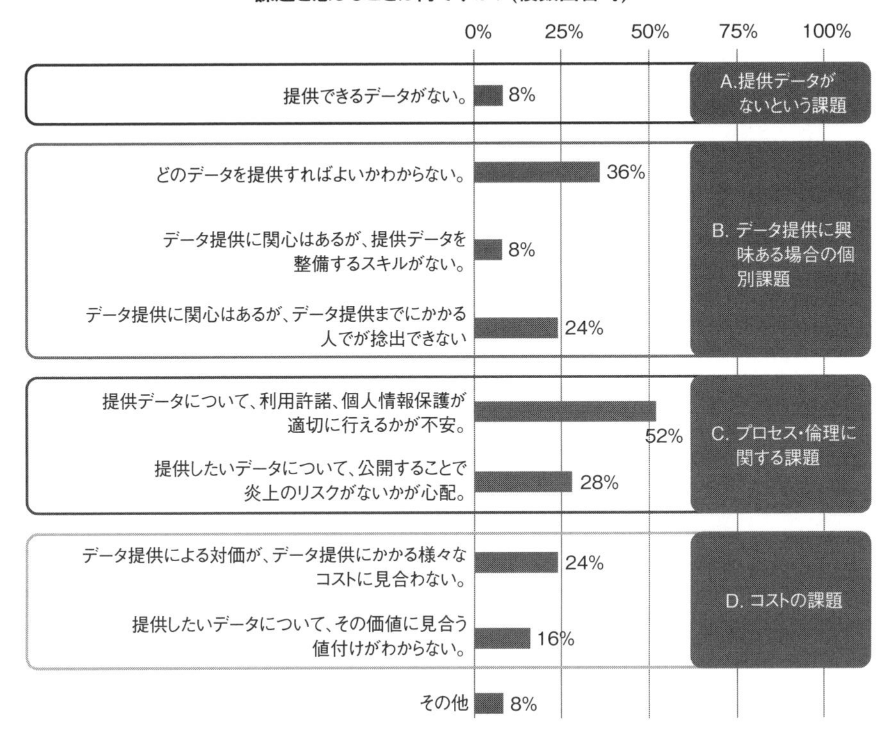

支援策①「地域課題を解決するデータ利活用の発案支援」

この支援策の狙いは「地域課題とデータ活用アイデアを結びつけること」である。まちの繁栄や生活者の課題解決など、地域へ貢献するデータ利活用を行いたい組織が7~8割を占める一方で、データ活用における課題のトップは、「データ活用のアイデアが思い浮かばない」となっていた。そこで、生活者視点の課題を具体的に示しながらその解決を探ることと、各データの特徴をとらえた活用例を示すショーケース等の施策とを紐づけながら、新しいデータ利活用を考案するというアプローチの支援が考えられる。一緒に活用アイデアやデータを考えてもらえるコンサルテーション的な支援やリビングラボ（本書第7章にて詳説）等も有効と考える。

支援策②「データを使いたい・利用する側からの支援」

この支援策の狙いは「データ利活用の事例作りのため（データ提供したい側よりも）データを活用したい側へ支援すること」である。データ提供側の課題の2位に「どのようなデータを提供すればよいかわからない」が挙がっていた。またデータ提供よりもデータ活用に興味がある組織の方が多い傾向にある。そこで、データを活用したい側から、「○○の課題を解決するために○○なデータを必要としている」ことを発信していくことで、データ所有者に自分達の持つデータの価値を伝え、提供することを前向きに検討してもらえる土壌が構築できるのではないかと考える。

また、キーファクター「データガバナンス」に関連する支援策案として、「利用許諾・個人情報保護が適切かどうかを気軽に確認できる体制づくり」も有効であると考えられる。プロセスや倫理に関する心配事が、データ活用側とデータ提供側どちらも高い。そこで、データ活用したい人と提供したい人向けに気軽に相談できる窓口を設け、専門家に心配事を相談できる環境を用意する。または、よくある質問についてQ&A集を用意するなどして、参入のハードルを下げる検討などが実施案として考えられるだろう。これらに関連するキーファクターとして、社会的な受容（第5章）と、データガバナンス（第6章）もあるのでそこでの議論も参照いただきたい。

「柏の葉スマートシティ」プロジェクトでは、AIカメラを使い、カメラ内で画像解析を行いながら、エリア内の複数の地点に対して人流を計測している[16]。日立東大ラボ ハビタット・イノベーションプロジェクトでは、この人流データの利活用を活性化する施策の試みとして、①リビングラボでの生活者とのサービスの共創活動、②可視化ツールの利用、を行いながら、ツールのプロトタイピングや活性化施策のトライアルを行っている。

リビングラボでの生活者とのサービスの共創活動では「あったらいいな」、「AIカメラから取れたらいいな」というアイデアが得られた。そうしたデータはワークショップ時点で存在しないため、具体的なサービスの議論へ進みにくい。そこで、アイデアとしてあった「犬を連れた散歩に関するデータ」などのサンプルデータを準備し、これもツールで可視化できるようにした。これは活性化施策の一つである「サンプルデータの提供」にあたる。データ利活用のアイデア創生における「サンプルデータの提供」の重要性を認識し、それに加えて、サンプルデータを効率的に生成するツールの必要性についても学ぶことができた。

10.6 継続的な価値創出にむけて

この章をまとめるにあたり、冒頭で説明したAIカメラの例についてその先の話を続けたい。見守りに端を発した住民AIカメラの活用は、その増設やLiDARによるよりきめ細やかな人流の測定を可能とし、より魅力的なイベント企画、過ごしやすいまちの施設などを通じた快適で安全なまちを実現することを述べた。図表10-9には、生活者らの合意の下でデータを使ってサービス化を行い、その恩恵を生活者に還元する価値のループを描いている。そして、人流データ利活用はこれらに留まらない。混雑を予想することで交通混雑を緩和したり、快適な歩行を促す健康管理サービスへの糸口ともなり、交通分野、ヘルスケア分野での活用へとさらなる広がりも期待できる。人流データをエコシステムの芽となるデータとし、エコシステムをどう広げていったらよいかについてこの章で議論してきた。

そのためにはインフラ機能を配備するだけではなく、データの利用を促進する施策の選択とその効果的な実施が重要である。特に初期段階においては、基盤機能や分析機能を配備することよりも、活用事例を考案し、実装、検証するための施策を優先とし、効果は小さくても実施が容易で、実施結果を関係者に見て触れてもらえるところから始めることが成長への近道である。

そしてデータ活用事例の広がりの時期には、インフラ機能の活用によりデータの活用事例を量産することに注力していく。そのため、活用事例の探索は必ずしもコンソーシアムメンバーだけ、地域だけといった限定をせず、広く検討、考案しながら進めることが重要である。

改めて継続的な価値創出と言ったときに、この継続的とはどういうことで

図10-9　AIカメラから発展するデータエコシステムのビジョン

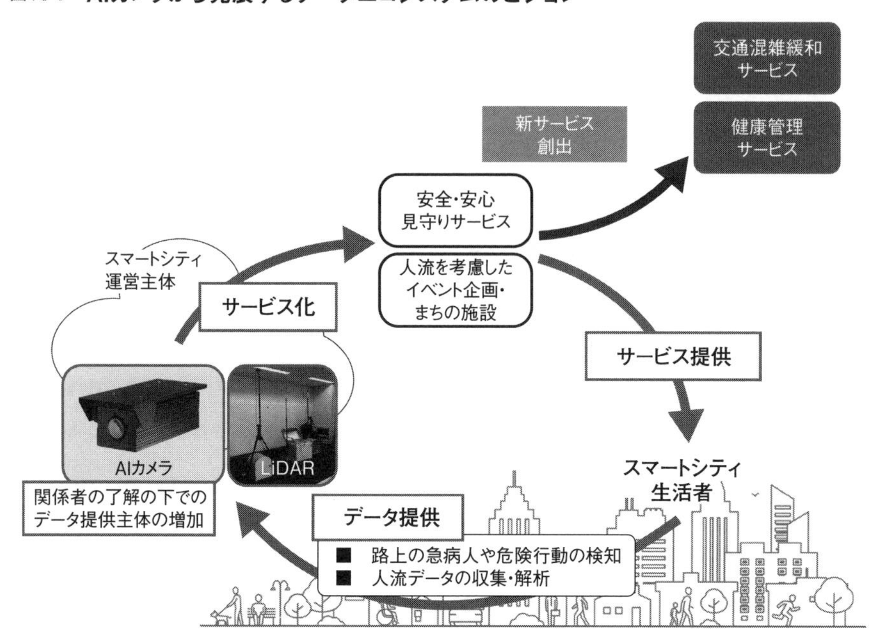

あろうか。一度よいと思ったサービスを永続的に運営することであろうか。生活者に便益があるサービスをやめずに続けることはもちろんであるが、必ずしもニーズが永続的に存在するものとは限らない。ニーズは変化するものであることを想定し、変化するニーズに合わせてサービスを適切に新陳代謝させることこそ求めるべき継続性と言える。生活者がニーズを意識しているかどうかは別にしても、サービスが価値あるものかそうでないのか、その判断の根拠となるのはデータの真の受益者である生活者の判断であり、そことの対話や協業の中から、既存サービスを評価し、サービスの見直しや、新たな施策の導入、そして必要次第でサービスの入替えをおこなっていくことが重要である。

一歩先にそのような将来を見据えつつも、まずは少ないメンバーであってもできることから「はじめの一歩」を振り出し、その良さをサービス事業者も生活者も含めて分かち合いながら、活動を少しずつ広げていくことが重要であることを繰り返しになるが唱えて結びとしたい。

10.7 キーファクターからアプリケーションへ

これまでの第2部第4章～第10章では、「社会的な受容」から「データエコシステム」までの六つのキーファクターについて、日立東大ラボによる研究成果に基づきながら論じてきたが、六つのキーファクターには大きくは二つの意味があることを改めて確認しておきたい。

一つは、Society 5.0リファレンスアーキテクチャを補完し、その工法と実現手順を示すファクターである点であり、二つ目は、人中心で持続可能なスマートシティを構築するためのファクターであるという点である。

国内外の都市でスマートシティの様々な取り組みが進み、デジタル技術やデータを活用しながら都市に変革を起こしていく渦中にわれわれがいることは既に述べた通りである（**第2章参照**）。そのような状況の中、後者に関しては、多大な予算と労力を注いでいるスマートシティの事業を一過性のものに終わらせないためのキーファクターという重要な意味を帯びていると言える。

全国各地で社会実験もしくは試行的な事業に国の補助金等が投じられ、繰り返し実施されているスマートシティの関連事業も、事業自体を継続することに注力されがちであるが、スマートシティの関連事業を組み合わせること、あるいは単体の事業を積み重ねることでいかにして持続させていくかが、全てのスマートシティに共通した宿命とも言える課題である。持続可能なスマートシティへと導いていくためにも、これら六つのキーファクターを上手く活用していただきたい。

ただ、キーファクターは実際のスマートシティの事業の進行に伴走するような類いのものであり、キーファクター自身はプロジェクトではない。では、人中心で持続可能なスマートシティのプロジェクトは、実際の地域課題に対してどのようにして実施されていくのか、Society 5.0の考え方はどのようにして地域課題に適用されるのかが課題となる。アプリケーションが参考例として求められるところである。

そこで、この後に続く第3部の第11章～第13章では、「データ駆動型都市プランニングの市民対話」「スマートエイジング」「価値創造型の都市インフラマネジメント」といった、全国各地の都市で共通するスマートシティの関連課題を取り上げ、Society 5.0の考え方にもとづき、それぞれの課題に対応したアプリケーションとはどのようなものなのかを紹介する。いずれのアプリケーションのプロジェクトも、日立東大ラボが主体的に関わって進めてきたものである。都市・地域が従来から抱える課題に対し、データを活用し、「サイバー空間とフィジカル空間（現実空間）の高度な融合」による課題解決を目指すアプリケーションのケースとして参考にして頂きたい。

参考文献

[1] 総務省地域通信振興課デジタル企業行動室「情報銀行の取組」2022年1月
https://www.soumu.go.jp/main_content/000791752.pdf (2022年12月9日最終閲覧)
[2] Municipality of Copenhagen and Capital Region of Denmark, 'City Data Exchange - Lessons Learned from a Public/private Data Collaboration', March 2018
https://cphsolutionslab.dk/media/site/1837671186-1601734920/city-data-exchange-cde-lessons-learned-from-a-public-private-data-collaboration.pdf (2022年12月9日最終閲覧)
[3] 内閣府「スマートシティ リファレンスアーキテクチャ ホワイトペーパー」戦略的イノベーション創造プログラム(SIP)第2期 ビッグデータ・AIを活用したサイバー空間基盤技術におけるアーキテクチャ構築及び実証研究事業、第7章「都市OS」2020年3月
https://www8.cao.go.jp/cstp/stmain/20230810smartcity.html(2023年8月18日最終閲覧)
[4] City of New York, 'NYC Open Data'
https://opendata.cityofnewyork.us/ (2023年1月13日最終閲覧)
[5] 広島県商工労働局「ひろしまサンドボックス」
https://hiroshima-sandbox.jp/(2023年1月13日最終閲覧)
[6] エブリセンスジャパン株式会社「企業間蓄積型データ取引市場 EverySense Pro」
https://every-sense.com/products-services/everysense_pro/ (2023年1月13日最終閲覧)
[7] 「グリッドデータバンク・ラボ」
https://www.gdb-lab.jp/ (2023年1月13日最終閲覧)
[8] アーバンデザインセンターみその「共通プラットフォームさいたま版」
https://www.misono-tm.org/udcmi/projects/61.html(2023年1月13日最終閲覧)
[9] 'Data Science for Social Good initiative'
https://www.datascienceforsocialgood.org/(2023年1月13日最終閲覧)
[10] (一財)沖縄ITイノベーション戦略センター「OKINAWA DATA PLAT FORM」
https://isc-okinawa.org/blog/odpfseminar-20210128/(2023年1月13日最終閲覧)
[11] エブリセンスジャパン株式会社、ソフトバンク株式会社、日鉄ソリューションズ株式会社「スマートシティにおけるパーソナルデータと産業データのデータ取引市場による共有基盤の実証」戦略的イノベーション創造プログラム(SIP)第2期/ビッグデータ・AIを活用したサイバー空間基盤技術/スマートシティ実証研究、2020年3月
https://www8.cao.go.jp/cstp/stmain/a-2-8_200318.pdf(2023年1月13日最終閲覧)
[12] つくば市「Hack My Tsukuba (課題解決型ワークショップ)」
https://www.city.tsukuba.lg.jp/shisei/joho/1008026/1008220/1008123.html(2023年1月13日最終閲覧)
[13] エブリセンスジャパン株式会社「IOTデータ取引市場『EverySense』」
https://every-sense.com/services/everysense/(2023年1月13日最終閲覧)
[14] 「データを活用したイノベーション創発メソッド - Innovators Marketplace on Data Jackets」
https://imdj.datajacket.org/(2023年1月13日最終閲覧)
[15] 'Data Marketplace Narrative'
https://www.narrative.io/data-marketplace(2023年1月13日最終閲覧)
[16] (一社)UDCKタウンマネジメント「AIカメラを活用した『安心・安全』な街の見守りサービス」
https://www.udcktm.or.jp/ai/index.html (2022年12月9日最終閲覧)

Society 5.0のアプリケーション
―日立東大ラボの取り組み

Chapter 11

プロジェクト1 データ駆動型都市プランニングの市民対話

11.1 コロナ禍のデータ駆動型都市プランニングの試み

データ駆動型都市プランニングにおける市民対話の意義

スマートシティの取り組みの一つとして、データ駆動型都市プランニングがある。これは、新しい都市施策を検討するプロセスにおいて、都市の様々なデータを活用し、エビデンスに基づいた判断をするという取り組みである。都市のデータとは、レーザーセンサーやAIカメラ等で取得される人や車両等の移動データや密度データ、都市インフラに取り付けられたセンサーから取得される環境データやエネルギーデータ、電子決済サービスを通じて（利用者の合意の下に）得られる購買データなど、多岐にわたる。これらを組み合わせ、都市施策案を実施した際に起こりうる変化をシミュレーションによって予測することで、一定の根拠に基づいた施策の評価・判断が可能となる。今までは、このような事前想定は社会実験を通じて行っていたが、そのための大がかりな準備・検証作業を削減したり、多様な仮定に基づいた検証が可能になるメリットが期待される。

一方、いくらデータで合理性が示されたとしても、まちづくりに関わる施策を密室で決断しトップダウンで進めては、市民の支持は得られないであろう。データをわかりやすく可視化して市民に公表し、対話の場を設けるという生活者参画のインターフェースを実装し、市民も納得した上で進めるというプロセスが社会受容性を確保する観点からも重要である。

図表11-1 データ駆動型都市プランニングの概念図([1]参照)

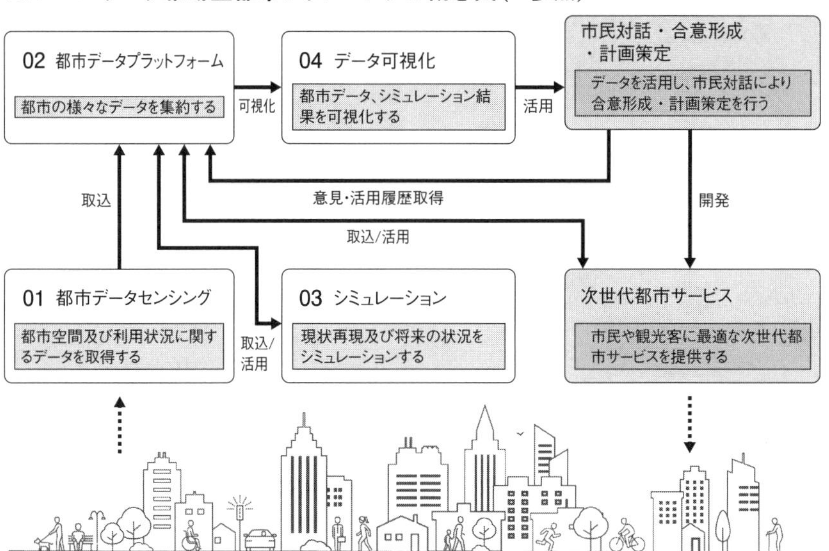

コロナ禍の市民対話に向けた二つの取り組み

愛媛県松山市では、このデータ駆動型都市プランニングに取り組んでいる。松山市と松山アーバンデザインセンター（UDCM）では、収集した都市データを用いて施策のシミュレーションを行う取り組みを進めており、われわれ日立東大ラボは、2017年度より市民との対話のためのツールや方法論の開発に関わってきた。

筆者らが参画した2020年度、そこへCOVID-19の混乱が降ってわいた。松山でのデータ収集や打ち合わせが叶わない期間が長期化した。一方、現地では、三密回避のために屋外空間の活用に期待が寄せられるものの、活用主体である商店街関係者の方々はノウハウもない中で大変なご苦労をされており、ついにはわれわれへ助けを求める声が届くに至った。

このような現場の状況を踏まえて、われわれは二つのプロジェクトを並走させることとした。一つ目は、三密回避に向けた屋外空間の活用を支援する取り組みである。屋外空間の人流データを採取し可視化し、それに基づいた議論を行うことによって屋外空間の活用促進を支援できないかと考えた。二つ目は、市民対話にオンラインツールを導入する取り組みである。急速に普及したZoomなどのオンライン会議ツールのように、オンライン＝非対面でのコミュニケーションの持つメリットを市民対話に組み込むことができないかと考えた。

これら二つのプロジェクトは、それぞれデータ駆動型都市プランニング（**図表11-1**）の「データ可視化」と「市民対話」に相当する。本来、この二つは連続するプロセスであるが、新型コロナウイルス禍により現地活動の見通しが立たない時期であったため、個別のプロジェクトとしてそれぞれ進めざるを得なかった。本章ではこれら二つの取り組みを個別に紹介するが、これらをデータ駆動型都市プランニングのサイクルに取り込み、ひとつながりのものとして回していくことが今後の課題である。

11.2 屋外公共空間のデータの可視化

屋外公共空間への注目の高まりと本取り組みの背景

COVID-19の流行以前より、暮らしやすく賑わいのある地域にするために、道路や公園などの屋外の公共空間の活用は注目されてきた。米国のニューヨーク市[2]やスペインのバルセロナ市[3]ではストリートや公園等でオープンカフェやアート・音楽イベントが行われ、屋外公共空間活用の先進事例として知られている。日本でも道路占用の許可基準が緩和されるなど、屋外空間の活用を行いやすくする条件が整いつつあった[4]。このような状況にCOVID-19の感染拡大が加わり、2020年以降は「三つの密(密閉・密集・密接)」を避けながらも経済活動やレクリエーション活動を継続できるという観点から、世界的に屋外公共空間活用が一層重視されるようになってきた。

こうした流れの中で、日立東大ラボではデータ駆動型都市プランニングのサイクルにおける「データ可視化」の具体テーマとして、屋外公共空間の活用を対象とした取り組みを開始した。具体的には、屋外公共空間での人の動きや、空間の利用のされ方などのデータを取得してわかりやすく可視化し、それらを市民や関係者に共有し、屋外公共空間を使いこなすためのヒントを見つけるという取り組みである。ここでは、2022年8~10月に愛媛県松山市の花園町通りで行った事例を紹介したい。

愛媛県松山市花園町通り及び調査の概要

調査対象地である花園町通りは愛媛県松山市の中心部に位置し、伊予鉄道・松山市駅から松山城（堀之内公園）を結ぶ、幅員約40m、延長約250mの通りである[5]。2017年にリニューアルされ、これまで副道を含む片側3車線だった車道が1車線になり歩行空間が拡幅され、芝生広場や人々が滞留できる空間が創出された。

芝生広場や常設ベンチの周辺には松山アーバンデザインセンターや沿道店舗によって可動の机やイスが置かれ、誰でも自由に利用することができるようになっている。また、2017年9月に「お城下マルシェ[6]」が初開催されたことを皮切りに、毎週土曜日には「花園町通り産直市[7]」、第四日曜日には「まつやま花園日曜市[8]」など、さまざまなイベントが地元主催で開催されている。

この花園町通りの東側の歩道（芝生広場やベンチを含む）を調査対象とし、その空間の使われ方について、次のような方法でデータを取得していった。

まず人の行動データの取得には、主にLiDARというレーザーセンサーを用いた。LiDARはレーザーの反射波を読み取って人の動きを記録するセンサーであるため、ビデオカメラ調査とは異なり、個人の顔画像や音声データは取得されずプライバシー保護の観点での課題が少ないという特徴がある。また、基本的にはレーザーの照射範囲内を通行する人は全数計測するため、GPSやWi-Fiを用いた調査に比べてより実数に近い数値を記録することができる。加えて、交通量調査員が手動式カウンターを持って通行量を測る方法とは違い、歩行者の速度や歩行軌跡などの詳細な動きを連続的に記録することができる。こうした特徴が、屋外公共空間の活用に向けたヒントを得るために適していると考えた。

次に環境条件のデータとして、熱中症計を用いて気温・湿度・熱中症指数の計測といった暑熱調査を実施した。気温等の環境条件は人の屋外での活動

図表11-2　データ取得場所（各種調査の実施場所）

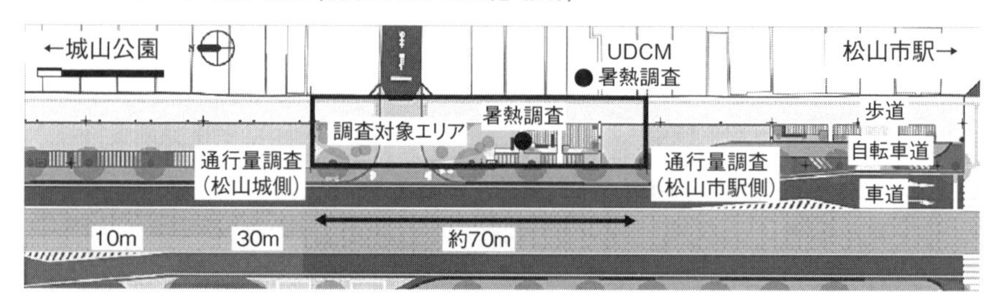

図表11-3　LiDARモバイル調査キットを設置した様子（左）、LiDARによる歩行者の計測データイメージ（右）

に大きく影響するためである。最後に、補足的に目視での滞留行動や滞留空間の利用者向けのアンケートも併せて実施した（**図表11-2、3**）。

滞留しやすい屋外公共空間の特徴

この取り組みでは、屋外空間での活動促進に向けて、花園町通りにおいて人が滞留しやすくなる環境をデータから検証した。ここで滞留行動に着目したのは、屋外公共空間が飲食や休憩などによって活用されていることを示す一つの指標になりうるからである。調査で得られたデータの分析から、人が滞留しやすい環境の特徴が見えてきた。以下ではその中から二点ほど紹介することとする。

一点目は、季節によって好まれる滞留空間が異なるという点である。調査時に３種類の滞留空間（**図表11-4**）を日替わりで変化させて滞留者（ここでは「芝生広場及び常設ベンチ設置空間内に60秒以上留まっていた歩行者」と定義し、抽出した）の人数を比較した。すると、8月はテントが設置されている日に1日の延べ滞留人数が最も多くなった一方、10月になるとテントは逆効果であり、机とイスのみ設置されている日の方が、延べ滞留人数が多くなっていた。

滞留時間の長さについても同様の傾向が見られた。8月は、真上から日がさす正午台にテントがあるケースとないケースで比較すると、テントがあるケースで延べ滞在時間が約10倍となっていた。一方、10月のお昼時は、机とイスのみが設置されている日の方が、延べ滞留時間が長くなっていた（**図表11-4、5**）。つまり、滞留時間と人数の観点からみると、夏場は当然のことながらテントがあった方がよく、秋口になるとテントはない方がよい、という傾向がみられた。

二点目は、平日とイベント時では、滞留パターン（目的・時間）が大きく異なるという点である。イベント時（日曜）は平日よりも滞留者数は圧倒的に多いが、滞留者一人当たりの平均滞留時間は平日よりも短い。キッチンカー等でテイクアウトした商品をグループで飲食し、食べ終わると入れ替わりで別のグループが着席する。つまり、短時間でよいので飲食のための場所が求められている。一方で平日は、一人の滞留者が比較的長い時間PC作業や待ち合わせ等に使っている様子が見られ、居場所としての空間が求められて

図表11-4　**3種類の滞留空間**
（左: 現状まま、中央:机・イスのみ設置、右:机・イス・テントを設置）

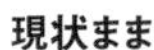
現状まま

机・イスを設置

机・イスとテントを設置

図表11-5 **2022年8、10月の平日の滞留空間別の延べ滞留人数・延べ滞留時間**

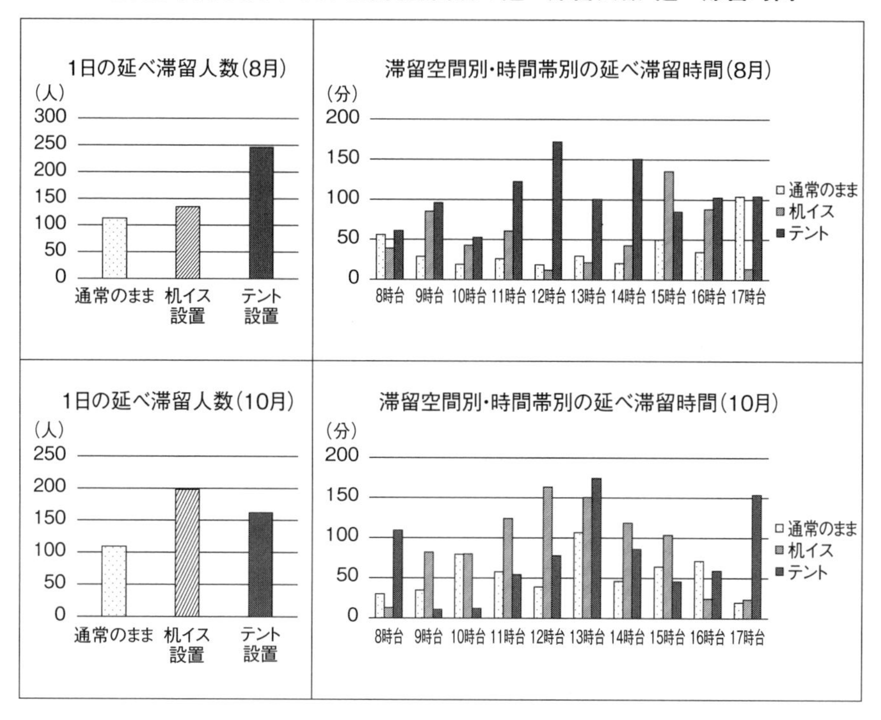

いることが窺える。

この傾向は8、9、10月で共通して見られた。ゆえに、イベント時と平日では、滞留空間のしつらえを変化させた方が利用者にとっては使いやすくなるだろう。例えば、イベント時は飲食用の簡易ベンチを増やし、平日はPC作業等のための電源を用意するなどである。

また、滞留時間の長さごとに滞留場所を地図上にプロットすると、短い滞留は全体に広がりながらも交差点付近に比較的集まっているのに対し、長い滞留は交差点から少し離れたエリアに集中しており、滞留時間タイプ別に起こりやすい場所が存在することが示されたと言える（**図表11-6**）。

データの可視化を用いた屋外公共空間に関する市民対話

次に、上記のようなデータの分析および可視化を用いて、花園町通りの関

図表11-6 9月のイベント実施時の滞留時間別の滞留発生場所

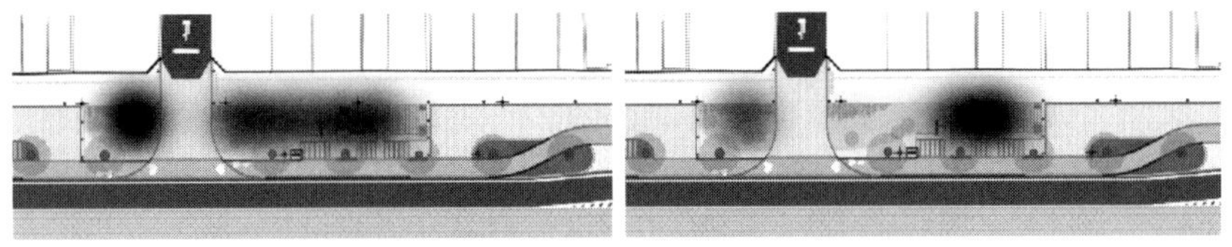

（左：1〜3分以内の短い滞留が発生した場所、右：3分以上の長い滞留が発生した場所）

係者との対話を行った。ここでの狙いは、データの可視化を関係者に共有することで、屋外公共空間のより良い活用を検討する際の新たな気づきやヒントを与えることができるかを検証することであった。結果としては、可視化された客観的なデータを示すことで、話が脱線したり空中戦になったりすることなく屋外公共空間の活用方法の議論を進めることができた。さらに、データの可視化が、より議論を深める新たなデータの提案を誘発するなどの新たな気づきにつながる可能性も見えてきた。具体的な内容として、花園町東通りの調査後に沿道商店のオーナー等の関係者と行った屋外公共空間の活用についての意見交換で交わされた内容を三点ほど紹介する。

もともと平日の花園町通りでの滞留空間は、短時間の休憩ではなく中長時間の滞在（作業や待ち合わせなど）に利用されていると感じている人が多かった。一点目はそれがデータとして見えてきたことから、周辺に位置する他の商店街と比較して、花園町通りでの滞在は一時的な休憩ではなく居場所として使ってもらえるようにしてはどうか、など商店街をどう特徴づけるかに着目した議論につながった点である。

二点目は、夏場にテントを設置することが滞留のしやすさに寄与することは誰もが予測していたことであったが、改めてデータとしても示された点である。可視化データの共有により、テントを出すか出さないかではなく、商店街としてテントを出すとしたら、どのように運用するのが良いかが議論されることとなった。

そして三点目は、沿道商店のオーナーの一人から、売上情報と組み合わせると、売上につながる滞留空間の分析ができるのではないか、それができると商店街としても公共空間の活用を検討する有力な材料になるのでは、というデータ連携の提案が出され議論が始まった点である。

この市民対話から、これまでは感覚的に持っていた事柄について、客観的な可視化データが提示されることで、関係者が共通認識を持って議論することができるとともに、人の滞留を可視化データとしたことが次なる仮説や新たなデータの取得につながっていくという可能性も感じられた。

まちづくりのプロセスとしてのデータ可視化手法

本節の最後に、まちづくりのプロセスとしてのデータの可視化手法について運用面の気づきや今後の展望を述べたい。

データの可視化は、データを取得・分析して関係者と共有して対話するためのものである。まちづくりのプロセスとしてデータの取得・分析・共有のステップを継続的に実施するためには、データの可視化はある一部の場所、一時点でおこなって終わりではなく、ポイントとなる複数の場所で、数カ月、できれば数年にわたり継続的におこなわれることが望ましい。その場合、調査の実施方法を可能な限り省力化・効率化していくことに加えて、誰がそれを担い、誰がそのコストを負担するかを考えていく必要がある。今回の松山市での取り組みでは、3カ月間継続して調査を行ったことで初めて、曜日や時間帯だけではない季節変化や天候なども踏まえたデータの可視化と分析・考察ができ、関係者との深い議論につながった。その一方、運用面では、多くの関係者の協力を得て実現したものであり、かつ全て仮設の機材を用いたため、朝晩の準備や撤収なども含めて多くの手間と時間、費用がかかるという課題が残った。

データを可視化することは、屋外公共空間のマネジメントにとって有効であり、今後ますます重要性を増していくことが予想される。松山の取り組みでは、LiDARで計測した人流データが滞留空間の検討に有効であることが示された。さらに、人流データだけでなく気温等の環境データ、沿道店舗の売上データ、アンケート調査結果など異種の調査データと組み合わせることで、より有効な検証につながり、ひいてはデータ駆動型都市プランニングへとつながることとなる。

また、新型コロナウィルス禍を経て、屋外の公共空間が重視される傾向は続いていくと考えられる。データの可視化は、市民や商店街オーナーなど関係者の理解と協力により、コミュニケーションを促し、屋外空間のより良い使いこなし方の支援につながっていくものと考えている。

11.3 ハイブリッド型市民対話

オンライン対話ツールの可能性と限界

新型コロナウイルス禍においてオンライン会議が劇的に増加した。自宅からも参加できる手軽さなどのメリットも多い一方、どうしても対面がよいというケースもやはり存在する。アイデアを出し合う時や議論を深める時は、対面がやりやすい。また、プライベートでの「オンライン飲み会」なるものも登場したが、やはり友人らとの親密なコミュニケーションもできるだけ対面でやりたいと思っている方も少なくないだろう。

対話のオンライン化は、どこに可能性があり、どこに限界があるのだろうか？その線引きが見えてくれば、様々な都市プロジェクトにおける市民との対話にもオンラインの強みを取り込むことができるのではないか。

と言うのも、新型コロナウイルス禍以前の対面型の市民対話には（少なくとも筆者やその周辺では）さまざまな難しさがあった。参加者があまり集まらなかったり、いつもの顔ぶれにメンバーが固定化されたり、議論の成果が周知されず埋もれたり。市民対話に関わる方の多くはこのような状況の経験があるかと思う。これらの対面型市民対話に関するノウハウや経験が重要であることに変わりはないが、オンラインツールという新しい手法にはどのような可能性があるのだろうか。

市民対話のオンライン化に関する三つの仮説

オンラインツールを用いた市民対話の可能性として、仮説的に次の三点があると考えた（**図表11-7**）。一点目が空間の開放性である。PCやタブレット等の端末とインターネット環境があれば、参加者は現地会場に来なくても済

図11-7　**三つの仮説**

空間の開放性を高める

オフライン
開催時間に会場まで来なければならないため、参加可能な人が限られてしまう。

オンライン
開催時間は限られるが、好きな場所から遠隔参加できるため、**参加可能な人の幅が広がる。**また、会場の空間的制約がなくなることで数百人規模での実施も可能となる。

参加方法の多様性を高める

オフライン
参加方法にバリエーションがないことが多く、いわゆる“声の大きい人”に圧倒されて意見が言えなくなってしまう人も出てくる。

オンライン
直接的に対話へ参加しなくても、テキストだけ、視聴だけの参加や、別日の意見投稿など、多様な参加方法が設定しやすく、**“小さな声”を拾い上げやすくなることが期待される。**

プロセスの透明性を高める

オフライン
市民対話の結果が十分に公表されているケースは少なく、後から対話の経緯を振り返りにくいことが多い。

オンライン
記録が容易かつリアルタイムに公開できることから、**広く継続的に情報公開することが可能。**これにより、**対話のプロセスに透明性がもたらされ、プロジェクトへの信頼感が高まり、ひいては参加者の増加や連帯を促進する。**

む。二点目が、参加の多様性である。議論へ直接参加する方法が基本だが、テキストで意見や気づきを提示するような方法や、議論の経過を追うだけのある種受動的な方法など、参加方法にバリエーションをつくりやすい。三点目が、議論の透明性である。はじめからデジタルで進むので、議論の経過を記録する手間が減り、またウェブ上で公表しやすく、ひいては議論の履歴が余すところなく公表されることによる透明性確保につながりうる。

これらの仮説は実際に成立しているのか、またはどのような状況において成立するのか。その検証に向けて、愛媛県と東京都を対象地とし、オンラインツールを用いたワークショップ運営の経験が豊富で、対話のデザインのプロである株式会社MIMIGURIの協力を得ながら、実際にオンラインツールを用いた対話を実践した。

仮説検証のための二つのZoomワークショップ

はじめに行った対話は、東京都文京区の東京大学本郷地区キャンパス周辺を対象地とした。新型コロナウイルス禍により在宅勤務・研究が続いたが、それによるキャンパス周辺の飲食店・商店のダメージは極めて重いはずだ。新型コロナウイルス禍におけるキャンパス周辺のまちについて考えるというテーマを設定した。オンライン対話アプリケーションであるZoomを用いて対話を進めた。参加者は東京大学生4名と一般の方13名であり、アクセス地点は1都1府7県（最も遠い方は長崎県）にわたった（**図表11-8**）。

このワークショップでは、参加者の役割を3種類設定した。議論をリードする「ディレクター」、アイデア出しや対話を担う「コメンテーター」、やりとりを第三者的に聞いて、時にチャットにてコメントする「オーディエンス」である。参加者自身のキャラクターや負担の度合いに合わせた参加を選べるようにするというねらいであった。事後アンケートでは、参加方法が複数あることの意義を感じたとの回答が100%であり、特に強く感じた方が約90%という結果となった。

次に行った対話は、愛媛県松山市の中心市街地を対象地とした。「オンラインまち歩きワークショップ」と銘打ち、Google Street Viewを用いて擬似的なまち歩きを行いながら、未来につながるまちづくりのアイデアを出すと

図表11-8　**本郷キャンパスでのWSの様子**

（現地でまちを映すスタッフを配置し、まちの様子を確認しながら議論をした）

図表11-9　**オンライまち歩きワークショップの構成**

<table>
<tr><th colspan="4">当日のワークショッププログラム概要（オンライン実施）</th></tr>
<tr><th>導入</th><th>知る活動</th><th>創る活動</th><th>まとめ</th></tr>
<tr><td rowspan="2">アイスブレイク、ツール使用の練習</td><td rowspan="3">データ駆動型
まちづくりについての
トークセッション
ミミクリデザインのファシリテーションのもと、CityScopeのデモを織り交ぜつつ、日立東大ラボの尾崎特任研究員と日立製作所の研究者による対談形式を取った</td><td rowspan="2">Google Street View
によるまちあるき
チームごとにGSVでまちあるきを行い、松山市内のインサイトを探った</td><td>発表</td></tr>
<tr><td rowspan="2">研究者によるFB
チームの提案に対し、研究者から、どのようなデータを取ると良さそうか、どのような先行事例があるかなどをコメントした</td></tr>
<tr><td>ワークショップの目的や一日の流れの確認</td><td>リサーチ計画
インサイトを元に松山市内のデータ収集の視点を提案した</td></tr>
</table>

いうテーマだ（**図表11-9**）。ここでもZoomを用いて対話を行い、通常のワークショップ参加に加えて、聞くだけの参加も可とした。結果、前者12名、後者27名の参加があった。参加者は、松山市からの参加が約半数と最も多かったが、愛媛県内だけでなく関東や九州などからも参加があった。中には、愛媛県内出身で松山市の大学を卒業し、現在は東京の大学院に通う学生もおり、将来愛媛のまちづくりに貢献する仕事がしたいので参加したと語っていた。

これら二つのワークショップにおいて、三つの仮説のうち、空間の開放性と参加の多様性の二つについて成立が確認できた。まず、対話のテーマに関心を寄せる人が遠隔地からも参加しており、空間の開放性が発揮されていた。また、参加方法を複数設定した結果、多様な参加を求める申し込みがあり、またそれらの意義が参加者から認められた。中には「家事をしながら聞いていた」という方もおり、手が離せない用事があってもワークショップに参加できる可能性があることが示された。

時間非同期型のオンライン対話の失敗

ここまで紹介してきた二つの対話事例は、いずれも参加者全員が同じ時間帯に同じアドレスへアクセスして対話を行うという「時間同期型」の対話である。一方、第三の仮説である議論の透明性は、対話の成果を公表し、それを積み重ねてはじめて達成される。つまり「時間非同期型」の対話で達成されるものである。具体的には、オンライン上のプラットフォームに議論の成果を公開し、そこへ誰でもアクセスができ、また議論の延長戦ができるような仕組みがあってはじめて検証作業が可能となる。

そのため、われわれは3回連続するワークショップを企画し、その結果を独自に制作した市民対話プラットフォームサイトに公表していった。ワークショップは、松山のまちなかの古写真を事務局が収集し、それらがどこで撮影されたかを参加者が当てるクイズ形式の設計とした。そのゲーム性のためかワークショップは大変盛り上がり、気に入った古写真をきっかけにまちに対する思いを語り合った。この対話の続きをプラットフォームサイトで行う、という企画であり、滑り出しは上々に思えた。しかし、予想は大いに外れ、プラットフォームサイトへの書き込みは一向になかった。

なぜ時間非同期の対話は発生しなかったのか？少なからぬショックを受けつつも、ワークショップ参加者にお話をうかがい、原因を探った。当座の結論は、プラットフォームサイトには、二つのハードルがあるというものだ。一つ目は「どこに書き込めばよいのかがわからない」「どうやって書き込めばよいのかがわからない」等の操作に関する難しさ。二つ目は書き込みを通じて自分の考えを公衆の面前にさらけ出すことへの心理的な抵抗感。ここでは、それぞれ操作ハードルと心理ハードルと呼びたい。操作ハードルは、サイトの見やすさの改善や文章を書かずともボタンひとつでリアクションができる仕掛けをつくるなどの対策が有効であろう。心理ハードルは対策のレベルがいくつか考えられる。軽易な対策としては、「答えやすい問い」を心がけることや、書き込みが次のワークショップへ反映されるなど、何らかの「報酬」を約束することなどが有効だと思われる。しかし、より重要で本質的な対策は、「どういう人々が議論に参加しているのかが実感としてわかる」状態にすること、つまりオフラインの対話の場と結びついた形でプラットフォームを形成し、議論の相手が「顔の見えない一般公衆」ではなく「顔を知っているあの面々とその周辺の人々」という実感を伴う状況に持ち込むことで

図表11-10　池上地区で構築中のDecidimのトップページと対話テーマ一覧ページ

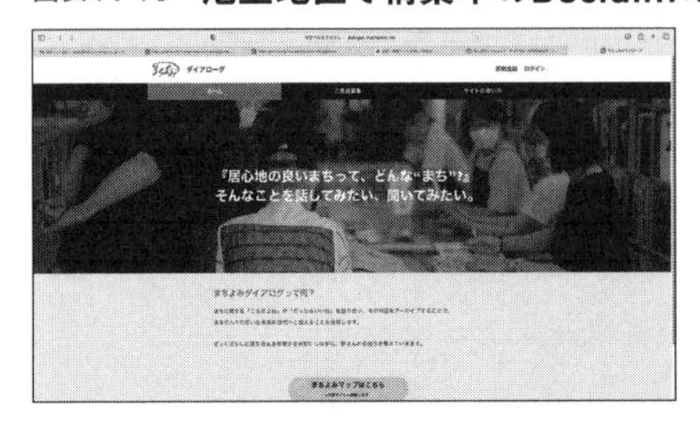

図表11-11　池上での展示会@ブックスタジオの様子

はないかと考えた。

時間の同期・非同期とオンライン・オフラインの組み合わせ

この仮説に基づき、2023年現在、Decidim[9]のフォーマットでプラットフォームサイトを再構築し、東京都大田区池上地区および愛媛県西予市野村地区を対象地とし、オフラインとオンラインの往復的対話を試みている（**図表11-10**）。本稿執筆時には残念ながらまだ直接的な検証が完了していないが、池上地区における発見を一つ紹介したい。

池上地区では、地域の古写真や見頃の草花といった地域情報を素材として、対面型ワークショップや展示会を行ってきた（**図表11-11**）。またそれらの関連情報をSNSによってこまめに発信してきた。SNSは情報発信ツールの性格が強いが、対話やリアクションが発生することも多く、またそれらが公開・

蓄積されるという点でプラットフォームサイトと似た性格も持つ。つまり、池上では、展示会等のオフライン対話と、SNSという非同期型のオンライン対話を組み合わせた状態をつくっている。そして、オフラインとオンラインそれぞれの場の対話が相互作用を起こしている。例えば、展示会の参加者がSNS上で事後的な対話を行ったり、それとは反対に、SNSでつながった方々（直接的な面識がなく、まちづくり的な場に来られたこともほとんどない方々）が、展示会に足を運んで熱心に対話をするという場面が見られた。このように、対話への参加者や対話そのものが、オフラインとオンラインを往復しながら増幅していくという事象が観察された。

オンライン市民対話ではなくハイブリッド型の市民対話を

これまでの活動を通じて、オンラインツールを用いた市民対話には、空間の開放性と参加の多様性が確認された。会場に行かずとも自宅から参加可能であり、自宅が遠隔地でも構わない。また、参加者の都合や興味関心に応じた参加度の強弱が設定しやすい。つまり、オンライン市民対話は、空間制約を解除することと、参加方法に選択肢を設けることによって、今までの対面型市民対話にはない多様な参加者を招きうる。これは大きな可能性である。

しかし一方で、オンラインでの時間非同期の対話には、操作ハードルと心理ハードルが伴うことがわかってきた。市民対話をオンラインだけで完結させようとすると、心理ハードルが高くなってしまい、うまくいかないであろう。そのため、オフラインの対話の場も確保するなどして、対話参加者の透明度を高める工夫が欲しい。つまり、オンラインとオフラインの対話を連携的に進めるというハイブリッド型の市民対話が望ましい。

対面型では会えなかった市民との対話

以上で見てきたオンラインツールを用いた市民対話の特徴を踏まえると、これらはオフラインの対面型市民対話の場に参加しづらい方々の声を聞くという補完的な使い方が有効ではないかと考えられる。すなわち、学校や習い事でワークショップに時間を合わせづらい小中高校生や、故郷を離れて大学生や会社員等をしているものの地元への関心や貢献意欲の高い若者、また仕事や家事育児で忙しい現役世代の声を聞くのに有効ではないだろうか。時間非同期対話については、心理ハードルを乗り越える工夫が求められるであろうが、地域の未来にとって極めて重要な声を集められることの価値は大きい。

関係者が直接顔を合わせて行う議論は重要である。しかし、オンラインツールは、そこへ参加できない方々や、参加しようという発想がなかった方々との対話機会を生みうる。市民対話のハイブリッド化は、議論に参加できる市民の幅を広げるために有効な手立てのひとつではないかと考える。

11.4 データ駆動型都市プランニングの市民対話

本章では、データ駆動型都市プランニングにおける「データ可視化」と「市民対話」に関する二つの取り組みを紹介してきた。冒頭にも触れたが、惜しむらくはこれらをデータ駆動型都市プランニングの一環として連続させて実施できない社会状況にあったことだが、結びとして、仮にこれらをデータ駆動型都市プランニングのサイクルに組み込むとすると、どのようなことが想定されるかについて述べたい。

結論から言えば、データ可視化のプラットフォームと市民対話のプラットフォームを一つのパッケージとして構築し、都市データプラットフォームに併置することが有効ではないかと考える。都市データプラットフォームがアーカイブやデータ連携を主眼とするのに対し、この新しいプラットフォームは関係者間のコミュニケーションの強化を主眼とする、いわばデジタルコミュニケーション・プラットフォームである。

花園町通りでのデータ可視化とそれに基づいた対話では、新たなデータ（商店の売上等）取得の必要性や、レーザーセンサーの常設などが地元から提案された。つまり、「新たなセンサリングを行い、データ駆動を強化したい」という意見である。データは、適切に表現すれば地域を映す鏡となるということだろう。みずからの地域や取り組みを省み、改善に向けた自発的な対話が誘われる。これは、データ駆動型都市の主体がスマートシティ運営者に限

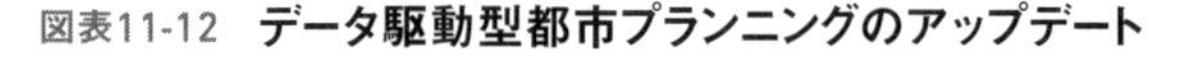

図表11-12　データ駆動型都市プランニングのアップデート

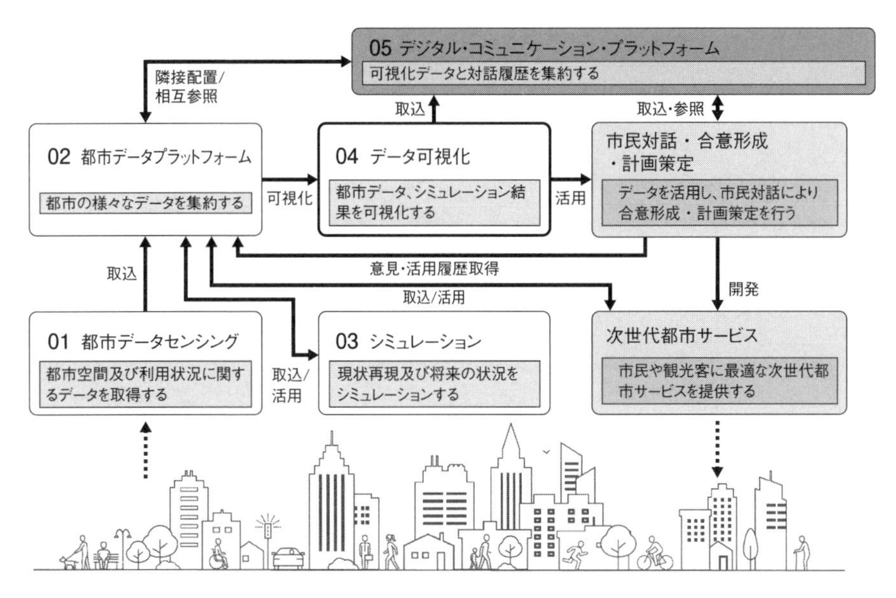

られず、地域コミュニティもその主体になり得ることを示唆している。データ駆動型ローカルマネジメントとでも呼ぶべきであろうか、ある種の地域自治的な動きが見られる。適切なデータ可視化は、地域コミュニティの主体性を呼び起こす。

一方のハイブリッド型市民対話手法では、今までの対面型のワークショップには参加しづらかった方々に対して門戸を広げうることがはっきりした。実際に大学院生や主婦の参加もあり、またSNSの界隈からまちづくりの場へ初めて参加された方もいた。対話のハイブリッド化は、対話参加者の複眼化を促す。

このデータ可視化と市民対話の特徴から導かれるのは、これらを組み合わせたプラットフォーム（デジタルコミュニケーション・プラットフォーム）を用いると、地域コミュニティによるデータ駆動型ローカルマネジメントへの参加者が多様化し、新たな視点や意見を呼び込むことができそうであるということだ。このような状態での市民対話は、施策案に対する単なる市民合意形成を超えて、より創造的かつ自治的に次なるまちづくりのステップを議論する場になることができるのではないだろうか。

参考文献

[1] 国土交通省ホームページ「松山スマートシティプロジェクト（松山スマートシティ推進コンソーシアム）」 https://www.mlit.go.jp/toshi/tosiko/content/001514520.pdf（2022年12月9日最終閲覧）

[2] NYC DOT, 'NYC Plaza Program' https://www.nyc.gov/html/dot/html/pedestrians/nyc-plaza-program.shtml（2022年12月9日最終閲覧）

[3] Barcelona city council, 'Superilles' https://ajuntament.barcelona.cat/superilles/en（2022年12月9日最終閲覧）

[4] 2020年6月から国土交通省により、新型コロナウイルス感染症の影響を受ける飲食店等を支援するため、沿道飲食店等の路上利用の占用許可基準を緩和する特例措置が開始されている。（国土交通省「新型コロナウイルス感染症に対応するための沿道飲食店等の路上利用に伴う道路占用について」） https://www.mlit.go.jp/road/senyo/03.html（2023年1月16日最終閲覧）

[5] 松山市「『歩いて暮らせるまち松山』の新たなシンボルロード 花園町通りリニューアル　賑わいと交流を育む『広場を備えた道路』」2018年3月 https://www.city.matsuyama.ehime.jp/shisei/kakukaichiran/tosiseibibu/dourokensetuka.files/300305hanazono_A3panfu.pdf（2022年12月9日最終閲覧）

[6] お城下マルシェ 公式サイトhttps://ojokamarche.blogspot.com/（2022年12月9日最終閲覧）

[7] まいぷれ[松山・伊予・東温・松前・砥部] https://matsuyama.mypl.net/（2022年12月9日最終閲覧）

[8] まつやま花園日曜市 公式サイト https://hanazonodori.com/（2022年12月9日最終閲覧）

[9] Decidimは、オンラインで多様な市民の意見を集め、議論を集約し、政策に結びつけていくための機能を有するオンラインツールである。「われわれで決める」という意味のカタルーニャ語にちなんだ名称であり、2016年にバルセロナで誕生したものを一般社団法人コード・フォー・ジャパンが中心となって日本語化した。現在、世界30カ国の約400の機関・組織に導入され、90万人以上の参加者がいる。国内では、加古川市や渋谷区などで導入されている。

プロジェクト 2
スマートエイジング

12.1 フレイル予防の必要性

本章では、超高齢化が進む日本において、生涯現役を可能にする自立と社会参画を促し、快活な生活を送ることができ、弱っても安心して住み続けられる、全世代型地域共生社会の実現へ向けた取り組みを紹介する。特に、千葉県柏市と共に取り組んでいる「プロジェクトにおけるフレイル予防AI」の社会実装の取り組み内容を紹介し、さらにその取り組みを通じて見えてきた課題と今後の展望について述べる。

日本は世界最高水準の平均寿命を達成し、人類誰もが願う長寿社会を実現してきている。これは日本の優れた保健・医療システム（具体的には、1961年からの国民皆保険制度や高度な医療技術など）や優れた公衆衛生対策などによる結果であろう。しかし、同時にこの長寿化は、高齢化社会という人類が初めて経験する新しい現象をもたらしている。高齢者の高齢化が進む一方で、2020年以降5年ごとの人口増減率は、65歳以上の増加率の幅よりも、いわゆる現役世代の減少率の方が大きくなっていくと推計されている。また、要介護状態にある高齢者の増加により、2018年に10兆円を超えた介護給付費は2040年に24.6兆～25.8兆円に達すると政府は推計している[1]。このような社会情勢を踏まえ、令和4年版の厚生労働白書は、「人生100年時代」を見据えて、健康寿命の延伸により一人一人のQoL（Quality of Life：生活の質）

の向上や生涯現役の就労と社会参加を実現するとともに、医療・介護サービスが必要となる方の増加を抑制していくことが必要であると問題提起をしている[2]。

以上のような現状を踏まえ、健康増進・介護予防への予防施策に対して、改めて新しい風を吹き込み、そして、多くの国民に対して予防意識をより一層高めてもらうべく、日本老年医学会は2014年に新概念「フレイル（虚弱：Frailtyが語源)」を打ち出した[3]。フレイルは加齢に伴い体力や気力が低下し、様々なストレスに対する抵抗力・回復力が低下した状態である。具体的には、図表12-1に示すように、健常（Robust）と要介護の中間の時期であり、身体的、精神/心理的、社会的などの多面的な要素が複合して負の連鎖を起こし、生活機能障害や死亡などの負のアウトカムを招きやすい状態である。しかし、

図表12-1　**フレイルの概念**

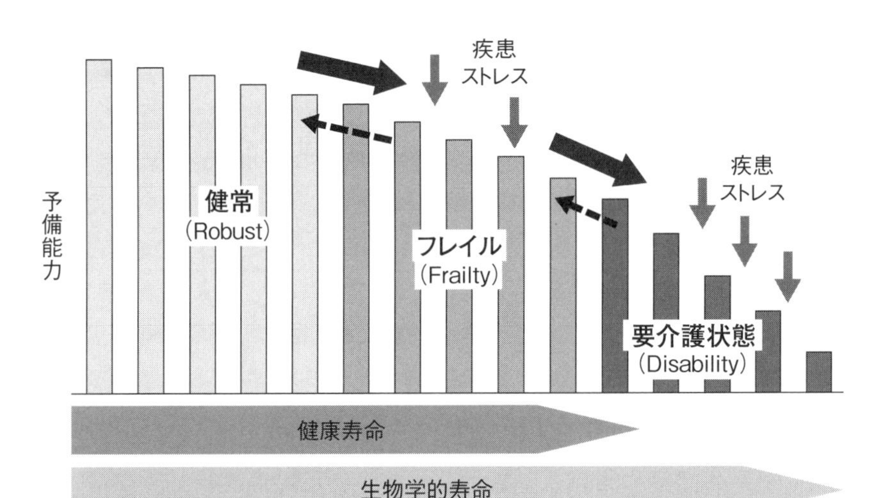

（[4]参照、著者により引用改変）

不可逆的な生活機能障害に至る前段階であるため、適切な介入により改善できる可逆性を残した状態でもある。このフレイル概念を踏まえ、地域のなかにエビデンスベースかつ新たな取り組みを創出し、快活な健康長寿まちづくりを実現することが求められている。

また、フレイル予防・対策を有効に実践するためには、特にフレイルの大きな要因である筋肉減弱（サルコペニア）が鍵となり、低栄養との深い関係性を熟知した上で、包括的な対策が求められる。図表12-2に、その関係性を負の連鎖として示した「フレイル・サイクル」の考え方を示す（2001年に米国リンダ・フリードらにより提唱）。特に注目すべきであるのは、単に疾患や傷病の管理という従来の医学のモデルだけではなく、筋力低下による様々な身体行動の衰え（歩行速度の低下や移動能力の低下、転びやすい等）、わけもなく疲れやすい、日常生活の活動性の低下などがフレイル兆候の主要因になっている点である。すなわち、地域交流や社会参加などによる快活な日常生活を支える要素が、このフレイル概念の中心部分にとりあげられている点が重要である。

図表12-2　フレイル・サイクル　～筋肉減弱（サルコペニア）を中心とした負の連鎖～

慢性疾患／消耗性疾患
精神心理的問題
体重減少
歯科・口腔の問題
低　栄　養
筋肉量減少：
サルコペニア
↓消費エネルギー
↓安静時代謝
疲労
↓活動性
↓歩行速度
↓筋力
社会的問題
社会参加、地域交流
などの低下
障害
移動困難
バランス障害
依存（要介護）
転倒・外傷

合わせて、このフレイル・サイクルに示されているような悪循環は、単に身体的な機能低下だけに依存するのではなく、精神心理的な要素や、社会的な要素（社会参加や社会的ネットワーク、社会的サポートの欠如など）も深く関連していることが、筆者である東京大学・飯島らの最近の研究で明らかになってきている[5][6]。すなわち、フレイル予防による真の健康増進・介護予防の取り組みは、これらを包括的に評価し、個人に合った適切な指導介入を包括的な視点に立って行うことが重要である。

具体的には、特にフレイル予防に重要とされている「栄養（食事と口腔機能）、身体活動（生活活動や運動など）、社会参加（社会活動）の三つから構成される三本柱」を軸に、最新エビデンスを基盤としながら、産学官民協働によるさらなる健康長寿社会への挑戦の一歩を踏み出す時期である。また、新型コロナウイルス禍において自粛生活が長期化し、さらに地域交流や社会参加が中断されるだけでも、生活不活発による顕著な筋肉減弱（サルコペニア）に起因する健康二次被害（いわゆる「コロナ・フレイル」現象）が簡単に浮上してしまう現実を目の当たりにした。従来のヘルスケア施策だけの枠に留まらず、地域社会の中にもデジタル化（ICT/IoT）を今まで以上に溶け込ませ、全世代にわたり人とのつながりや交流の機会を増やす必要がある。そして、自助・互助を軸とした住民主体活動が気軽にできる地域社会構築をめざし、真のポピュレーションアプローチを実現したい。

12.2 従来の健康づくりに「高齢者の社会参加・地域貢献活動」を加えていく重要性

内閣府発表の高齢社会白書[7]のデータから抜粋して作成した図表12-3を示す。2050年には女性では90歳、男性では84歳を超える平均寿命になると予測されており、寿命という意味では素晴らしい長寿社会と言えよう。しかし総人口が減少する中で65歳以上の者が総人口に占める比率（高齢化率）は上昇を続け、特に75歳以上の後期高齢者人口は2055年まで増え続ける見通しである。

図表12-3 **日本の人口の推移と今後の将来予測**

	総人口 平均寿命（女性／男性）	0〜14歳 15〜64歳	65〜74歳 75歳〜
1990年	12361 万人 81.90／75.92 歳	2249 万人 8590 万人	892 万人 597 万人
2020年	12571 万人 87.64／81.34 歳	1503 万人 7449 万人	1747 万人 1872 万人
2050年	10192 万人 90.40／84.02 歳	1077 万人 5275 万人	1424 万人 2417 万人

後期高齢者が増加していくという人口構造の変化を考えると、フレイル予防を軸としての早期からの健康づくりが重要になってくる。この健康づくりに対して、行政による従来のアプローチとしては、長年にわたって食事バランスやタンパク質摂取、運動習慣を持つことなど、いろいろと国民に啓発してきた。しかし、現在、様々な新しい科学的根拠（エビデンス）が創出されている。個々の健康長寿実現に向けて、住民が自分自身の日常生活を包括的に見直す機会を作り、積極的に最新のエビデンスも踏まえつつ、栄養や運動だけに限らず、多様な社会参加も積極的に取り組むべきである。さらに、自治体行政側は、地域の高齢者が社会参加や地域貢献活動にもっと踏みだせるような形で健康づくりを推進していくことが求められる。すなわち、「自分たちのまちを創る、自分たちのまちを守るという、いわゆるまちづくりの視点」からの取り組みが、より一層重要になっていくと言えるのではないだろうか。

12.3　日本におけるフレイル予防の先駆的取り組み

では、どのようにすればフレイルを予防し、高齢者の社会参加を増やし、さらには安定した地域貢献活動の場を提供できるのか。日本では、東京大学高齢社会総合研究機構の研究グループにより、地域在住高齢者を対象とした長期間にわたる健康状態の観察研究（名称：柏スタディ）からのエビデンスを軸として「フレイルチェック」が開発されている。これは、地域在住高齢者がフレイルサポーターという新しい住民ボランティアとして養成され、そのサポーター住民主体で、栄養（食事と口腔機能）・運動・社会参加などの多面的な観点から包括的にチェックをするものである。すなわち、多面的なフレイルの特徴を踏まえた上で、高齢者自らが日常生活を振り返り、高齢者同士が意識変容～行動変容を促すために、このフレイルチェック活動を推進してきている。

この活動で実施するチェック内容を図表12-4に示す。これはフレイルチェックの中の簡易チェックというものであり、誰でもどこでも簡単に自己評価ができるものである。

まず、自分で簡易に筋肉の評価ができる「指輪っかテスト」というチェックがある。両手の親指と人差し指で作る指の輪っかは、人生にわたってあまり変化のない大きさであると知られており、しかも指輪っかの内側の周囲長は約30cmであり、個々人の身長に比例している。これを利き足ではない方のふくらはぎの太い部分を軽く当ててみて、指輪っかのサイズとふくらはぎ周囲長との大きさの関係をセルフチェックする。指で囲めないくらい太いか、ちょうど囲めるくらいに筋肉がついていると、青シール、すなわち、筋肉減弱（サルコペニア）ではない良い状態となる。逆に隙間が空いてしまう場合には、赤シール、すなわち、サルコペニアの可能性が高く注意すべき状態である。これは、足の筋肉量を簡易チェックすることにより、全身のサルコペニアの可能性を推測する簡易な方法となっており、フレイルチェックの代表的な項目として採用されている。

図表12-4 **フレイルチェック（簡易チェック）**

指輪っかテスト

指輪っかでふくらはぎを囲んだ時にどうなりますか。

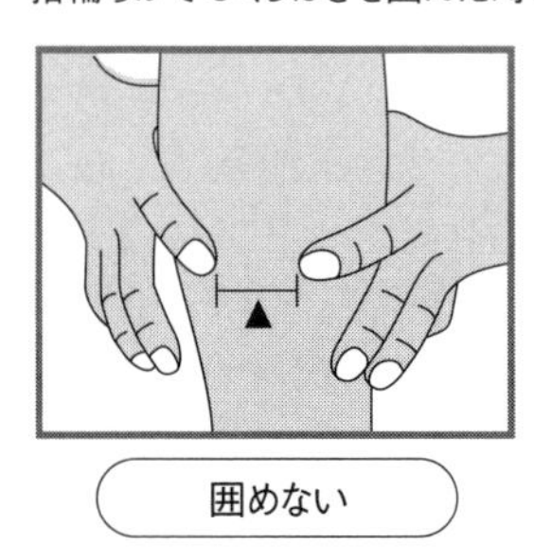
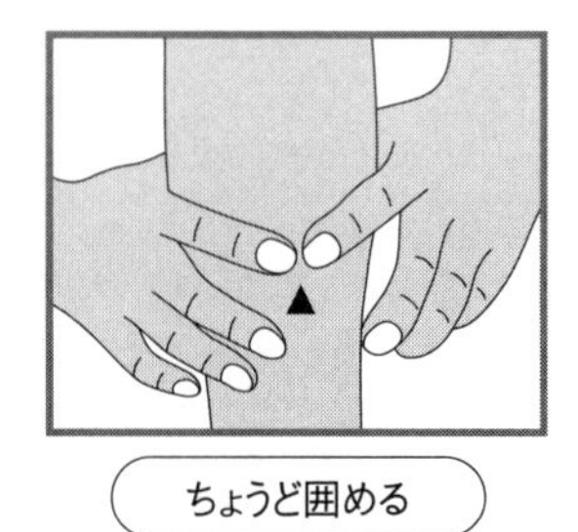
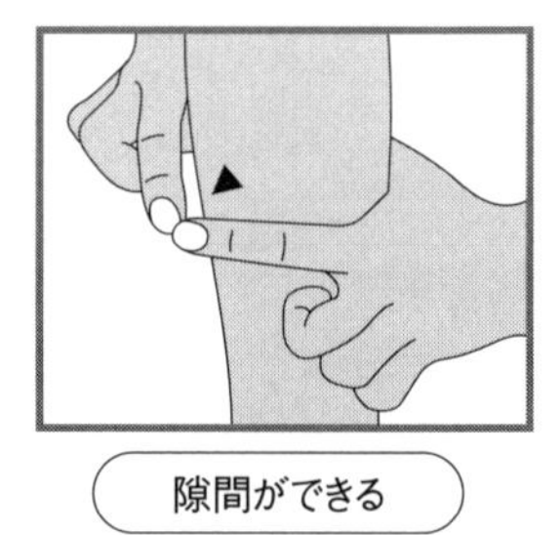

囲めない　　ちょうど囲める　　隙間ができる

イレブン・チェック

各質問に対して、当てはまる答えに同じ色のシールを貼って下さい。濃い色の項目は「はい」、「いいえ」が逆になっています。お気をつけください。

	質問		
栄養	1. ほぼ同じ年齢の同性と比較して健康に気をつけた食事を心がけていますか	はい	いいえ
栄養	2. 野菜料理と主菜（お肉またはお魚）を両方とも毎日2回以上は食べていますか	はい	いいえ
口腔	3. 「さきいか」、「たくあん」くらいの固さの食品を普通に噛みきれますか	はい	いいえ
口腔	4. お茶や汁物でむせることがありますか	いいえ	はい
運動	5. 1回30分以上の汗をかく運動を週2回以上、一年以上実施していますか	はい	いいえ
運動	6. 日常生活において歩行または同等の身体活動を1日1時間以上実施していますか	はい	いいえ
運動	7. ほぼ同じ年齢の同性と比較して歩く速度が速いと思いますか	はい	いいえ
社会性・こころ	8. 昨年と比べて外出の回数が減っていますか	いいえ	はい
社会性・こころ	9. 1日1回以上は、誰かと一緒に食事をしますか	はい	いいえ
社会性・こころ	10. 自分が活気に溢れていると思いますか	はい	いいえ
社会性・こころ	11. 何よりまず、物忘れが気になりますか	いいえ	はい

また、「イレブンチェック」と呼んでいる11個の質問票があり、日常生活の中での栄養（食事・口腔機能）、運動、社会性や心の状態をセルフチェックするものである。具体的には、「野菜料理と、主菜（お肉やお魚）を両方とも毎日2回以上は食べていますか」「ほぼ同じ年齢の同性と比較をして歩く速度が速いと思いますか」「1日に1回以上は誰かと一緒に食事をしますか」等、多様な分野の質問が並んでいる。フレイルチェックの現場で、このシートに青シールか赤シールを自分で貼り付けていき、日常生活の改善点を気づき、自分事化していくのである。

フルバージョン（総合深掘りチェック）でのフレイルチェックは、上記の他、椅子からの片足立ち上がりテストや握力、滑舌などの身体機能測定も含まれ、全22項目を1〜2時間かけて行っている。

図表12-5に示すが、このフレイルチェックでは、地域在住の住民自身が「フレイルサポーター」となり、黄緑色の全国共通ユニフォームを着て、生きがいを感じながら地域貢献活動を頑張っている。まさに、自分自身での気づきによる自助、そして住民同士の互助の力で振り返るという取り組みになっている。みんなで楽しく支えあうというコンセプトであり、写真にあるように、いい笑顔で参加されている。最新のエビデンスを踏まえたチェック内容により、自分たちの力で元気になっていこうという、住民活力を前面に押し出し

図表12-5　フレイルチェックの様子（フレイル予防サポーターたちの活躍）

全国で展開されている住民主体のフレイルチェック活動
東京大学高齢社会総合研究機構・飯島勝矢「フレイル予防ハンドブック」より引用　写真許諾済み

た取り組みである。

このフレイルサポーターによる住民主体のフレイル予防活動は、千葉県柏市から導入が始まり、2022年時点で、全国96自治体にまで広がっている。このチェックシステムは全参加者の同意をいただいているので、全データが各自治体の中で保管され、節目でコントロールセンターである東京大学に個人情報が匿名化されたデータが蓄積される仕組みになっている。

12.4 フレイル予防に関するデータ活用の課題

前節のように、フレイルチェックのデータはどんどん蓄積されており、フレイル予防を推進していくための重要な基礎データとなる。しかし、健康づくりに関連する情報は、他にも、様々なデータ（例：健康診断、医療や処方薬、介護予防サービス等）が自治体行政管理下で蓄積されている。まさに住民全体の貴重な財産ともいうべきデータベースである。しかし、様々なデータは存在するものの十分に活用できておらず、さらには、住民の一人一人にとって、どうすればフレイルが予防できるのか、今まさに自分が本当にやるべきことは何か、何から始めればいいのか、という価値ある情報にはなっておらず、フレイル予防に関するデータ活用に大きな課題が存在する。

そこで、データベース統合の活用方法の一つとして、この様々なデータを人工知能（AI）で解析し、一人一人それぞれの方に対する優先するべき課題や推奨する活動内容を示す、これをわれわれのフレイル予防戦略の課題として設定した。すなわち、様々なデータを統合し、AIで解析し、オーダーメイドのメニューを提供する、フレイル予防AIを構築するというものである。例えば、Aさんには口腔ケアを、Bさんには口腔ケアに合わせて社会参加活動も、Cさんには食の安定を、など、一人一人の事情を考慮した支援メニューを提示することを狙う。

これを従来の介護予防と比較すると、図表12-6のようになる。

従来の介護予防事業にもデータは活用されている部分もあり、その意味ではエビデンスベースとなっているが、同じ内容（介護予防事業の体操教室の案内など）を、対象者を定めて一斉に送付しているのが現状ではないだろうか（**図表12-6の左側**）。このような取り組みも介護予防に対して一定の効果はあると思われるが、高齢者の生活実態は様々であり、より個別性の高い対応が求められる。

そこで、解決策として、エビデンスベースかつオーダーメイドの予防技術として、「フレイル予防AI」を提案する（**図表12-6の中央**）。技術の詳細は次節に示すが、コンセプトとしては、多種多様なデータを個人ごとに突合させた、突合ビッグデータに対してAIによって解析し、フレイル予防に資する個別の早期予知を行う、というものである。これにより、一人一人の複合要因を考慮した支援メニューの提示が可能になる（**図表12-6の右側**）。各地域には、官民の枠組み（行政によるもの、民間企業・産業界によるもの等）の中には、有償無償含めて様々なフレイル予防に役立つ様々なサービス資源がある。住民の日常生活において、フレイル予防AIが提示する課題を解決するサービス資源により密接に接続することで、フレイル予防が現実のものになると考

図表12-6 **官民連携データヘルス・プラットフォームを活用した次世代型のフレイル予防戦略**

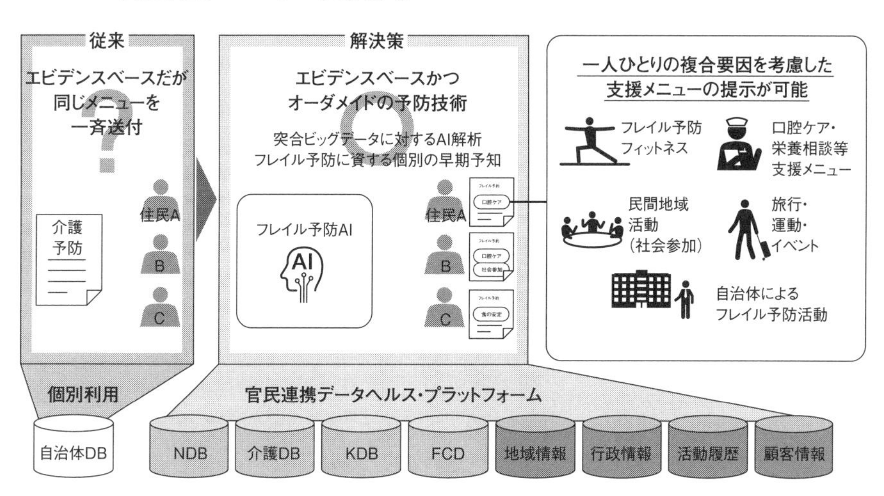

える。

12.5 フレイル予防AIの仕組み

フレイル予防AIを構成する、日立製作所の「説明できるAI」(名称B3)と、根拠データ管理技術について説明する。

B3は深層学習(deep learning)の一種である。機械学習には決定木やクラスタリングなど解釈が容易な技術と、ニューラルネットワークや深層学習など学習能力に優れた技術があり、それぞれ発展してきた。音声・画像認識等の大量データを扱う問題に関しては、深層学習にはヒトを凌駕する性能があることが示され、2010年代に様々な分野への応用が進んだが、一般に、深層学習は学習したモデル(予測や分類を実行するモデル)の解釈が難しい。

例えば、深層学習にビッグデータを学習させて、要介護リスク(将来、要介護になる可能性)を予測するモデルを構築する際には、ビッグデータを前処理して特徴量に加工する(本節ではリスク特徴量と呼ぶ)。その後、どのリスク特徴量を持つ人が実際に要介護になったか、あるいはならなかったか、というデータを機械的に学習することで、リスク予測モデルを作る。モデルが作られたあと、そのモデルを使って、例えばAさんは、3年以内に要介護になる確率が56%ですよ、などと計算する。十分な量のデータがある場合、深層学習により高精度な予測モデルを得ることを期待できるが、予測結果がどのリスク特徴量に起因しているのかを解釈できないことは、オーダーメイドの介護予防を実現する上での障壁となる。

これに対し、深層学習に説明機構を組み込んだ「説明できるAI」は、AIの出力に影響を与えているリスク特徴量がわかるようにするもので、B3もこのような技術の一つである。小サンプル・高次元データを高精度に学習できる、統計モデルとしても解釈できる、予測実行時には予測結果ごとに影響している特徴量を理解できる点がB3の特長である。この特長をフレイル予防AIに活かすことで、高齢者一人一人の要介護になる確率と共に、高齢者一人一人のリスク特徴量を示すこと、すなわち、なぜその要介護確率が算出されているのかの根拠を示すことが可能になる。

また、フレイル予防AIでは、B3が出力する要介護確率とその要因となっているリスク特徴量だけでなく、さらにリスク特徴量を構成するリスク根拠データまで遡ることができる。図表12-7のように、例えば、Aさんの56%の要因の最大のリスク特徴量は、口腔フレイルのリスクですよ、そして、そのリスク根拠のデータは、Aさんが、たくあんが噛みにくいと、ある時点のフレイルチェックで回答しているからである、ということまで手繰り寄せることができる。

フレイル予防AIにおいては、根拠データ管理技術がデータ、リスク特徴量、リスク予測モデルの三つの関連付けをすべて記録している。これによって、予測モデルの結果から、元のデータを手繰り寄せることができるのである。

例えば、図表12-7における「口腔フレイルリスク」というリスク特徴量は、過去のフレイルチェックで「さきいか、たくあんなどの硬さの食べ物を普通に噛みきれますか、という質問に、いいえと回答している」、あるいは、「医科レセプトの診断名に口腔機能低下症がある」等をリスク根拠データとして確認することができる。

図表12-7 フレイル予防AIの構成と利用シーンの具体例

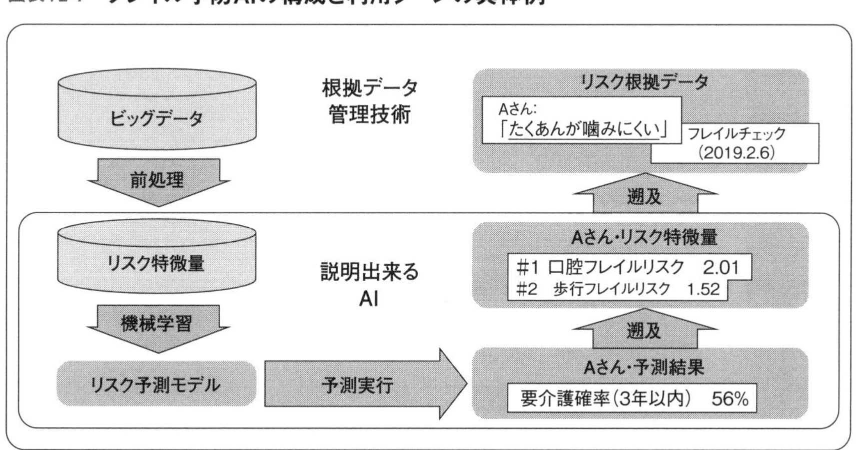

さらに要介護になってしまう確率を、各特徴量がそれぞれどのぐらい押し上げているのかが数値で表現され、リスク特徴量の中での順位付けが可能である。上位に出現したリスク特徴量は、もともとのビッグデータの中の何に紐づくかが分かっているので、Aさんの例では、「たくあんが噛みにくい」とフレイルチェックで回答したことが、その根拠であるとわかるわけである。

このように、「説明できるAI」B3と根拠データ管理技術からなるフレイル予防AIにより、国保データベース（KDB）とフレイルチェックデータを解釈し、多様な高齢者の生活実態にあわせたオーダーメイドの予防施策を実現する。医療介護の専門家が状況を判断しやすく、有識者検討の場での活用が可能になる。

なお、B3は、医薬品の効果に影響を与える重要因子を自動抽出する「バイオマーカー探索サービス」として実用化されており、AIと利用する人間とのコミュニケーションにおける有効な点が評価され、2020グッドデザイン賞を受賞している[8]。

12.6 「柏の葉スマートシティ」プロジェクトにおける「フレイル予防AI」の取り組み

スマートシティのプロジェクトでは、データに基づいて様々なまちの課題を解決する取り組みが多く報告されている。2011年に始まった「柏の葉スマートシティ」プロジェクトでも、現在、2020年3月に策定した「柏の葉スマートシティ実行計画」[9]に基づき、モビリティ、エネルギー、パブリックスペース、ウェルネスの四つの分野においてデータを活用した課題解決の取り組みを推進している。

まちづくりが進行する柏の葉地区においては、人口の急増や世代の多様化、将来的な高齢化が予測されている。そこでウェルネス分野においては「あらゆる世代が、将来にわたり、健康で生き生きと暮らせることのできるまち」をめざし、「あらゆる世代にとって日常生活のなかでの健康の維持」等を実現すべく様々な取り組みが走っている。

図表12-8 「AI技術を使ったフレイル予防の可能性検証」取り組み全体像

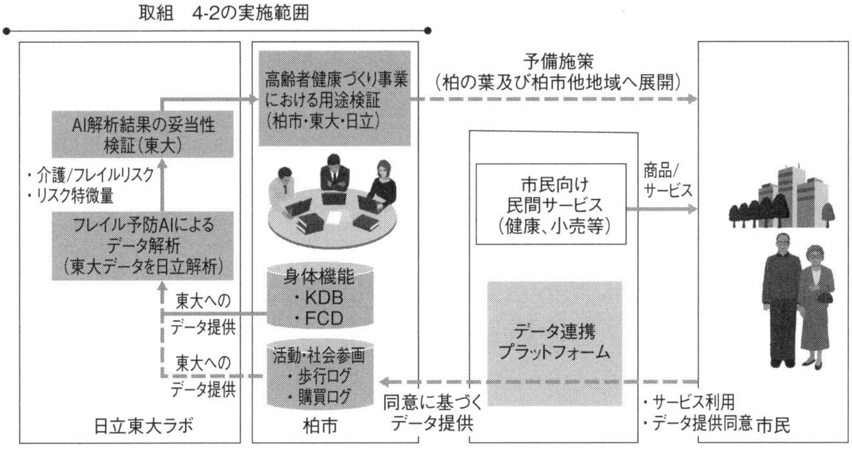

KDB: 国保データベース、FCD: フレイルチェックデータ

日立東大ラボ ハビタット・イノベーションプロジェクトが、柏市関係課と共にチャレンジしている「AI技術を使ったフレイル予防の可能性検証」は、このような「柏の葉スマートシティ」実行計画における取り組みの一つである（実行計画における取組4-2)。柏市、東京大学、日立製作所の取り組み全体像を図表12-8に示す。

取組4-2では、「国保データベースに格納された医療/健診/介護データ」と、「住民主体活動によるフレイルチェック（東京大学高齢社会総合研究機構・飯島勝矢教授が開発）のデータ」などの予防活動データを突合しAIにより解析することにより、市民の健康状態の特徴および本人の興味や嗜好なども マッチさせ、その個人に最適化した健康増進・介護予防の具体案を提示することにより、今までよりも予防効果の高い施策を市民に提供できるようにすることをめざしている。このような取り組みに踏み出した理由は、健診・医療面の活動と生活機能を維持するための介護予防関連の活動がなかなか連携できておらず、ハイリスク者の炙り出しと介入効果の検証も不十分であり、さらには、より多くの市民に向けての効果的なポピュレーションアプローチも底上げが必要なためである。これらが今まで以上に一連のものとして機能し、継続性のある行動変容を個々の住民へ促すことが求められている。

本章執筆時点で、柏市の個人情報に関する各種審議や手続き、匿名化作業が完了し、ハビタット・イノベーションプロジェクトにてAIによる解析を行いつつ、2023年度以降の柏市高齢者健康づくり事業での活用に向けて関係課と用途検証を進めている。

12.7 「柏の葉スマートシティ」プロジェクトで用いるデータセット

AIが学習するデータはフレイルチェックデータと、国保データベース（KDB）の健診情報、医科レセプト、調剤レセプト、介護予防サービスの情報である。これら、約900の特徴量につき、柏市の65歳以上の方の約11万人のビッグデータとなる。

このデータに対し、日立製作所が開発したAI（機械学習の一種である「説

図表12-9 **BMIの区分**

特徴量	しきい値
低体重-1	BMIが16.0未満
低体重-2	BMI が16.0以上17.0未満
低体重-3	BMI が17.0以上18.5未満
普通体重-1	BMI が18.5以上、20.0未満
普通体重-2	BMI が20.0以上、23.0未満
普通体重-3	BMI が23.0以上、25.0未満
肥満度I-1	BMI が25.0以上、27.5未満
肥満度I-2	BMI が27.5以上、30.0未満
肥満度II	BMI が30.0以上、35.0未満
肥満度III	BMI が35.0以上、40.0未満
肥満度IV	BMI が40.0以上

明できるAI」、名称B3、本章5節で説明）を用いたフレイル予防AIによって、フレイルに関する多種多様な要因を抽出する。例えば、フレイルと要介護認定の関係、健診結果との関係、基礎疾患との関係などである。

AIがデータ学習を実行する前に、上記のビッグデータをきっちりと準備することは不可欠である。まず、約900の特徴量については、健診結果等の数値を直接使うのではなく、通常、よく利用されているしきい値を設定しておき、どの数値の範囲であれば要注意と扱うのかにつき、予め検討しておくべきである。例えばBMI（Body Mass Index：体重（kg）を身長（m）で2回割り算した数値）については、WHOの基準をより詳細化した図表12-9の区分を設定している。

低体重を3段階に分けているのは、フレイル予防の観点で低体重の区分けや時系列変化を見ることができるようにするためである。また、傷病名については国際標準規格であるICD10コード[10]の分類を用いた。これは、傷病名の標準的な分類や、AIが出力した結果を医療介護分野の専門家が有効性を判断しやすくしておきつつ、個人を特定できる可能性がある希少疾患を他の疾患とまとめてグループ化あるいは削除できるようにしておくためである。

AI（機械学習）による解析では、目的変数（特定の現象を表す変数）と説明変数（特定の現象を説明するための変数）をセットするが、例えば、ある時点で要支援1以上（要支援1、2、要介護1～5）となっているかどうかを目的変数として、フレイルチェックのデータを説明変数としてセットする場合などがある。この機械学習により、単にフレイルチェックの注意すべき個数（赤シール）が何個以上だったら要注意である、という情報に加えて、フレイルチェックの中のどの項目がリスクとなっているのか、という情報を、個人毎に提供することが可能になる。これにより、個々の住民の方々が、自分の立ち位置をより把握しやすくなり、具体的に何を実行すればフレイル状態を防ぎ、最終的には要介護リスクから遠のくことが出来るのかが明確になる。

もちろん、AIによって出力される結果や推奨内容の妥当性検証は大きな課題である。特に一般感覚とある程度合致しているのか、そして医療専門職の通常の判断と大きく齟齬がないか等、慎重に検証する必要がある。これに関しては、東京大学高齢社会総合研究機構による有識者検討の場で、老年医学や医療介護政策の専門家による検証を進める予定である。

12.8 データの利用に関する合意形成

データ提供を受ける際、第6章「データガバナンス」に述べられているように法令等を遵守することはもとより、法令を超えたガバナンスが形成されるよう、関係者との合意形成やデータの取扱プロセスの設計を行っている。

まず、フレイルチェックデータを取得する際、住民から研究目的でも活用することについて同意を得ている。また、今回のプロジェクトでは、「柏の葉スマートシティ」実行計画において、フレイルチェックデータと国保データベース（KDB）を紐づけて柏市から東京大学高齢者総合研究機構へデータ提供することに関し、柏市が、柏市個人情報保護審議会（柏市個人情報保護条例にのっとり設置されている会議体）、千葉県後期高齢者医療広域連合（千葉県の高齢者保健事業を所管し、柏市にKDBを用いる事業を委託している公益団体）の情報公開・個人情報保護審査会へそれぞれ申請し、2020年度より施行の「高齢者の保健事業と介護予防の一体的実施」に向けて、実効性の高い有益な手段であるとして、匿名化データ提供の認可を得ている。

この申請過程を通じて、前節までで述べたような、フレイル予防AIで得られる新たな価値やデータの使い方だけでなく、有識者によるAI解析結果吟味や柏市での高齢者向けサービス実装検討を経た上で、具体的な社会実装、柏市住民へのサービス提供につなげていくプロセスを柏市関係者とわれわれの間で共有し、データ利用に関する合意に至ることができた。

加えて、前述したように柏市は、名寄せデータを匿名化して東京大学に提供している。具体的には、個人識別符号に相当する番号を元の値に戻せない1対1変換（ハッシュ化）、氏名、住所などは削除し、解析に必要な項目のみを匿名化データとしている。これにより柏市のみが匿名化データの解析結果を個人と紐づけることが可能な運用となっている。東京大学は「柏の葉スマートシティ」実行計画で定めた目的に限定してデータ解析を実施し、日立製作所は東京大学からの委託という形で、東京大学が定める範囲でのみAIによる解析を実施している。データの安全性を担保するため、日立製作所が解析するデータには、年齢を5歳刻みに変換する、発症者が10人未満の疾病を有する方をデータから除外するなどの再匿名化を実施している。この再匿名化は、データもしくはAI解析結果から個人が特定されるリスクを最小化するために実施しているもので、法令と関係ガイドラインが定める安全管理措置を超えたガバナンスの具体例である。

さらに、東京大学のデータ保管場所からデータが外に出ることはない仕組みとなっており、データ保管場所の安全性については、柏市、千葉県後期高齢者医療広域連合による確認が行われている。また、研究成果が適切に柏市へフィードバックされるよう東京大学において学術的な観点から精査がされる仕組みになっているほか、研究終了後は柏市と東京大学が締結する協定書

図表12-10 データの流れと関係者の役割

	市民	サポーター	医療・介護施設等	柏市・広域連合	国保連	東京大学	日立製作所
収集	受診・利用 フレイル予防活動		診断、介護等 レセプト 健診、介護 フレイルチェックデータ	収集 収集			
蓄積・管理				蓄積	蓄積(KDB)	「柏の葉スマートシティ」実行計画取り組み4-2の範囲(破線は今後の予定)	
利用	健康増進に向けた活動	情報に基づく支援		匿名化 結果に基づく介入	分析結果	精査	分析
移転		一部の情報提供	情報供有	移転		受理	
削除						廃棄	

に基づきデータを適切に廃棄するようになっている。
以上のデータを取り扱う関係者の役割を図表12-10に示す。
図中、横軸は関係者、縦軸はデータ取り扱いにおける役割である。横軸の「サポーター」はフレイルサポーター、「広域連合」は千葉県後期高齢者医療広域連合を、「国保連」は千葉県国民健康保険団体連合会を示している。国保連はKDBシステムとデータの管理業務を担っている。取組4-2における東京大学へのデータ移転に関しては、KDBデータの移転元である柏市が、柏市個人情報保護審議会と広域連合の認可に基づきKDBデータを国保連から取り寄せている。
また、図中「結果に基づく介入」「健康増進に向けた活動」は図表12-6における一人一人の複合要因を考慮した支援メニューの提示を、「情報に基づく支援」「一部の情報提供」「情報共有」は柏市とフレイルサポーター、あるいは柏市と医療・介護施設等の関係者との連携による分析結果の利用を表している。これらの点線で示した箇所は本稿執筆時点ではいずれもまだコンセプト検討段階にあり、実現に向けては関係者との事前合意形成が不可欠である。

12.9 住民の手による
フレイル予防サービスの具体化に向けて

フレイル予防AIでは、リスク要因の抽出において、丁寧に一人一人の事情を考慮することを徹底している。しかし、これを具体的なサービスに実装していく上では、住民との直接的なコミュニケーションが欠かせない。例えば、本章5節で示したような、オーダーメイドのフレイル予防サービスを実現するためには、具体的に、フレイル予防に資する地域のサービス資源はどのようなものがあるのか、また、そのようなサービス資源の紹介は、誰からどのように伝えられると実際の行動に移しやすいか、等を検討する必要がある。
そこで、「柏の葉スマートシティ」プロジェクトにおいて、主体的な住民の活動を支援する上で重要な役割を担っている、UDCK（柏の葉アーバンデザインセンター）の力を借りつつ、「フレイル予防AIリビングラボ」という、住民主体の健康づくりサービスを検討する場を作った。詳細については、第7章「生活者参画」に具体的な取り組み内容を記載する。

現在、住民の意見を踏まえたフレイル予防AIの利用シーンとして、健康診断に関連付けた住民への要介護リスクとその因子の提示、および、リスク対策に向けた地域サービスの紹介というアイデアが出されており、実現に向けて、柏市行政の関係各課との議論中である。

12.10 持続可能なスマートエイジング社会をめざして

最後の節として、フレイル予防AIの社会実装を通じてめざす社会像について述べて本章の締めくくりとする。

われわれは、めざすべき健康長寿社会が、より持続可能なスマートエイジング社会となるべく、どのような関係者・活動がどのように連携していくべきなのかを、「健康長寿社会スパイラル」として検討してきた。その概念を図表12-11に示す。

「健康長寿社会スパイラル」実現に向けた重要な観点は、第一は、「健康長寿まちづくり」に関わる人々や活動である。本章3節で述べた住民活力によるフレイル予防の活動を、エビデンスベースの内容へとブラッシュアップしていくことを通じ、①「元気高齢者が増加、自助・互助の力がアップ」していく。これにより、②「人のつながり・社会参加/支援の増加」が期待される。そして、その結果、③「地域貢献・担い手・就労の増加」につながっていく。

第二は、「生活総合支援産業」に関わる人々・活動である。エビデンスが充実したフレイル予防は、必然的に日常生活の行動パターンの変化を伴う。フレイル予防のよりよき支援という新しい価値を生み出す「フレイル予防産業」というものが活性化していくのではないかと考えている。また、大量消費型の商品・サービスではなく、オーダーメイド（パーソナライズされた）

図表12-11　**健康長寿社会スパイラル**

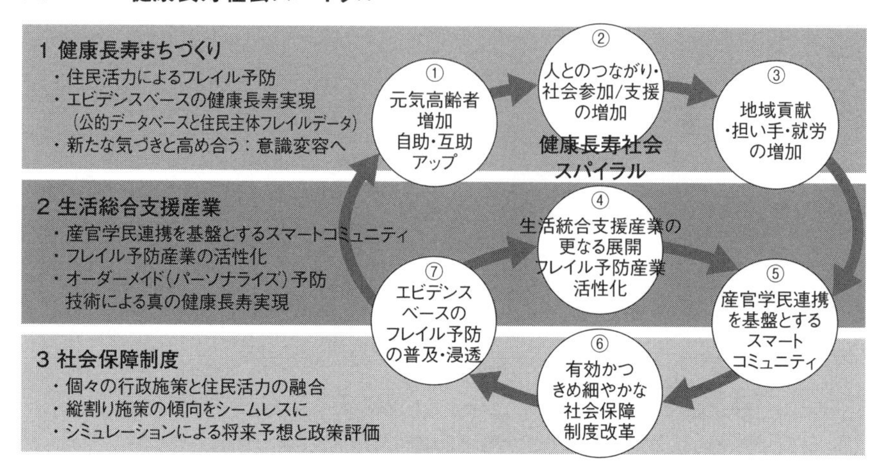

予防というものが確立されることを通じ、④「生活総合支援産業の更なる発展、フレイル予防産業活性化」という流れになるのではないかと考えている。

第三は、「社会保障制度」に関わる人々および活動である。健康長寿まちづくりにおける③「地域貢献・担い手・就労の増加」と、生活総合支援産業における④「生活総合支援産業の更なる発展、フレイル予防産業活性化」が発展すると、社会保障制度に関わる人々と共に⑤「産学官民連携を基盤とするスマートコミュニティ」が発展していくのだろう。具体的には、住民の健康データや日常生活ログデータ等が統合され、新たな行政施策事業に落とされたり、産業界の新たな商品サービス開発に応用され、自助・互助の地域づくりも進みながら、デジタルデータが国民個々人の生活の質を高めることのできる次世代型コミュニティも期待される。なかでも、デジタルデータをどのように駆使していくのか、どのように社会に役立てるのかをここで議論することで、⑥「有効かつきめ細やかな社会保障制度改革」への貢献が可能になる。ここで重要なのは、例えば「高齢者の保健事業と介護予防の一体的実施」制度において描かれた「個々の行政施策と住民活力の融合」や、医療と介護で分かれていたような「縦割り施策のシームレスな連携」を確実に実現していくことである。また、技術としては「シミュレーションによる将来予測」がエビデンスベースとして求められ、実行後の政策評価とセットで実施されるのが望ましい。

本章でこれまで述べてきた「フレイル予防AI」の取り組みは、⑦「エビデンスベースのフレイル予防の普及・浸透」に寄与する活動として位置付けられる。貢献する先として、フレイル予防活動や、フレイル予防AIリビングラボなどによる、①「元気高齢者が増加、自助・互助の力がアップ」という方向と、④「生活総合支援産業の更なる発展、フレイル予防産業活性化」という方向の両者があるが、それらを行うためにも、その合意形成の基盤としての「高齢者の保健事業と介護予防の一体的実施」などの⑥「有効かつきめ細やかな社会保障制度改革」が重要であった。

最後に、従来のヘルスケア施策だけの枠に留まらず、地域社会の中でもデジタル化（ICT/IoT）が軸になりながら、同時に、世代を超えた人々とのつながりや交流の機会も増えていくような、改めて自助・互助の住民主体活動が活発に行われる地域社会構築をめざしたい。そのためにも、デジタル情報を軸におきながら、住民全体のビッグデータから裏付けられた新たな学術的知見（エビデンス）を住民の日常生活にうまく反映させていくための住民の意識変容と機運の醸成、そして、住民一人一人を最適な方向に向かわせることの出来る近道であるということを地域全体で受け入れる社会受容性、さらには住民自身が一番慎重にならざるを得ない健康に関する個人情報管理との背中合わせにおけるデータガバナンスとそのインフラ整備、さらには温もりのある地域づくりと最新デジタル技術の調和が加速できるような人財育成などが必須なのであろう。そして、これらの多面的な要素、そして多様なアーキテクチャが融合（統合：インテグレーション）されることにより、われわれのめざす「人中心のスマートエイジング、生活者参画が加速するスマートエイジング、多世代で構成される地域全体のスマートエイジング」の実現につながってくるのであろう。したがって、単に技術を繰り出すのではなく、このような、まちの発展を持続可能なものにしていく枠組みの中で、われわれの推し進めているフレイル予防AI技術が提供されていくべきであり、またその取り組みが次世代のまちづくり（Society 5.0を基盤としたスマートシティ構想）に必須であると信じる。

参考文献

[1] 内閣官房・内閣府・財務省・厚生労働省「2040年を見据えた社会保障の将来見通し（議論の素材）」
https://www.mhlw.go.jp/stf/seisakunitsuite/bunya/0000207382.html （2022年12月9日最終閲覧）

[2] 厚生労働省「令和4年版厚生労働白書 -社会保障を支える人材の確保-」
https://www.mhlw.go.jp/stf/wp/hakusyo/kousei/21/index.html （2022年12月9日最終閲覧）

[3] （一社）日本老年医学会「フレイルに関する日本老年医学会からのステートメント」2014年5月
https://www.jpn-geriat-soc.or.jp/info/topics/pdf/20140513_01_01.pdf（2022年12月9日最終閲覧）

[4] 葛谷雅文「老年医学におけるSarcopenia & Frailtyの重要性」日本老年医学会雑誌、Vol.46、No.4、pp.279-285、2009年7月

[5] Tanaka, T., Son, BK., Lyu, W.& Iijima, K., “Impact of Social Engagement on the Development of Sarcopenia among Community-Dwelling Older Adults: A Kashiwa Cohort Study”, *Geriatrics & Gerontology International*, Vol.22（5）, pp.384-391, March 2022, DOI: 10.1111/ggi.14372

[6] Lyu, W., Tanaka, T., Son, BK., Akishita, M.& Iijima, K., “Associations of Multi-faceted Factors and Their Combinations with Frailty in Japanese Community-Dwelling Older Adults: Kashiwa Cohort Study”, *Archives of Gerontology and Geriatrics*, Vol.102, 104734, September-October 2022, DOI:10.1016/j.archger.2022.104734.

[7] 内閣府「令和4年版高齢社会白書（全体版）」
https://www8.cao.go.jp/kourei/whitepaper/w-2022/html/zenbun/index.html （2022年12月9日 最 終閲覧）

[8] 日立製作所 バイオマーカー探索サービス
https://www.hitachi.co.jp/products/it/industry/solution/hdsf_pharma/solution.html#a（2022年12月9日最終閲覧）

[9] 柏の葉スマートシティコンソーシアム「柏の葉スマートシティ実行計画」
https://www.kashiwanoha-smartcity.com/actionplan/（2022年12月9日最終閲覧）

[10] 厚生労働省「疾病、傷害及び死因の統計分類」
https://www.mhlw.go.jp/toukei/sippei/（2022年12月9日最終閲覧）

Chapter 13

プロジェクト3 価値創造型の都市インフラマネジメント

13.1 インフラ維持管理の現状と課題

本章では、Society 5.0を構築していくにあたり、長期にわたり運用しなければならない都市インフラや地域の公共施設である地域アセットを住民にとって使いやすくするとともに、デジタルを活用して新たな価値を創出する手法について概説する。

従来、都市設備と呼ばれる道路や橋りょう、下水道や都市公園などを建設する際には費用便益分析などの手段を用いて、建設前に定量評価をするのが一般的である。例えば、道路や橋りょうであれば、ある地点から目的地までの到達距離や到達時間の短縮となる便益（B）と、インフラ整備にかかる費用（C）との比となる費用便益比B/Cが典型的な費用便益指標として用いられている。また、都市公園は、市街地における樹木等の設置の指標である緑被率などが開設の基準の一つとされてきた。これら従来のインフラ整備の費用便益評価は、大きな都市投資で長期運用が基本となる都市インフラにとって基本的な評価方法として広く用いられてきた。

日本の社会インフラの多くは高度経済成長期に建設され、竣工から半世紀近くを経る事例も出てきている。このようなインフラの老朽化に対する点検や修繕といったマネジメントは一定の社会負担コストを生む。このような社会負担に対して、目視検査を原則としている点検にドローンを活用したり、レーダー点検によって橋りょうの基盤となる路床の内部の可視化を行うといった先端技術の開発が進み、インフラの維持管理の技術開発は大きく躍進を続けている[1]。本章では個々のインフラメンテナンスは取り扱わないが、後述するインフラの価値を高める意味では、インフラの価値を高める手段としてインフラのマネジメントを活用するのは一つの有効手段となり得る。

従来のインフラ建設においては、まず費用対効果を評価した上で、様々な試算を建設前にすべて揃えて、有識者を交えて評価する事前評価に比重が置かれていた。税で賄われるインフラ建設において、費用を抑制し、その機能が長きにわたり発揮されるかを建設前に評価することは重要であり、インフラの規模が大型化すると改修費用も大きくなることから、当初設計は重要である。しかし、近年、インフラは基本機能だけではなく、地域課題にどのように浸透していくか、さらにはインフラを糧にしたどのような地域の成長・発展が実現できるかといった地域課題の取り込みもその重要な役割となっている。

このようなインフラを糧にした地域課題の取り込みについて、柔軟な事業運用を可能とする社会資本整備総合交付金が施行されている[2]。この施策では、第一に地域課題をはじめとした効果促進事業を含めた包括的な事業計画を遂行できるように、第二に地域の「ありたき姿」を柔軟に考えて、それを指標化し、この成果指標による事後評価を取り入れることによって、地域課題を取り入れた社会資本（インフラ整備）について、包括的かつ柔軟な投資ができるように工夫されている。

13.2 インフラマネジメントとは

本書におけるインフラマネジメントとは、単に建設されたインフラの保守・メンテナンスに留まらず、長い期間を経た都市や地域の変化や課題をとらえて、インフラの維持管理や更新と都市や地域の変化への対応を両立するマネジメントプロセスを指す。従来からインフラの保守・メンテナンスは費用便益分析でも考慮されており、定期的な保守および耐用年数に近づいた際の大規模改修ないしは更新は費用として考慮されてきた。一方、人口減に伴う税金の縮減や対象インフラの利用者減少に伴う便益の見直しは当初の費用便益分析で考慮されていないことが多く、大規模改修や更新の投資の悩みとなっている。また、近年ではインフラの耐用年数よりも短期間に人口減少や日常的な移動の変化、ライフスタイルの変化といった社会的変化が生じ、このような変化に既存インフラの対応が必要となっている。

図表13-1　**社会資本整備総合交付金の分析**

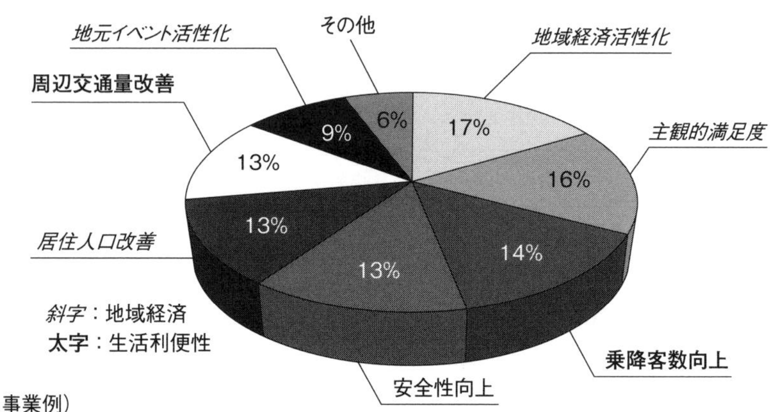

事業例）

古舘駅前（岩手）	須賀川駅西（福島）	牛久駅西口（茨城）
【人口】 地区内に流入した居住人数の増加	【人口】 計画地区内の定住人口	【交通】 国道6号(竜ケ崎市・牛久市境～野田牛久線)の12時間自動車交通量
【乗降者数】 地区内における年間のデマンド型乗合バス乗降者数の増加	【地域活性】 地域活動団体の年間イベント開催数	【バリアフリー】 牛久駅西口駅前広場内施設のバリアフリー化率
【交通】 地区内の自転車歩行者専用道路における1日の交通量の増加	【地域経済】 地区内に立地する店舗数	【防災】 区域内における浸水危険箇所数
	【防災】 内水氾濫の発生から被害発生までの避難時間	【地域経済】 区域内の3点における地価公示の平均価格
	【防災】 防災訓練の回数	【地域経済】 Sカード（牛久ビル会員カード）会員の年間延べ利用者数

※令和元年度　社会資本整備総合交付金事業（都市再生・都市再構築）

本書ではスマートシティを構成する六つのキーファクターを取り上げているが、インフラマネジメントは都市や地域において社会基盤をなすインターフェースであり、この社会基盤を人やスマートシティのアーキテクチャとつなぐ役目を負うのが本書で取り上げている「生活者参画」および「スマートシティQoL評価」である。以下のインフラマネジメントの具体構成事例の前提として、生活者参画に基づいたデータによる考察やスマートシティQoL評価をインフラマネジメントに取り入れることが考えられる。

インフラマネジメントがどのような地域課題を考慮してきているか、具体事例で考察する。図表13-1には社会資本整備総合交付金が地域のどのような課題に紐づいているかを示している。地域の経済や居住人口の改善といった直接・間接的経済活動の促進と、駅や市街地の賑わいや交通事情の改善に二分されることがわかる。これらの課題解決に対して、具体的には駅前地区の更新や道路の拡幅といったインフラ整備で解決を試みようとしている[3]。

また、これら施策の評価指標の一例を図表13-1に示すが、域内人口、交通量、店舗数、地価といった様々な指標を選択している。このように地域のインフラ整備は地域課題の反映を志向し始めているとともに、その効果を評価するためにインフラの機能に留まらない様々な指標を取り入れて、その効果を評価する指標も様々な試行錯誤をしている。

現状のインフラマネジメントにおける地域課題の取り込みは地域ごとの状況を考慮している一方、マネジメントの枠組み、すなわち施策の全体像を示すのは試行錯誤の段階にある。住民がどのような価値を求めており、それに応えることができるか、また長期にわたるマネジメントにおいて、地域や住民の生活の質の向上にどのように応えるかが重要となる。

13.3 インフラがもたらす三つの価値

インフラマネジメントに求められている課題解決や評価指標はこれまでのインフラの性能・機能から満足度・経済成長・地域活性といった住民視点の

価値が重要となって来る。そこで住民視点の価値をQoL（Quality of Life）の要素（≒価値の項目）から三つの観点で分類した。①インフラが本来的に提供する基本的な価値（Basic Value）、②自然災害や地域の将来構想へ備える将来的な価値（Sustainable Value）、そして、③本来のサービスとは異なる観点の拡張された価値（Extended Value）である（**図表13-2**）。

① Basic Valueは、インフラが提供する基本的価値であり、あるのが当たり前になっているが、無ければ生活に大きな支障をもたらす必要最小限以上のサービスをいう。例えば、上水道ならば、安全で良質な水や安定した水の提供などであり、道路だと、道路の品質やモビリティ速度などである。

Basic Valueの多くは、ユニバーサルサービスなどで、地域の隅々まで提供してきた価値でもあり、今後も、包摂性（誰一人取り残さない：Social Inclusion）の確保が重要である。例えば、経済合理性のみの追求により、一部の住民が利用できなくなる状況などを発生させてはならない。また、提供するサービス量の過剰による無駄の低減や、これまでのインフラのアセットとは異なる形でのサービスの提供などによる過不足の最小化はインフラ運営の面で重要である。

② Sustainable Valueは、現時点での必要性は高くないが、将来、あるいは災害などの緊急時になければ困る、生活・地域コミュニティの持続的成長を維持し、レジリエンスを向上させるために必要な備えとしての価値をいう。上水道ならば、耐震等の災害対策や災害発生後の行動計画などであり、道路ならば、洪水時の貯水や二次災害の防止などがある。レジリエンスの他に、地域の将来を見据えた準備のための投資も、Sustainable Valueに含む。例えば、民間の例であるが、JR東日本の上野東京ラインは神田駅付近で新幹線の上部に高架橋を架けているが、その建設が容易に推進できるように、その下を走る新幹線の建設時にあらかじめ高架橋の柱を設置しておいた経緯がある。

このように、Sustainable Valueは、地域の将来性と、将来のためのインフラサービスの冗長度合いや、限られたサービスのなか有事の

図表13-2 インフラマネジメントにおけるQoLの要素による価値分類

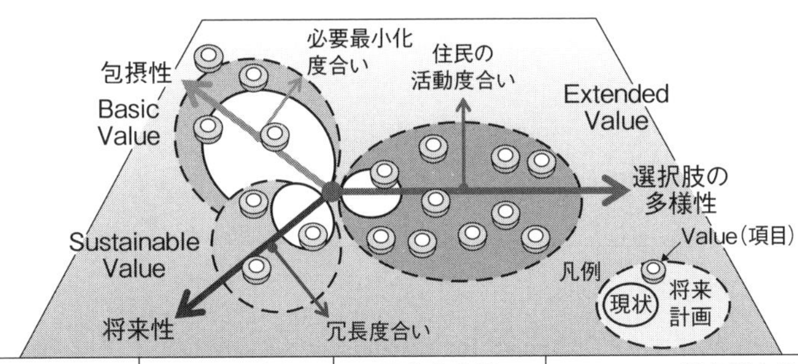

価値	質的方向性	量的方向性	代表例など
Basic Value	包摂性 (social inclusive)	必要最小化度合い	・水道・道路等のインフラの基本的サービス ・全ての住民に過不足なく提供
Sustainable Value	将来性	冗長度合い	・今後起こりうる災害への備え(事前・事後) ・耐久性の高い工法や工事のしやすさ
Extended Value	選択肢の多様性	住民の活動度合い	・インフラ本来とは異なる、住民のさまざまな選好に合わせたサービス、住民自身が選択

図表13-3 Extended Valueの創出事例 パリの砂浜

まちの河畔の自動車道を自分たちの砂浜に(パリ、"Paris Plages")

- 夏のバカンスシーズンでは、フランス人の多くは海辺や地方に避暑する中、パリ中心地には観光客が押し寄せ、多くの住民が市内に残ることに
- パリ市はこうした市民のために、バカンスで交通量が減少するセーヌ川河畔の自動車道に、人工的に砂浜を創り、「Paris Plages(砂浜)」として市民に開放(2002年〜)

状況での弱者への対応度合いなどが重要な要素となる。

③ Extended Valueは、インフラの本来のサービスとは異なる観点の価値であり、例えばまちのにぎわい、あるいはインフラやそのデータを用いた新たな経済的価値などがある。上水道では、水のおいしさや、浄水場などの施設を「見せるインフラ」にすることによる親しみやファンづくり、道路では、路面の住宅などの草木などを利用した借景などがこれに当たる。

このExtended Valueには、「高度化」(該当インフラを通常の使い方をする範囲で実現する、生活がより便利に、効率よく、快適になるサービス)、「多様化」(該当インフラを通常とは異なる使い方により実現する、生活を豊かにする(いやし、うるおい等の)サービス・備え)と「外部拡張」(該当インフラの設備やデータを用いて異なる分野(異なるインフラ)において経済的価値を生むサービス)に整理することができる。

Extended Valueの多くは、地域の人々の選好に合わせるものであり、選択肢の多様性が必要である。また、おのおののValueが住民の活動量を高めることも、地域の経済発展にとって重要な要素となる。

Extended Valueを創造する取り組みとして、パリの砂浜の例を紹介する。図表13-3のように、パリ市内のセーヌ川河畔に、夏限定のリゾートが出現する。実は、この砂浜は、自動車専用道の上に設営されている。フランスでは夏の間、バカンスで遠出する住民が多いが、パリへの観光客は年々増加し市内のサービス業などに従事する市民はバカンスを楽しみにくくなっていた。そこでパリ市は、通勤の車が減少するこの期間、セーヌ川河畔の自動車専用道を閉鎖しヤシの木や砂浜などでひとときのリゾートを演出することで、市民のためのくつろぎの場を提供した。通常は移動のための道路というインフラであるが、セーヌ川の自然を最大限活用して、市民のQoLを高める場を創出している。

13.4 価値創造プロセス

住民視点に立ったインフラマネジメントの実現には、これまでのインフラ維持管理、ないしは更新の観点ではなく、地域の課題把握が重要になってくる。この前提として、本書で取り上げているスマートシティを構成する六つのキーファクターのうち、「生活者参画」および「スマートシティQoL評価」について、以降に示すプロセスを遂行するものとする。図表13-4にインフラマネジメントにおける価値創造プロセスについて示す。

図表13-4 インフラマネジメントによる価値創造プロセス

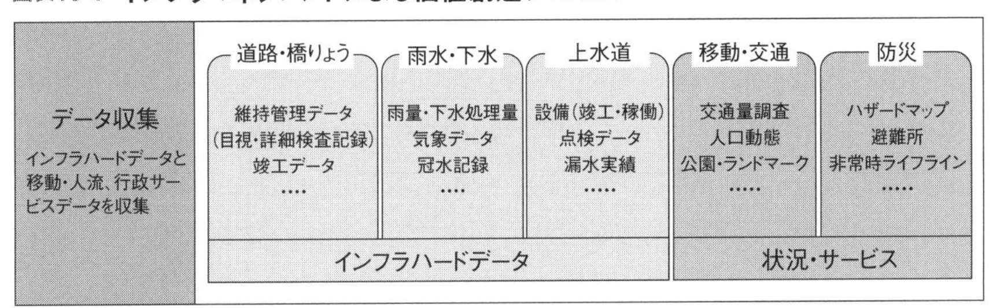

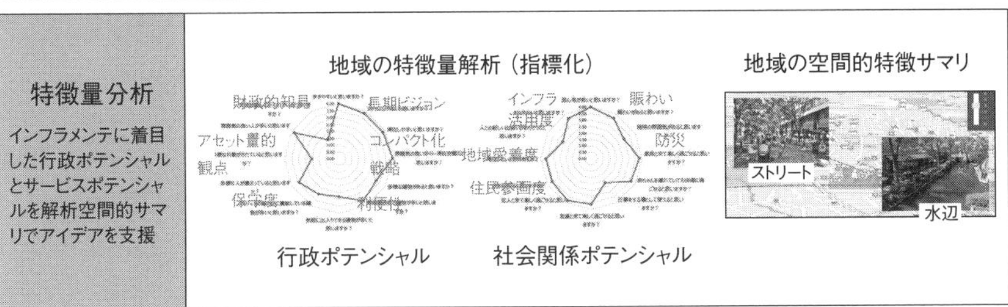

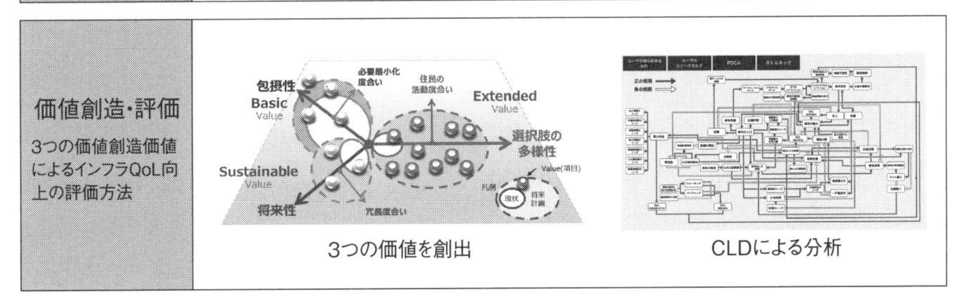

まず、地域の特徴を把握するためのデータを収集する。このデータ収集と次の特徴量の算出は双対をなして扱われ、まずはデータ収集が容易なオープンデータに着目するのが良い。最近では、行政データはデータセットまで構築されているものが多く、統計データ等に慣れていなくとも、比較的容易に扱うことができる。

次に、地域特徴量を評価する。地域特徴量は、カテゴリを設け、それを偏差値などの相対評価値で表すことによって、直感的にわかりやすくする。例えば、図表13-4のようなレーダーチャートを用いて、類似の人口規模の都市と比較するとわかりやすくなる。ここで、地域の特徴を把握、比較する際に用いるデータの収集対象は市町村レベルであることが多い。一方、インフラマネジメントの対象はそれよりも範囲の狭い集落や街区であることが多く、必ずしも必要な分析材料が集まらない。このように統計データと当該地域とのミスマッチについては、例えば先に述べた社会資本整備総合交付金の地域課題や評価指標を参考にするとよい。

最後に地域の課題とインフラマネジメントを連動させて、三つの価値（Basic、SustainableおよびExtended Value）と結び付けた施策を立案する。施策立案に当たっては、住民視点になっているか、地域課題の解決に結びついているかといった内容について、評価指標も合わせて立案することが望ましい。次節では、この地域の課題とインフラマネジメントを連動させる因果ループダイヤグラムについて説明する。

13.5 地域の価値を創造する要因分析手法

地域の特徴をインフラマネジメントと結び付け、統合的な解決を施策するためには、地域の課題とインフラがどのように関連しているかを把握する必要がある。一方、従来のインフラ維持管理はインフラの性能維持が目的であるため、インフラが地域にとってどのような価値創造に貢献しているか十分に把握している事例は少ないと言える。また、住民サービスの観点で着目しても、これからインフラの更新を計画している事案については、社会資本整備総合交付金の適用を検討することが多いため、住民サービスとインフラ更新の関連性を考慮すると考えられるが、大規模改修やまとまった事案が無ければ、住民サービスとインフラとの関連を調査することも容易ではないだろう。

このように、地域の特徴をとらえ、地域の課題とインフラ維持管理を統合的にとらえたインフラマネジメントの計画づくりは、実態把握と現実的な運営という二つの観点から考えて、手間がかかる作業である。この手間がかかる作業の支援と、インフラを運営する地方公共団体と地域住民が同じ視点に立った議論ができる仕組みとして要因分析手法を用いたプラットフォーム形成について紹介する。

要因分析とは、「風が吹けば、桶屋が儲かる」の「風」から「桶屋」までの関連性を紐解き、可視化することを指す。Causal Loop Diagram（CLD：因果ループダイヤグラム）と呼ばれる要因分析手法は、「風」から「桶屋」までのつながりと、それぞれのつながりの要因関係の傾向について可視化する。可視化の事例を図表13-5に示す。このCLDは住民の生活の質（QoL）の向上がどのような施策やインフラとつながっているかを示している。この事例では、住民QoLが交通や環境、緑地などのニーズ、ウォーキングなどの趣味嗜好など幅広い事象とつながっていることがわかる。本章で示すQoLは生活の質であると同時に、交通や環境、さらにはウォーキングといった個人の趣味嗜好までも網羅する幅広い範囲が含まれる。このような個人に基づく幅広い範囲の生活の質の向上は本書で示す“ActiveQoL”のように個人の活動と関連付けて評価することが望ましい。図表13-5の事例では、ユーザーごとの関心のある事象（KPI:Key Performance Indicator）や、地方公共団体が施策の立案、実行、効果検証、新たなアクションのPDCAサイクルの各段階でその事象がどのように関わっているかを抽出できる機能があり、一目で関連性を考察することができる。このようなわかりやすい可視化が地方公共団体の担当者や当該地域の住民といった異なる立場で、必ずしも専門性を持ち合わせていない人びとをつなぐ有力な手法となる。

CLD自体を白紙から構築するのは、要因を紐解くことになるため、手間

図表13-5　CLDの一例

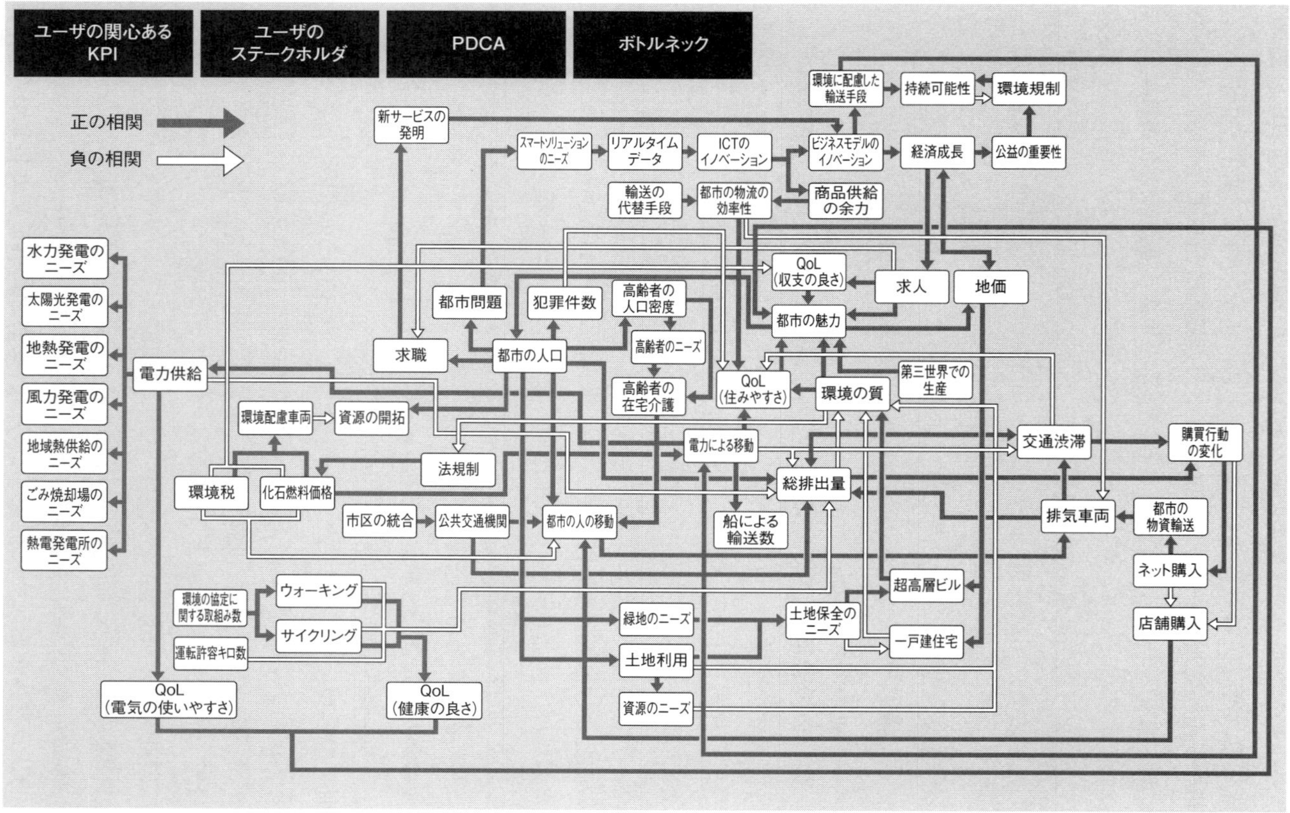

ユーザの関心あるKPI
ユーザのステークホルダ
PDCA
ボトルネック
正の相関
負の相関
水力発電のニーズ
太陽光発電のニーズ
地熱発電のニーズ
風力発電のニーズ
地域熱供給のニーズ
ごみ焼却場のニーズ
熱電発電所のニーズ
電力供給
新サービスの発明
求職
都市問題
犯罪件数
高齢者の人口密度
高齢者のニーズ
高齢者の在宅介護
都市の人口
環境配慮車両
資源の開拓
環境税
化石燃料価格
法規制
市区の統合
公共交通機関
都市の人の移動
環境の協定に関する取組み数
運転許容キロ数
ウォーキング
サイクリング
QoL（電気の使いやすさ）
QoL（健康の良さ）
緑地のニーズ
土地利用
資源のニーズ
スマートソリューションのニーズ
リアルタイムデータ
ICTのイノベーション
ビジネスモデルのイノベーション
輸送の代替手段
都市の物流の効率性
商品供給の余力
環境に配慮した輸送手段
持続可能性
環境規制
経済成長
公益の重要性
QoL（収支の良さ）
求人
地価
都市の魅力
QoL（住みやすさ）
環境の質
第三世界での生産
電力による移動
船による輸送数
総排出量
交通渋滞
購買行動の変化
排気車両
都市の物資輸送
ネット購入
店舗購入
超高層ビル
土地保全のニーズ
一戸建住宅

がかかる。この手間は、類似の事例や、地域で起こるそれぞれの事象などで類型化しておき、タブレットでタップする感覚で容易に抽出する環境を整えれば、オンデマンドでカスタマイズすることも可能である。地域ごとの検討結果が蓄積されることにより、効果検証や新たな施策の立案が可視化され、効果の波及領域までもが一つのCLDで表現できる。白紙からCLDを作り上げるのはハードルの高さを感じるが、ほかの地域の事例を取り上げて、自分たちの課題を新たに事象として加えていく作業であれば、CLD構築のハードルは格段に下がると考えられる。

最後に、このようなCLDを用いた可視化手法は、それぞれの事象の相関を数理処理（すなわち関数として表現）できれば、高度な要因処理や将来推定の道が拓ける。地方公共団体の財政規模など地域間格差がなく、様々な施策を相互に学びあい、活用していくデジタル化が重要である。

13.6 価値創造型インフラマネジメントの実現に向けて

以上、価値創造型インフラマネジメントについて、その考え方と事例を紹介した。日本の人口減少は地方を中心に当初の想定以上の速いスピードで進展しており、人口減に伴い、低密度の居住区域が広域に拡がる状況が長期にわたる可能性が高まっている。このような国土の変化とインフラの維持管理をチャンスととらえて、住民ニーズに合ったインフラマネジメントの長期展望を住民と行政がともに考える姿が日常化することを期待したい。

参考文献

[1] インフラ再生研究会著、日経コンストラクション編『荒廃する日本 これでいいのかジャパン・インフラ』日経BP、2019年
[2] 国土交通省「社会資本整備総合交付金等について」
https://www.mlit.go.jp/page/kanbo05_hy_000213.html（2023年1月16日最終閲覧）
[3] （一財）都市みらい推進機構「まちづくり情報交流システム」
http://www.machikou-net.org/（2023年1月16日最終閲覧）

Chapter 14

デジタル社会インフラとしての六つのキーファクター

14.1 人中心のスマートシティ実現に向けた共通のものさし

スマートシティはまちの課題や人々の生活の質を高める挑戦的な取り組みを展開し、人中心の都市を実現していく営みである。スマートシティの取り組みを成功に導くためには、スマートシティに参画する多種多様なプレーヤーが共通の目標の下に連携し、おのおのの強みを発揮していくことが肝要だ。しかし多数の業種が集う環境において人中心の都市実現に向けてのステップを描き、それを共通認識として持ち合わせおのおのの活動に落とし込むことは、非常に難易度の高いミッションであると考えられる。

そこで日立東大ラボでは、多数の要素技術の組み合わせによって緻密で複

図表14-1　米国自動車技術会（SAE）[1]の自動運転レベル

段階	名称	主体	走行領域
レベル0	運転自動化なし	人	–
レベル1	運転支援	人	限定的
レベル2	部分運転自動化	人	限定的
レベル3	条件付き運転自動化	車	限定的
レベル4	高度運転自動化	車	限定的
レベル5	完全運転自動化	車	限定なし

（出所）[1]での定義を筆者が翻訳して作成

雑な処理を実現し近年目覚ましい発展を遂げている自動運転システムに着目し、その成長を背後から支える、ある仕組みをスマートシティに応用することを考えた。

自動運転システムにおける、ある仕組みとは、自動運転が目指す将来像とそれに向けた技術革新のステップを共通に理解できる言語として落とし込んだ「自動運転レベル（**図表14-1**）」と呼ばれる定義である。これは、2014年に初めて米国自動車技術会（SAE）が提言したもの[1]で年々改良を重ねているが、基本的には複雑高度な自動運転の技術開発を五つの段階に分け、段階ごとに共通の達成目標や条件を定めることで、多数の分野にまたがる開発者が共通の理解を持って円滑に連携的な開発を進められるようにするいわば世界共通のものさしの役割を担っている。例えば日本では、この定義を踏まえていつまでにどの自動運転レベルを達成するのか目標設定したロードマップを作成しており[2]、2020年に目標設定された、高速道走行で「ハンズオフ」が可能な自家用車の市場化(レベル2)は計画通り達成され、レベル3や4に向けても各地での実証実験に歩み出していることを明確に示すことができている。このように多主体が複雑に連携する高度な技術開発においても、現在地における達成目標やそれに応じた課題、次のハードル等を共通認識として持てるようになることで、円滑に意思疎通が行えるようになり、ひいてはイノベーションの加速化につながっていく。

では立ち返ってスマートシティの場合を考えてみよう。スマートシティにおいても多様な分野の企業や組織、時には住民も交えて個別のスマートシティサービスや技術開発を進めていく意味では、自動運転システムの開発と同様、高度で円滑な連携を要する取り組みと言える。そのため、スマートシティにおいても共通のものさしの必要性は認識されており、国内外で様々な指標が提案され始めている。例えば2017年に発表されたISO37153「スマートコミュニティインフラストラクチャー評価と改善のための成熟度モデル」は、エネルギー、水、交通、ゴミ処理、ICT等の都市インフラにおけるスマート化を対象として、技術的パフォーマンス、プロセス、相互運用性の三つの観点から、初期（Initial）、部分的充実（Partially fulfilled）、充実（Fulfilled）、改善（Improving）、持続的な最適化（Sustainably optimizing）という5段階の成熟度を定義した指標である[3]。このレベル設定は、マネジメント分野で広く普及しているPDCAサイクル[4]やCMMIモデル[5]などに見られる、一般的な組織マネジメントの成熟過程にのっとった定義と読み取れる。また、2019年に発表されたITU-T Y.4904/L.1604「スマートで持続可能な都市の成熟度モデル」は、SDGsに足並みをそろえ持続可能性に力点を置いたモデルであり、社会、経済、環境の三つの柱それぞれで独自の5段階レベルを定義している[6]。

しかしこれまで提案されてきたスマートシティの成長を測るこれらの指標には、その都市に暮らす人々のWell-beingを高めるというSociety 5.0で重視する人中心の観点は十分に含まれておらず、人中心の都市実現に向けて、どのような段階を歩んでいけばよいか、指針となる共通のものさしは未だ存在しない。

14.2 六つのキーファクターの地域実装に向けたレベル設定

日立東大ラボではこれまで人中心のスマートシティ実現に向けて六つのキーファクターの重要性を示してきた。そこで本章では、これら六つのキーファクターを都市・地域に段階的に実装していくステップを定義することで、それぞれの都市・地域が人中心のスマートシティをめざした時に、現在地はどこで、次にめざす目標は何かを共通認識できる新たなものさしを提言し、今後のスマートシティの発展に役立てたいと考えている。

六つのキーファクター全てに共通する都市・地域の実装に向けたステップの区分は、以下の４段階を定めた（**図表14-2**）。まずキーファクターを意識した取り組みが行われていない状態をレベル0（未着手）とし、キーファクターを都市・地域に導入するために適した方法を調査・検討した段階をレベル1（調査）と定義している。レベル2（部分的実現・トライアル）は、キーファクターを都市・地域に導入することを部分的に実践している、あるいは、調査・検討した手法を試しに実践している状態と定めた。レベル3（実現・

図表14-2　キーファクターの地域実装に向けたレベル(0〜4)設定とステップアップ

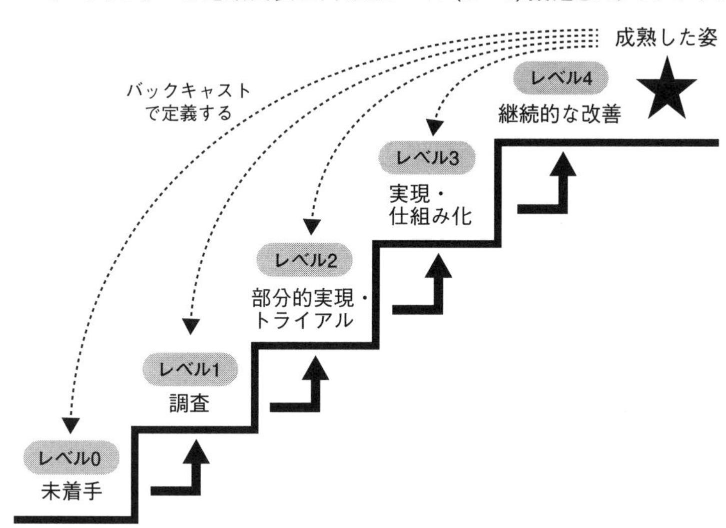

仕組み化）は、実践のノウハウが蓄積されたことにより、それをもとにスマートシティの運営における基本的な仕組みとしてキーファクターが組み込まれ有効に機能している状態としている。レベル4（継続的な改善）は、それぞれのキーファクターが都市・地域の中で効果を発揮している理想的な状態が達成されており、さらにキーファクターと都市・地域の実態との整合性を高めたり、安定した運用をめざすなど、キーファクターが持続的に効果を発揮できる体制に向けて改善を行う仕組みが組み込まれている状態とした。

この区分を基本として、各キーファクターが理想に掲げる状態をレベル4に据え、これを実現するにはどのようなステップを踏んで進めていくと良いかというバックキャストの考え方で、おのおの独自の4段階を設定している（**図表14-3**）。全体として小さく実装が始められるようレベル1と2は軽いステップとし、当面の目標としてレベル3をめざせるように設計しているため、まずはレベル3の実現に向けてトライしてみていただきたい。

以下では、本書で紹介した六つのキーファクターについて、都市・地域の中で効果を発揮させていくために、段階的に取り組むとよいステップを指針として示し、実装において心がけるとよい観点を解説する。

図表14-3　**六つの各キーファクターの地域実装に向けたレベル（0〜4）と基準**

成熟レベル		キーファクター1 社会的な受容	キーファクター2 データガバナンス	キーファクター3 生活者参画
アイコン		社会的な受容	データガバナンス	生活者参画
レベル0	未着手	☑スマートシティ運営者が社会受容性の概念をまだ理解していない	☑スマートシティの取り組みで(本書第6章に示す)データガバナンスガイドラインが意識されていない	☑生活者がスマートシティの取り組みに参画する場がない
レベル1	調査	☑社会受容性の概念を理解できている ☑自組織へ導入すべき社会受容性を高める方法論の調査・検討ができている	☑地域に合ったサービスや提供するべき便益を調査・検討できている	☑スマートシティの目標・取り組みの説明・意見を聞く場(公聴会、説明会等)を設けられている ☑地域に合った共創のあり方を調査・検討できている
レベル2	部分的実現・トライアル	☑社会受容性の獲得に向けた試行ができている(単発的な実施)	☑データガバナンスガイドラインに従い、データを取得・活用する取り組みを試行できている(単発的な実施)	☑生活者が主体的に共創に参加できる取り組みを試行できている(単発的なワークショップの実施等)
レベル3	実現・仕組み化	☑試行結果に基づきその地域に導入する社会受容性の獲得に向けた取り組みを決定できている ☑導入する取り組みを継続実施できるようスマートシティ運営における基本的な仕組みとして組み込み、機能している	☑データを取得・活用する取り組みにおいてデータガバナンスガイドラインの考え方が導入できている ☑上記を継続実施できるようスマートシティ運営における基本的な仕組みとして組み込み、機能している	☑スマートシティの多様なテーマに対して生活者が主体的に共創に参加できる場(リビングラボ等)を構築できている ☑上記の場をスマートシティ運営における基本的な仕組みとして組み込み、機能している
レベル4	継続的な改善	☑レベル3で導入した取り組みや仕組みの定期的な見直しや改善ができている ☑それらの改善を継続的に行うための予算や体制が確保できている	☑レベル3で導入した仕組みの定期的な見直しや改善を行っている ☑それらの改善を継続的に行うための予算や体制を確保している	☑レベル3で導入した共創の場の定期的な見直しや改善ができている ☑それらの改善を継続的に行うための予算や体制を確保できている
		▼ **地域社会コミュニティがスマートシティ施策を理解し受容する**	▼ **炎上リスクを避けられる**	▼ **生活者がスマートシティの取り組みに主体的に参画する**

キーファクター4 スマートシティQoL評価	キーファクター5 人財育成	キーファクター6 データエコシステム
スマートシティQoL評価	人財育成	データエコシステム
☑スマートシティの取り組みが人々のQoL向上につながっているかを確認する手段がない/確認していない	☑スタッフの自助努力に任せるなど、スマートシティ運営組織で人財育成を意識的に行っていない	☑スマートシティの取り組みの中で、組織間でのデータ利活用が行われていない
☑住民の主観を測る手法を調査・検討できている ☑地域に合った指標選定ができている	☑人財育成の仕組み化について調査・検討できている	☑組織間でのデータ利活用について、ニーズ・シーズを調査・検討できている
☑施策を実行した効果についてWell-beingやQoLの観点から評価できている(単発的な実施)	☑外部教育プログラムや内部研修制度等を用いたアドホックな人財育成を試行できている（単発的な実施）	☑スマートシティの特定テーマにおいて組織間でのデータ利活用を試行できている（単発的な実施）
☑地域課題の明確化から評価改善までのPDCAサイクルを継続実施できるよう、スマートシティ運営における基本的な仕組みとして組み込み、機能している	☑その地域が求めるスマートシティ運営人財像を設定できている ☑上記に適した人財育成プログラムを選定し実施できている ☑継続的に人財育成を実施できるようスマートシティ運営における基本的な仕組みとして組み込み、それが機能している	☑組織間でのデータ利活用の取り組みにおいてサービスが実運用され期待した便益や収益が得られている ☑優良なユースケースから有効なデータ利活用支援策を明らかにできている ☑上記支援策をスマートシティ運営における基本的な仕組みとして組み込み、それが機能している
☑レベル3で導入した仕組みの定期的な見直しや改善を行っている ☑それらの改善を継続的に行うための予算や体制を確保している	☑レベル3で導入した仕組みの定期的な見直しや改善を行っている ☑それらの改善を継続的に行うための予算や体制を確保している	☑データ連携によるサービスについて、住民やステークホルダーの意見を踏まえて、サービスの中止や新規導入、ニーズ変化への対応など見直し・改善ができている ☑レベル3で導入した支援策の定期的な見直しや改善を行っている ☑それらの改善を継続的に行うための予算や体制を確保している
▼ **スマートシティの取り組みがQoL向上につながっているかをデータから説明できる**	▼ **スマートシティの運営を担う人財が育つ**	▼ **住民ニーズを捉えた、組織間でのデータ利活用が増加し都市の持続性に寄与する**

キーファクター1：社会的な受容

「社会的な受容」のキーファクターでは、地域社会がスマートシティ施策について理解を深め受容できる状態からバックキャスティングし、スマートシティ施策の理解と受容に向けた取り組みをどれくらい安定的に実施できているか、という観点からレベル設定を行っている（**図表14-3**）。

レベル0は何もしていない状態である。スマートシティ運営者が社会受容性の概念（第5章参照）をまだ理解していない。

レベル1は方法論の調査検討を行う段階である。社会受容性の概念を理解し、これを高め維持するための方法論を調査し、自組織へ導入すべきものを検討している状態を指す。

レベル2はトライアルの段階である。社会受容性を高め維持するための取り組みを試行（単発的に実施）している状態である。

レベル3は取り組みの仕組み化を行う段階である。社会受容性を高め維持するための取り組みについて、試行結果に基づくなどして導入すべきものを決定し、それを仕組みとして継続実施できる状態になっている。

レベル4は継続的改善を行う段階である。レベル3で定義した取り組みや仕組みの定期的な見直しが行われる他、それらの改善が継続的に行われるための予算や体制が担保されていることで達成とみなす。

なお、社会受容性を高め維持するための具体的な方法は、地域によって異なる。大都市における市民との関係性の構築方法が、過疎地を含む地方都市におけるそれとは異なっていて当然であり、レベル１の段階で自地域に合うものを見つけ出す必要がある。その際のヒントとして、スマートシティの社会受容に関する態度構造モデルが役立つ。もっとも基本的な原則は、スマートシティ運営者の信頼が社会受容に大きく影響することである。そして、信頼は手続き的公平性（公平な事業プロセスを採用していること）や分配的公正性（特定の地域や性別、世代等にメリットが偏らないこと）の影響を受けることがわかっている。つまり、レベル3の状態をめざすために、これらを意識した市民対話を心掛けることは、いずれの地域においても共通して有効な考え方である。

手続き的公平性では、適切なステークホルダーとよく議論をしながら、全員が納得した上でプロジェクトを進めることが基本となる。対話を行うべきステークホルダーやタイミング等の適切性は、地域やプロジェクトの内容によって異なるであろう。これを判断するためには、地域社会の関心の所在をよく理解し、そこへ寄りそった対話を計画することが有効である。その際、町内会や商工会等の地域組織だけでなく、様々な立場の方を想定し、より多くの方々が納得できる対話方法を検討すべきである。

また、分配的公正性では、メリットの偏重をなくすことが重要である。しかし、一つのプロジェクト内で達成することにこだわりすぎると、ターゲットがぼやけてうまくいかないことも多い。そのため、他のプロジェクトも併せたプロジェクト群として分配的公正性を担保するような思考もありえるだろう。また、対話機会の公正性についても留意が必要である。世代間のデジタルリテラシーの差を考慮し、年配の方々には対面で説明し、専門用語を噛み砕くなどの配慮が求められるであろうし、他方でデジタルリテラシーの高い若年層にはオンラインでの意見収集も検討の余地があろう。

キーファクター2：データガバナンス

スマートシティにおける課題を解決し、住民のQoLを向上させるために、データを利活用することは世界的な潮流となっている。データを利活用したスマートシティにおいては、異分野のデータを連携させることにより複合的な課題を解決することが可能となり、新たなビジネスチャンスが創生される期待も大きい。しかし、一方で、データの利活用を円滑に進めるためには、コンプライアンス（法令遵守）の観点だけでなく、炎上防止という観点からもデータガバナンスは極めて重要である。

第6章において、スマートシティにおけるデータガバナンスガイドラインの基本的な考え方を紹介した。こうしたガイドラインをどのように活用していくかという観点からレベル設定を行っている（**図表14-3**）。

レベル0はデータガバナンスガイドラインを意識した取り組みがない状態である。法令遵守及び炎上防止という観点を考慮しておらず、トラブル発生のリスクが高い状況と言える。

レベル1はデータガバナンスガイドラインに基づき、地域に適したどのようなサービス、便益を提供するべきかを調査・検討している段階である。データ利活用はあくまでも手段であり、住民を巻き込みながら、どのような価値を住民に与えるのか、という検討からスタートしなければならない。

レベル2はレベル1におけるデータ利活用の目的を明確化した上で、実際にデータの利活用を開始した段階である。ガイドラインに従い、新規サービス導入に必要なデータを取得・活用することを部分的に実践している状態が含まれる。また、実際に進行中のデータを活用した施策において、ガイドラインを参考に、取り組み内容を修正している状況も含めて良い。

レベル3はガイドラインの考え方に基づくデータ利活用が地域に導入され、スマートシティの運営における基本的な仕組みとして機能している段階である。ガイドラインに準拠したサービスの創出及びその結果への評価が行われ、次の施策へのフィードバックが適切に行われた実績を有する状況と言って良い。

レベル4はレベル3の状況が、継続的に実践、改善されている状況である。この際、いわゆるアジャイル・ガバナンス的に（第6章3節参照）、最初から完璧なものをめざすのではなく、トライアンドエラーを繰り返しながら、改善ループを迅速に回していくことが望ましい。そのための、関係者の合意や予算の手当が適切になされている状況でもある。

このレベル設定は、スマートシティにおけるデータの利活用を円滑に進めることを目的としている。そのためには、一定の普遍性を有するデータガバナンスガイドラインが必要であり、これを、実際の現場での実践結果をふまえながら、そのブラッシュアップを進めていく活動が様々な地域に広がることが望ましい。結果として、ガイドラインが実情に即した使い勝手の良いものとなり、ゆくゆくは標準化されるレベルまで到達する。こうしたプロセスを通じ、データ利活用が促進され、住民の満足も向上、さらにデータ利活用が拡大する、というポジティブフィードバックがかかっていくことを期待している。

キーファクター3：生活者参画

スマートシティにおいて人々のWell-being向上に根差した取り組みを行

うためには、当事者である生活者の主体的な参画が極めて重要になる。しかしスマートシティの取り組みに生活者が参画するようになるには、その土地の生活者の特性や地域に合う参画の場や機会が必要であり、それらを適切に設計し運用していくことが求められるだろう。そのため、生活者参画のキーファクターにおいては、スマートシティにおける様々なテーマの取り組みに対して、生活者が主体的に参画できる状態からバックキャスティングし、以下四つのレベル設定を行っている（**図表14-3**）。

レベル0は生活者がスマートシティの取り組みに対して意見を述べたり、共創したりする場がない状態を指す。

レベル1はスマートシティの目標・取り組みについてパブリックコメント等、生活者に説明する・意見を聞く場を設けられている段階である。また、もう１段階深い参加と言われる共創実現に向けてその地域に合ったものの調査を行っている。

レベル2は単発のワークショップなどによってスマートシティの特定のテーマに限定し、生活者が共創に参加する機会をつくれた段階とする。

レベル3はスマートシティで取り組まれている様々なテーマにおいて、生活者が共創に参加できる機会をつくれており、スマートシティの運用における基本的な仕組みとして機能している段階である。例えば第7章で紹介したリビングラボ等がこれにあたる。仕組みが機能しているとは、共創の場を活用したいと考えるスマートシティプロジェクトが増え始めている状態であり、リビングラボ等で様々なテーマの共創に取り組まれている状態と言える。

レベル4はレベル３で立ち上げた仕組みが、継続的に活用、改善されている状況である。共創の場を活用したい団体が来ない、主体的な参加者が集まらないといった問題があれば、共創の仕組みの設計自体が適切でない可能性があるため見直していくことが重要である。また、持続可能な運用をめざすため、地元の様々な生活者コミュニティとのつながりや、スタッフ等の人員、予算の手当を担保する試みも当てはまる。

生活者が主体的にスマートシティの取組に参画し共創する一員となることが珍しいことでなく、当然のように行われるようになるためには、その地域に暮らす生活者がスマートシティと関わる機会を増やしさらに参加の深さを少しずつ掘り下げ、生活者がスマートシティの取り組みに創る側として関わる経験値を段階的に高めていくことが重要と考える。そのため、従来では説明会など一方向の伝達で留まりがちだった経験をレベル1として、レベル2からは、徐々に生活者の目線や創造性が発揮される高度な参画に挑戦できる機会を創ることがめざされる。生活者に受け入れられる共創プログラムを設計するには、共創を行う目的や、成果、開発中のサービスの現在地などを事前に確認しながら、ターゲットとなる生活者の特性に合わせた参加の間口を丁寧にデザインすることが重要になる。例えば、主体的参加を求める対象が高齢者なのか、子育て世代なのかで、適した開催場所、時間、回数、共創の形態は大きく違ってくる。こうしたターゲットとなる生活者に受け入れられやすい共創の場をデザインすることは難しいが、レベル2の取り組みを蓄積していくにつれ、運営者側の経験値も溜まり、レベル3で目標とする、様々なテーマのスマートシティプロジェクトに対して柔軟に共創のプログラムを設計できるスキルも上がってくるだろう。そのため、まずはレベル2の共創の試行に挑戦し、生活者とともに共創の経験を積み上げてみていただければと考える。

キーファクター4：スマートシティQoL評価

スマートシティの取り組みが人々のQoLやWell-being向上につながっているかを測り、評価する重要性は世界各地で高まっている。一方で、こうした人々の状態を定量的に示すためには、どのようなデータを指標として定義し、どのようにデータを収集するかといった、調査設計が極めて重要であるとも言える。そこで、スマートシティの取り組みや都市の状態をQoLやWell-being等、人中心の観点から評価するための仕組み構築の観点で成熟度のレベルを設定した（**図表14-3**）。

レベル0はスマートシティの取り組みの効果を住民視点から確認する手段がない、あるいは手段はあるものの実施していない状態である。取り組み実施者の視点から、進捗のみを把握したり一義的な達成目標を測るだけで評価を終えている状況と言い換えることもできる。

レベル1は住民の主観に基づく評価方法を調査・検討している段階である。

例えば一般社団法人スマートシティ・インスティテュートが開発し、デジタル庁がデジタル田園都市国家構想での活用をすすめる地域幸福度（Well-Being）指標[7]の公開調査結果や第8章で紹介した"Active QoL"等を活用して、自分の地域でWell-beingの値と強い相関のある因子を抽出することで、地域の強みや課題を明らかにすることができる。これをもとに、関連する施策やスマートシティの取り組みを評価対象として選定したり、新たな施策（将来の評価対象となる）を作る状態もこのレベルに含まれる。

レベル2は一部のスマートシティの取り組みやある一時点の都市の状態に対して住民のQoLやWell-being評価を試行した段階である。評価する目的や対象に合わせて集めるデータの定義や調査設計を行うことからスタートする。また実際にデータを集め、評価を行い、そこからその施策や都市の効果、課題点を分析、それを踏まえて新たな施策の立案を行うPDCAサイクルを試行した状態とも言い換えられる。

レベル3はレベル2で試行した一連の評価プロセスを繰り返し実施できる体制をスマートシティにおける基本的な仕組みとして組み込み、それが機能している段階である。タイプの異なる取り組みの評価や短周期、長周期での変化の計測など継続的なデータ収集に対応している状態も含まれる。

レベル4は、レベル3の仕組みを改善していく段階である。評価のPDCAサイクルを回す中でより良い運用を図るため、仕組みや体制の定期的な見直しが行われている状態であると言える。

このレベル設定は、スマートシティの取り組みが人々のQoL向上につながっているかをデータから確認できることを目的としている。そのため、レベル3で重要となる地域に適した評価の体制づくりが必要である。例えば、QoLと密接なつながりを持つその地域固有の因子をもとに、その地域で緊急度の高い課題や効果の出やすいスマートシティ施策を検討したり、評価対象とする取り組みを抽出することが考えられる。一方この時、スマートシティの取り組み実施者の視点だけから指標を選定してしまうと、恣意的な結果が出てしまうなど不正確な評価につながりかねないことから、住民視点も含めた公正な指標選定プロセスを定めて公開していくことも重要である。また、レベル1の段階で何のためにスマートシティを評価するのか、評価を行う目的を明らかにしておくことも重要である。なぜなら目的の違いによって、設定するとよい評価指標や取得するデータの地理的範囲や期間、頻度、取得方法に至るまで違ってくるためである。一般的に都市やスマートシティを評価する目的は以下の三つに分類されると考えられる。

（1）地域の特徴や課題を明らかにし、エビデンスをもって住民へ地域の実態を共有する
（2）地域の特徴を伸ばす、あるいは地域の課題を解決する施策を検討するための材料とする
（3）実際に施策や取り組みを行ったことにより、地域がどう変わったか、成果や効果、インパクトを明らかにする

（1）（2）では地域の特徴の一要素としてマクロ的視点から住民のQoLやWell-beingに関するデータを集めることになるため、データの取得頻度は、まずは1回でもよく、その後同じデータを年に1度程度収集していくことができるとなお良い。一方でデータの取得規模は調査対象のエリアに対して、多くのサンプル数があることでエリア内の小地域間での比較が行えるようになることから、国や自治体等が実施する母集団の大きいアンケート調査などに調査したい指標の項目を加えられると、効率良くデータを収集できる。一方（3）では、実施した施策や取り組みの効果を測ることが目的となるため、行動変容や満足度の変化などをとらえられるミクロ的視点のQoLやWell-beingに関するデータを収集することが重要になる。また変化の早いスマートシティの取り組みの進捗に応じたきめ細やかな評価を行っていくためには、第8章で紹介した“ActiveQoL”のような、住民の生活活動や心理状態を把握することのできるスマートフォンやウェアラブルデバイス等の行動ログや生体センサー等の個人データを活用することも将来的に視野に入れていくことが重要であろう。ただし、これらのデバイスは属性によって所有に偏りがあり、スマートフォン以外は普及率も十分でないことから、特定サービスの利用者やエリアを限定するなど調査計画に工夫が求められる。

キーファクター5：人財育成

スマートシティ運営の人財は、ひとりでに生まれることはない。今までの業務ルーティンとは大きく異なる知識や技術、またそれに裏付けられた発想や交渉が必要になるためだ。外部の専門家へ委託する場面もあろうが、その業務の何たるかを知る者でなければ効果的な委託はできない。ゆえに、持続可能なスマートシティをめざすのであれば、ふさわしい知識や技術を有する人財を意識的に育てていくことが不可欠である。

意識的に人財育成を行うことはすなわち、人財育成の仕組みをつくることと同義である。そのため、人財育成の仕組みがどの程度構築されているか、という観点からレベル設定を行っている（**図表14-3**）。

レベル0は何もしていない状態である。スタッフ個々人の自助努力に任せ、人財育成については特段の策を立てていない。

レベル1は調査を行なっている段階である。スマートシティに関する人財育成のプログラムや仕組みについて、他事例を調査したり、自組織にどのように組み込むかを検討しているかどうかが判断基準となる。

レベル2は人財育成プログラムのトライアルの段階である。外部教育プログラムや内部研修制度等を用いた人財育成をアドホックに実施していればこのレベルに位置付く。

レベル3は人財育成プログラムの仕組み化を行う段階である。求める人財像を設定し、ふさわしいプログラムを選定して人財育成を実施し、それが仕組みとして確立されているかどうかで判断する。

レベル4は人財育成プログラムおよびその仕組みの継続的改善を行う段階である。レベル3で定義した仕組みの定期的な見直しが行われる他、改善が継続的に行われるための予算や体制が担保されている状態が達成されているかで判断を行う。

上記のレベル設定は、人財育成に計画性を持ち込むことに主眼がある。育成すべき人財像は組織によっても異なり、また今までの業務ルーティンとは大きく異なる知識や技術の修得は一朝一夕にはできないためである。さらには、スタッフの異動や休退職などの人財の流動に備えた計画性も必要となろう。

人財へのアドホックな投資から、人財育成の仕組みを構築するための具体的なポイントは何であろうか。特に重要であると考えられるポイントを5点挙げたい。

1点目は、育成すべき人財像を設定することである。目標設定をすると言い換えてもよい。自組織に必要な人財について、その職能や人数規模を第9章に書かれた内容を参考にして想定してみてほしい。

2点目は、育成の対象を定義することである。将来的な人財の流動に備えて、組織内の具体的な「誰を育てるか」という発想だけではなく、どのポジションにどういう職能を配置するかという「どこを育てるか」という発想が重要になろう。

3点目は、育成の方法論を設定することである。教育プログラムを受講して知識を増やす、詳しい者と同じチームに加えてOJTで実践力を鍛える、組織内の勉強会等を設けてスマートシティに触れる者のすそ野を広げるなどの方法論が考えられる。また、特にアーキテクトなどの専門性の高い職能については、内部で育成するには時間がかかるため、外部からヘッドハントしてくることも考えられよう。

4点目は、それらを仕組みとして構築することである。教育プログラムの受講であれば、その受講料を補助する仕組みが有効であろうが、これを年に何人、どのような対象に実施するかを想定する。また、受講の成果を内部勉強会で共有することは、内部関係者だけでなく本人にとっても教育効果が高いであろう。

5点目は、情報のアップデートを行うことである。スマートシティに関連する技術の進歩や社会的動向は動きが速い。他都市の取り組みに関する新鮮な情報に触れる環境を設け、知識の更新を促すことは極めて重要である。組織外の情報交換ネットワークに加入して知識を更新していくなどの仕組みを設けることは効果的であると思われる。

以上のポイントを意識して、早期のレベル3到達を願っている。育成が進めば進むほど、仲間とその知見の共有が進み、現場では相乗的な効果が得られるであろう。

キーファクター6：データエコシステム

データエコシステムがめざす姿は、地域内で組織間のデータをやりとりするデータの提供者やデータの利用者が増え、それらのデータを利用した多くのサービス群が、住民や組織に価値を提供し続けている状態である。そこで重要なのは金銭的な収入に限らず対価が成立すること、そして、いわばサービスの新陳代謝のように新規サービスの導入や既存サービスの見直しを行い経年変化するニーズへ対応することである。

そこで組織間データにおいて利活用の事例ができ、それが対価を得るなどして持続可能な状態となり、その上でサービスの入れ換えが適宜行われている、という発展をもとにレベル設定を行った（**図表14-3**）。

レベル0はスマートシティの取り組みとしての組織間のデータ利活用がまだされていない状態である。

レベル1は組織間のデータ利活用に関する地域のニーズ・シーズを調査し、施策の検討を行っている段階である。

レベル2は組織間データ利活用の試行が行われている段階である。スマートシティの特定のテーマにおいて、組織間でのデータ利活用を試行・実現し、ユースケースを実証したと言える状態とする。

レベル3は一つ以上のサービスにおいて期待した便益や収益が生まれ、それらのサービスの持続性が担保されたと言える段階である。また、こうした優良なユースケースから有効なデータ利活用支援策を明らかにし、これらをスマートシティ運営における基本的な仕組みとして組み込み、機能している状態を示す。

レベル4はニーズ変化に対応する仕組みが機能する段階である。データ連携によるサービスについて住民やステークホルダーの意見を踏まえてサービスの中止や新規導入などの見直しが行われ、ニーズ変化に対応しながらレベル3の活動を持続的に営むことのできる仕組みが確立し、機能している。

この4段階のレベル設定は、データエコシステムが一時的、あるいは表面的なやりとりに留まらず、長期的に発展する条件を考慮した。データインフラの整備や実証の充実は重要ではあるものの、本質的には個別のサービスが事業として確立し、全体のマネジメントとしてこれが育てられていることが重要ととらえている。

人中心の都市を持続可能にするためのエコシステムの育成に向けての具体的なポイントとして、次の2点を挙げる。1点目は、ユースケース志向でエコシステムの発展を進めることである。データインフラの機能の整備はデータ利活用の促進に一定の効果はあるものの、これだけで広まることは期待できない。データ利活用に関するニーズやシーズの調査をもとに、実装容易なものを実現するなど、小さくてもよいのでユースケースを作ることから始める。事例がステークホルダーの意識づけをし、興味を集め、ユースケースの広がりにつながっていく。海外でもオープンデータを活用したアイデアソンやハッカソンの取り組みから市民が利用するアプリにつながった例もある。

2点目は、対価の実現である。データを使ったサービスに対して対価を考えることは単純ではない。多くの場合、金銭の対価を今すぐに考えることが難しい。対価を広くとらえながら持続的なサービスを設計することが重要である。例えば、治安がよくなるなど、地域に広くメリットがあるような場合には、それを可視化するなどしそのサービスの運営費の負担を理解いただくのは対価の考え方の一つである。また第10章ではデータの利活用に対して、金銭的なメリットだけでなく、地域への貢献のメリットを期待している組織が少なくないことを明らかにする調査結果を得た。データ利活用の取り組みがどのような組織によって進められているかを告知するなども方法としてあるかもしれない。

以上、二つのポイントを意識した上で、データエコシステムにおけるレベル3が到達されることを願う。

14.3 キーファクターのレベルを利用した段階的実装

地域で人中心視点を取りこぼさずスマートシティを育てていくために、ここで紹介したキーファクターの4段階のレベル設定は大きな指針になりうるのではないかと考える。今いる現在地がどこで、次に何をめざせばよいか。

導入が進んでいるキーファクターと進まないキーファクター、意識していなかったキーファクターはどれか。六つのキーファクターの段階的な実装のレベルチャートを作れば自ずと明らかになるだろう（**図表14-4に例を示す**）。またこれらのレベルは共通のものさしとなるため、運営チームのメンバーやステークホルダーと共に、人中心のスマートシティに向けて自らの取り組みを自己分析したり中長期的な視点で目標設定を行いやすくなるだろう。キーファクターの実現に高いハードルを感じている人でも、まずはレベル1の調査やレベル2のトライアルから挑戦してみると光明が見えることがあるかもしれないのでぜひ試してみてもらいたい。

スマートシティは一朝一夕ではできない息の長いまちづくりのプロセスである。多様なステークホルダーが関わり、様々な技術革新をめざす。個々の技術に対してレベル設定し、ロードマップを描き計画を進めることも大事だが、その一方で、スマートシティが最終的にめざす、人々のWell-beingを高める人中心の観点からステップアップしていくことも欠かせない。それぞれ実現までの道は険しいかもしれない。しかしだからこそ、自動運転の技術

図表14-4　**六つのキーファクターの段階的実装のレベルチャートによる自己評価の例**

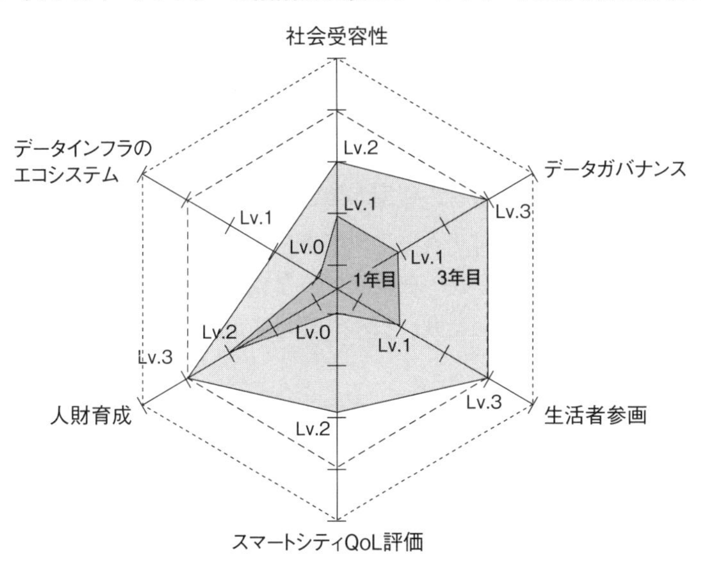

開発のように共通のものさしとして、レベルを設定しておくことで、レベル毎の議論や連携を促し、地域単独では乗り越えられなかった課題の解が見えてくることがある。人中心のスマートシティをめざしていく際には、ぜひ一度、この今回提案した六つのキーファクターのレベル設定を参照して、段階的なキーファクターの実装を試みていただきたい。

14.4 デジタル社会インフラとしてのキーファクター

本書ではこれまで、人中心で持続可能なスマートシティに求められる六つのキーファクターを提唱し、その必要性と重要性を論じてきたが、スマートシティは一朝一夕につくり上げるものではなく、「Society 5.0リファレンスアーキテクチャ」[8]や「スマートシティリファレンスアーキテクチャ」[9]に基づきながら構築されるスマートシティの全体を、それぞれの自治体や主体となる組織が常にマネジメントし続け、発展させていくものである、という考え方がその根底にある。

アーキテクチャという言葉はもともと建築分野でよく使われてきたが、本書の「はじめに」と第1章にて触れたように、スマートシティが建築物と決定的に異なるのは、スマートシティには完成形がないことである。

住宅という建築物は竣工してから人が住み始めるように、一般に建築物は竣工後（完成後）から利用者の使用が始まる。それを使いこなし、メンテナンスするマネジメントが始まるので、マネジメントという観点からみると完成形はないのかもしれないが、住み続けるために創られてきた複雑系の都市は常にどこかを工事していたり、つくり変えていて完成形がないように、スマートシティにも完成形はない。

また、人中心のスマートシティの意味は、人（利用者、生活者）の生活の変化に応じて常に創り続ける、もしくはうまくマネジメントしていくことが求められることを意味していると言える。それは果てしない道のりのように聞こえるかもしれないが、それぞれの都市や地域を暮らしやすくする創造的な道のりとしてとらえるべきだろう。

ただ、既にわれわれが迎えているデジタル社会の時代における都市や地域を暮らしやすくする創造的な道のりには、それを支える共通の社会インフラや目安となる道標が必要になる。20世紀の都市の社会インフラには、鉄道、道路、電気、ガス、水道といったネットワーク型の社会インフラとともに、学校、病院、公園といった公共性の高い施設とそれを使いこなす教育や医療の仕組みがソフトウェア型の社会インフラとして確立してきた。その発展過程のレベルも明確に数値化されたものは少なかったかもしれないが、それぞれの都市や地域がどの程度の教育や医療のレベルにあるかが相対的に認識できる程度の共通の目安は持っていると言ってよいだろう。それと同様に、先述の創造的な道のりをスマートシティの担い手である地域社会自らが、分かりやすいかたちで活用する新たなソフトウェア型のデジタル社会インフラも必要であるというのが、本書において六つのキーファクターを提唱する動機の一つである。

20世紀の社会が、様々な社会的な仕組みやアプリケーションによって支えられてきたように、デジタル社会の都市や地域は、ICTや高速通信網といった新たなハードウェア技術のネットワーク型の社会インフラと社会的な仕組みやアプリケーションによって支えられ、進化していくこととなる。ただ、それは効率性や経済性だけを重視し、ハード技術に依存した進化ではなく、人中心で持続可能な進化であることが肝要である。その点は、繰り返し主張してきた通りである。そうしたスマートシティの進化のために兼ね備えるべき「デジタル社会インフラ」として、六つのキーファクターをとらえていただき、スマートシティの発展過程を地域社会のWell-beingの向上と結びつけていただきたいというのが本書の最後の主張であり、提案である。

六つのキーファクターをそれぞれの都市や地域で共有し、各ファクターを段階的にレベルアップ（レベル0～4）させていくことをめざすことで、自分たちの都市・地域のスマートシティがどの段階にいて、次のステップとして何をめざすのかを確認しながら、人中心で持続可能なスマートシティを着実に発展させていただきたい。さらにはそれを市民や住民が参加して創造的に進める道のりとしてとらえ、実践していただきたいと考えている。そのために六つのキーファクターとそれぞれのレベル設定を活用していただければ幸甚である。

参考文献

[1] SAE International, “Taxonomy and Definitions for Terms Related to Driving Automation Systems for On-Road Motor Vehicles” J3016_202104, 30 April 30 2021
https://www.sae.org/standards/content/j3016_202104/(2023年1月16日最終閲覧)

[2] 高度情報通信ネットワーク社会推進戦略本部・官民データ活用戦略会議「官民ITS構想・ロードマップ これまでの取組と今後のITS構想の基本的考え方」2021年6月15日
https://cio.go.jp/sites/default/files/uploads/documents/its_roadmap_20210615.pdf(2023年1月16日最終閲覧)

[3] ‘ISO 37153:2017 Smart community infrastructures — Maturity model for assessment and improvement’
https://www.iso.org/standard/69225.html(2023年1月16日最終閲覧)

[4] PDCAサイクルとは、1950年代、品質管理の父といわれるW・エドワーズ・デミングが提唱したフレームワークで、Plan(計画)、Do(実行)、Check(測定・評価)、Action(対策・改善)の仮説・検証プロセスを循環させ、マネジメントの品質を高めようという概念。

[5] CMMI(Capability Maturity Model Integration)とは、組織やプロジェクトのプロセスを改善することを目的としてその組織の成熟度レベルを段階的に定義したもの。レベルの定義は以下。(レベル1:初期、レベル2:管理された、レベル3:定義された、レベル4:定量的に管理された、レベル5:最適化している)

[6] ‘Y.4904 : Smart sustainable cities maturity model’,
https://www.itu.int/rec/T-REC-Y.4904/en(2023年1月16日最終閲覧)

[7] 一般社団法人スマートシティ・インスティテュート「地域幸福度(Well-Being)指標」
https://www.sci-japan.or.jp/LWCI/index.html (2023年11月6日最終閲覧)

[8] 内閣府「スマートシティ リファレンスアーキテクチャ ホワイトペーパー(第1版)」戦略的イノベーション創造プログラム(SIP)第2期 ビッグデータ・AIを活用したサイバー空間基盤技術におけるアーキテクチャ構築及び実証研究事業、2020年3月、5頁
https://www8.cao.go.jp/cstp/stmain/20200318siparchitecture.html(2022年12月9日最終閲覧)

[9] 内閣府「スマートシティ リファレンスアーキテクチャ ホワイトペーパー」戦略的イノベーション創造プログラム(SIP)第2期 ビッグデータ・AIを活用したサイバー空間基盤技術におけるアーキテクチャ構築および実証研究事業、2023.08.Ver.2.0
https://www8.cao.go.jp/cstp/stmain/20230810smartcity.html
(2023年8月18日最終閲覧)

Epilogue

おわりに

サイバー空間という新たなフロンティア開拓に向けて

これまでの経緯を振り返って

2018年に前著である『Society 5.0』を刊行した日立東大ラボは、2016年6月に東京大学と日立製作所との協定締結に基づき、産学協創事業を担う組織として創設された。同ラボは、本書刊行を担っているハビタット・イノベーションプロジェクトとエネルギープロジェクトの2つのプロジェクトで構成され、それぞれの成果はウェブサイト、提言書、出版物を通じて公表している。2017年度から本格的に産学協創事業としての共同研究が開始され、2017〜2019年度の第1フェーズでは、フォーラムの開催に加え、先述の前著を刊行するなどの成果公表を行ってきた。2020年〜2022年度の第2フェーズでの共同研究等の活動は、新型コロナウイルス禍の困難な状況の中、オンライン等を駆使して進められてきた。ハビタット・イノベーションプロジェクトでは、2021年10月に東京大学伊藤国際学術研究センター伊藤謝恩ホールから中継する形式でフォーラムを開催し、多くの方々に視聴いただいた。その際に発表した共同研究の成果をさらに発展させた内容として本書の刊行に至っている。

Society 5.0のビジョンは、2016年1月に閣議決定された第5期科学技術基本計画において謳われたことに始まり、国内外に広く知られることとなったが、前著[1]は幸いにして1万部以上が発行され、Society 5.0の普及に貢献できたものと思っている。2021年3月に閣議決定された第6期科学技術・イノベーション基本計画においても、Society 5.0はさらにその意味が拡充され、日本の科学技術が主導する将来ビジョンとしての役割が拡充されてきた印象を受ける。また、国の様々な補助事業等の拠所とされ、そのビジョン実現に向けた動きも活発である。

Society 5.0は、ドイツが掲げたIndustry 4.0と異なり、幅広い領域を対象にしていることは、前著で触れた通りである。Society 5.0は、デジタル化やデジタルトランスフォーメーション（DX）の対象が生活の場である都市やまちづくりであるスマートシティ、生産の場である工業やものづくりであるインダストリー、エネルギーなどの分野を包含するが、本書では、その中でも生活の場や都市を対象にしたスマートシティの分野に着目し、六つのキーファクターをSociety 5.0のアーキテクチャとの関係において位置づけ（第3章）、それぞれの必要性と重要性を論じてきた。

すなわち、内閣府より提示された「Society 5.0リファレンスアーキテクチャ」[2]はデータのインターオペラビリティ（相互運用性）を重視した考え方の構造化と言えるが、実際の都市・地域に人中心で持続可能なスマートシティを構築する上では、この平均的なリファレンスアーキテクチャを補完する考え方が必要であると考え、「インターフェース」「オルガニゼーション」「プロセス」の三つの観点が浮上してきたことは第3章で述べた通りである。この三つの観点をより具体化し、あらゆる都市や地域に共通する取り組みとして整理したものが六つのキーファクターであり、本書では、日立東大ラボの研究成果に基づき、それぞれの重要性や意義、実用方法を論じてきた。

新たなフロンティアとしてのサイバー空間の開拓

都市計画・都市開発におけるフロンティアは、時代の要請に基づきながら技術開発や居住の概念の進化と共に切り拓かれてきた。

本書の「はじめに」で触れた英国のエベネザー・ハワードが活躍した19世紀末から20世紀の初頭は、大都市郊外が都市開発のフロンティアであった。ハワードは郊外（Sub-urban）という未開の地を田園と都市を融合させるという考え方と経営方法の提唱を通じて、新たな居住空間として開拓する道筋をつける偉業を成し遂げた。

20世紀の後半に入ると、臨海部の埋め立ての進行に加え、産業構造の変化に応じて臨海部の工業地帯だった土地が遊休化したことを契機として、臨海部がウォーターフロント、河川沿岸がリバーフロントとして、大規模再開発のターゲットとなり、居住空間化されるブームが引き起こされてきた。バブル経済期には、高さ1キロメートルを超える超々高層の構想がそれを実現する技術開発と共にゼネコンなどから打ち出され、空に向かって居住空間を切り拓いていくスカイスクレーパー開発の高みをめざす指向が加速され、新たなスカイフロントの時代に入った。また、地下深度40メートル以上の大深度地下もジオフロントとして、インフラ整備や開発が進む。今では、宇宙飛行に民間人が参加する時代となり、宇宙開発が着目され、スペースフロントの時代に入りつつある。そのような中、スマートシティはサイバー空間という仮想空間を駆使、活用することを指向しており、新たにサイバー空間を都市計画のフロンティアとして開拓する時代に入ったと言える。

ただ、サイバー空間には情報セキュリティ、社会倫理、安全保障などの観点から様々なリスクが存在する。上述の様々なリアル空間のフロンティアの開拓と同じプロセスに倣い、高度な技術開発に裏付けられた安全な空間として提供されるためには、工学的技術に加え、社会科学的な技術も重要な役割を果たすことが期待される。サイバー空間とフィジカル空間（現実空間）が高度に融合した超スマート社会の一分野としてのスマートシティの構築についても、サイバー空間の開拓は工学的技術に加え、社会科学等の技術や理論により安全に活用できる方法と共に推進される必要がある。そのためにも本書が提唱するキーファクターとその段階的な実装レベルを活用していただきたい。

デジタル社会インフラとしてのキーファクターの活用

本書が第4章～第10章と第14章において提唱しているキーファクターは、内閣府が提示した「Society 5.0リファレンスアーキテクチャ」[2]や「スマートシティリファレンスアーキテクチャ」[3]の実際の都市・地域への適用を想定して、具体的・実務的な角度から補完するための方策でもある。スマートシティを自治体等が対象とする都市・地域において事業として実施する際に必要とされる社会的インフラとして、またスマートシティの事業を一過性のもので終わらせずに持続可能で、なおかつ住民一人一人のWell-beingに配慮した人中心の取り組みとするために取っていただくべき必須の方策と考えている。

また、第11章〜第13章において提示したSociety 5.0のアーキテクチャのアプリケーションモデルは、Society 5.0リファレンスアーキテクチャとキーファクターを三つの各テーマに適用することで何ができるのかを理解する上でのモデルでもある。具体的には、都市計画への市民参加の支援システムとしてデータ駆動型システムを活用した人流の見える化や市民対話の方法（第11章)、フレイル予防サービスを応用したスマートエイジングの方法（第12章)、道路や下水道等の都市インフラのマネジメントの方法（第13章）を、それぞれの研究成果をもとに課題や期待される効果とともに示すことで、人中心で持続可能なスマートシティのイメージの提示を試みた。

各章での論説を通じて、本書では、Society 5.0の考え方に基づくスマートシティが共通して兼備すべき六つのキーファクターを提唱しているが、これらのキーファクターは換言すれば、サイバー空間と言う未開拓のフロンティアを正しく開拓するために兼備されていくべきデジタル社会インフラであるとも言える。

サイバー空間を安全で安心して利用できる新たな生活空間の一部とするためのデジタル社会インフラとして、六つのキーファクターとそのレベル設定を上手く活用していただくことをお願いして、本書の結びとしたい。

Society 5.0のアーキテクチャの考え方のもとでの人財育成

また最後に、本書の第9章において触れている人財育成もSociety 5.0の実現において極めて重要であることに触れておきたい。Society 5.0リファレンスアーキテクチャにおける八つの階層のうち、「戦略・政策」「組織」「ルール」の階層の成否は、その担い手として考えられる行政の組織や担当者の能力に依存することとなる。また、「ビジネス」「機能」「データ」「データ連携」の階層の成否は、主たる担い手として考えられる民間企業、ベンダー等の事業側の組織や専門家の能力が大いに発揮されることが期待されている。8番目の「アセット」の階層は官民連携がその成否を握っているとも言える。そうした課題に対応するためにも、Society 5.0のアーキテクチャの考え方を十分に理解・認識した専門家の育成が求められる。

特に、人中心で持続可能なスマートシティは、行政のみ、もしくは民間企業のみで構築できるものではなく、大学などの教育研究機関も加わった公・民・学連携の体制で取組むことが重要であり、さらに第7章で言及した生活者参画にも配慮しながら進捗させることとなる。そのために、生活者である市民や住民がデジタル技術の利用やデータの読み方を正しく理解するリテラシーの涵養も重要である。

本書の内容が、Society 5.0のアーキテクチャの考え方にもとづくスマートシティの担い手の育成に役立つとともに市民の方々によるSociety 5.0への理解の深化の一助になれば幸いである。

参考文献

[1]　日立東大ラボ編著『Society（ソサエテイ）5.0 人間中心の超スマート社会』日本経済新聞出版、2018年10月
[2]　内閣府「スマートシティ リファレンスアーキテクチャ ホワイトペーパー（第1版）」戦略的イノベーション創造プログラム（SIP）第2期 ビッグデータ・AIを活用したサイバー空間基盤技術におけるアーキテクチャ構築及び実証研究事業、2020年3月
https://www8.cao.go.jp/cstp/stmain/20200318siparchitecture.html（2022年12月9日最終閲覧）
[3]　内閣府「スマートシティ リファレンスアーキテクチャ ホワイトペーパー」戦略的イノベーション創造プログラム（SIP）第2期 ビッグデータ・AIを活用したサイバー空間基盤技術におけるアーキテクチャ構築及び実証研究事業、2023.08.Ver.2.0
https://www8.cao.go.jp/cstp/stmain/20230810smartcity.html（2023年8月18日最終閲覧）

感謝のことば

本書の出版にあたっては、多くの方々にご支援、ご協力を賜りました。お世話になりましたすべての方々のお名前を挙げることがかないませんこと、ご容赦ください。

特に日頃よりご支援いただいております東京大学の五神真 前総長（理化学研究所理事長）、東京大学の藤井輝夫 総長、相原博昭 理事、産学協創部の稲垣博明 副理事をはじめとする方々、日立製作所の東原敏昭 会長、小島啓二 社長、西澤格 執行役常務CTO、鈴木教洋 日立総合研究所取締役会長（前日立製作所執行役常務CTO）をはじめとする方々に厚く御礼申し上げたいと思います。

また、日立東大ラボの第2フェーズのラボ長をお務めいただいた東京大学の吉村忍 教授（前副学長）には、いつも熱心にご指導、ご助言いただきました。ハビタット・イノベーションプロジェクトの運営、研究実施のあらゆる面において、多大なご支援を賜りましたことにこの場をお借りして、深く感謝の意を表したいと思います。

本書刊行を企画段階より担当いただき、あらゆる場面にわたりご尽力いただいた東京大学大学院新領域創成科学研究科URAの杉本美穂 学術専門職員をはじめとするスタッフ職員の方々、本書刊行に多大なご支援を賜りました日経BPの平井修一 様をはじめとする方々に心から厚くお礼を申し上げます。

2023年（令和5年）12月

日立東大ラボ ハビタット・イノベーションプロジェクト

ラボ長
プロジェクトリーダー　東京大学　出口　敦

ラボ長　日立製作所　松岡　秀行

プロジェクトリーダー　日立製作所　鍛　忠司

用語リスト

【Society 5.0】(参照:はじめに)

内閣府が2016年1月22日に閣議決定した「第5期科学技術基本計画」において提唱された新たな社会像。狩猟社会、農耕社会、工業社会、情報社会に続き、科学技術イノベーションの先導により生み出される5番目の社会とされる[1]。同年5月に閣議決定された「科学技術イノベーション総合戦略2016」[2]および「科学技術イノベーション総合戦略2017」[3]において、「サイバー空間とフィジカル空間(現実空間)を高度に融合させることにより」「経済的発展と社会的課題の解決を両立し」「人々が快適で活力に満ちた質の高い生活を送ることのできる、人間中心の社会」[2]と定義された。

「第6期科学技術・イノベーション基本計画」(2021年3月閣議決定)においても、Society 5.0を「普遍的でグローバルな未来社会像」として再提示しており、「持続可能性と強靭性を備え、国民の安全と安心を確保するとともに、一人ひとりが多様な幸せ(well-being)を実現できる社会」[4]と定義している。

[1] 内閣府 総合科学技術・イノベーション会議「第5期科学技術基本計画」(2016年1月22日閣議決定)
https://www8.cao.go.jp/cstp/kihonkeikaku/index5.html (2022年12月9日最終閲覧)
[2] 内閣府 総合科学技術・イノベーション会議「科学技術イノベーション総合戦略2016」(2016年5月24日閣議決定)
http://www8.cao.go.jp/cstp/sogosenryaku/2016.html(2023年5月30日最終閲覧)
[3] 内閣府 総合科学技術・イノベーション会議「科学技術イノベーション総合戦略2017」(2017年6月2日閣議決定)
http://www8.cao.go.jp/cstp/sogosenryaku/2017.html (2023年5月30日最終閲覧)
[4] 内閣府 総合科学技術・イノベーション会議「第6期科学技術・イノベーション基本計画」(2021年3月26日閣議決定)
https://www8.cao.go.jp/cstp/kihonkeikaku/index6.html(2023年5月30日最終閲覧)

【アーキテクチャ】(参照:はじめに、第1章)

もともとは建物をつくり上げる術や方法、およびそれぞれの地域・時代固有の建築構造の様式を意味する建築用語。すなわち地域固有の気候・風土、材料(石材、木材、土など)、生活様式などのリアルな地域条件と、居住、営み、レクリエーションなどのクライアントによって求められる仮想的な欲求機能との間に立ち、建物といった空間をかたちづくる方法・技術・理論がアーキテクチャ（Architecture）である。一方、アーキテクチャに基づき、出来上がったものが建築物もしくは建物（Building）と呼ばれる。

このような概念的なモデルである「アーキテクチャ」は、現実世界の建築や都市のみに存在するものではなく、サイバー空間においては、多くのデータ、ソフトウェア、ハードウェアから成り立つ情報システムを機能させるための構造として記述される。

本書では、Society 5.0のアーキテクチャを論じている。これは現実の都市構造のみならず、サイバー空間を支える情報システムのアーキテクチャ、さらには社会・産業のシステムのアーキテクチャをも包含するものである。

【リファレンスアーキテクチャ】（参照：第1章4節）

システムを設計する際などに、推奨モデルとして提案される構造・手順。強制や規制ではなく、その採否は設計者に委ねられているが、推進手順が明らかになる、構成要素が網羅されることによりやるべきことの抜け漏れを防ぐ、共通的な指針や言語の下で行うことにより単独の取り組みとなることを防ぐ、といったメリットがあるとされる。Society 5.0についてはSociety 5.0のリファレンスアーキテクチャが内閣府により提案され、さらにそれに基づくスマートシティリファレンスアーキテクチャが公開されている。そこではリファレンスアーキテクチャを「スマートシティを実現しようとするものが、スマートシティを実現するために必要な構成要素と構成要素間の関係性、そして、スマートシティ外との関係を確認するために参照するもの」と定義している[5]。

[5] 内閣府「スマートシティ リファレンスアーキテクチャ ホワイトペーパー」戦略的イノベーション創造プログラム（SIP）第2期 ビッグデータ・AIを活用したサイバー空間基盤技術におけるアーキテクチャ構築及び実証研究事業、2023.08.Ver.2.0
https://www8.cao.go.jp/cstp/stmain/20230810smartcity.html（2023年8月18日最終閲覧）

【スマートシティ】（参照：第2章）

ICT 等の新技術を活用しつつ、マネジメント（計画、整備、管理・運営等）

の高度化により（手段）、都市や地域の抱える諸課題の解決を行い、また新たな価値を創出し続ける（動作）、持続可能な都市や地域であり、Society 5.0の先行的な実現の場（状態）[6]。スマートシティについては、国内では国土交通省や内閣府、国際的には国際電気通信連合（ITU）、欧州連合（EU）、経済協力開発機構（OECD）等により定義されている（図表1参照）が、本書においては、スマートシティを「Society 5.0の理念である人中心を明確に表明し、それを具体化するまち」と定義する。

図表1 **「スマートシティ」とは…国内外における「スマートシティ」の概念定義の比較**

「スマートシティ」という用語は、国内では国土交通省や内閣府、
国際的にはITU、EU、OECDにより定義されている。

対象・手段・目的

	提唱者（年）	スマートシティの定義
国内の定義	**スマートシティ官民連携プラットフォーム**	先進的技術の活用により、都市や地域の機能やサービスを効率化・高度化し、各種の**課題の解決**を図るとともに、快適性や利便性を含めた**新たな価値を創出**する取組であり、**Society 5.0の先行的な実現の場**[6]
	国土交通省都市局（2019年）内閣府（2020年）	都市の抱える諸課題に対して、ICT等の新技術を活用しつつ、マネジメント（計画、整備、管理・運営等）が行われ、**全体最適化**が図られる持続可能な**都市または地区**[7][8][9]
	内閣府（2021年）	3つの基本理念、5つの基本原則に基づき、ICT等の新技術や官民各種のデータを活用した市民一人一人に寄り添ったサービスの提供や、各種分野におけるマネジメント（計画、整備、管理・運営等）の高度化等により 都市や地域が抱える**諸課題の解決**を行い、また**新たな価値を創出**し続ける持続可能な**都市や地域**であり、**Society 5.0の先行的な実現の場**[10]
	内閣府（2021年）	ICT等の新技術を活用しつつ、マネジメント（計画、整備、管理・運営等）の高度化により、都市や地域の抱える**諸課題の解決**を行い、**新たな価値**を創出し続ける、持続可能な**都市や地域**[11]

国際機関による定義	**国際電気通信連合 ITU (2016年)**	スマートで持続可能な都市(Smart Sustainable City)とは、情報通信技術(ICT)やその他の手段を使用して、**生活の質、都市の運営とサービスの効率、競争力を向上**させると同時に、現在および将来の世代のニーズを文化的側面と同じように経済的、社会的、環境的にも敬意を持って確実に満たす革新的な**都市**です。[12] 注 – 都市の競争力とは、都市の持続可能な生産性を決定する政策、制度、戦略、およびプロセスを指します。
	欧州連合 EU 他 (2017年)	スマートシティとは、利用可能な資源(社会・文化資本、金融資本、天然資源、情報・技術を含むがこれらに限定されない)を効率的に動員して利用する**都市**です。[13] ●住民、通勤者、学生、その他の訪問者の**生活の質の向上**[People] ●資源効率を大幅に改善し、環境への圧力を減らし、**レジリエンスを向上**[Planet] ●イノベーション主導の**グリーン経済の構築**[Prosperity] ●十分に発達した**地方民主主義の育成**[Governance]
	経済協力開発機構 OECD (2020年)	スマートシティの定義の中心となるのは、デジタル化が4つの主要な目的を達成するのにどのように役立つか、つまり、**人々の幸福を改善**し、より**包摂的で持続可能で回復力のある社会を育成**することです。[14]

[6] スマートシティ官民連携プラットフォーム
https://www.mlit.go.jp/scpf/index.html#home02(2023年8月18日最終閲覧)

[7] 国土交通省「スマートシティに関する取り組み」
https://www.mlit.go.jp/toshi/tosiko/toshi_tosiko_tk_000040.html
(2023年8月18日最終閲覧)

[8] 国土交通省都市局「スマートシティの実現に向けて【中間とりまとめ】」2018年8月
https://www.mlit.go.jp/common/001249774.pdf (2023年8月18日最終閲覧)

[9] 注[5]参照

[10] 内閣府・総務省・経済産業省・国土交通省・スマートシティ官民連携プラットフォーム事務局「スマートシティガイドブック 第1版」(2021年4月)
https://www8.cao.go.jp/cstp/society5_0/smartcity/guide2020.html
内閣府・総務省・経済産業省・国土交通省・スマートシティ官民連携プラットフォーム事務局「スマートシティガイドブック 第2版」(2023年8月)
https://www8.cao.go.jp/cstp/society5_0/smartcity/guidebook.html
[11] 注[4]参照 17ページ
https://www8.cao.go.jp/cstp/kihonkeikaku/6honbun.pdf
[12] 国際電気通信連合「ITUTY. 4900/L.1600 勧告シリーズ」
https://www.itu.int/itu-t/recommendations/rec.aspx?rec=12627
[13] 欧州連合(EU)他 'CITYkeys indicators for smart city projects and smart cities', January 2017, pp.7
https://www.researchgate.net/publication/326266723_CITYkeys_indicators_for_smart_city_projects_and_smart_cities
[14] 経済協力開発機構(OECD)'MEASURING SMART CITIES' PERFORMANCE', December 2020, pp.13
https://www.oecd.org/cfe/cities/Smart-cities-measurement-framework-scoping.pdf

【スーパーシティ】(参照:第2章3節)

国家戦略特区の一種で、正式名称は「スーパーシティ型国家戦略特区」。「住民が参画し、住民目線で、2030年頃に実現される未来社会を先行実現する」ことをめざす取り組みであり、生活全般にまたがる複数分野の先端的サービスの提供、複数分野間でのデータ連携、大胆な規制改革案が指定基準となった[15]。2020年9月に「国家戦略特別区域法の一部を改正する法律」が施行、2020年12月に公募が開始され、2022年4月に大阪市、つくば市の区域指定が閣議決定されている。

[15] 内閣府地方創生推進事務局「スーパーシティ、デジタル田園健康特区について」2022年11月
https://www.chisou.go.jp/tiiki/kokusentoc/supercity/openlabo/supercity.pdf(2022年12月9日最終閲覧)

【超スマート社会】(参照:はじめに)

「第5期科学技術基本計画」[16](2016年1月閣議決定)において定義された未来社会の姿。「ICTを最大限に活用し、サイバー空間とフィジカル空間(現実世界)とを融合させた取組により、人々に豊かさをもたらす」社会と定義されている。

[16] 注[1]参照

【データ連携基盤】（参照：第10章）

様々なデータを分野横断的に収集・整理し提供する情報基盤[17]。スーパーシティでは、ビルディングブロック方式を用いて構成され、公開されたAPIを通じてデータの集積や配信を行う機能をデータ連携基盤と呼称し、様々な主体から提供されるデータを集約し、適切な形式に変換し、APIを通じて配信するものである[18]。

[17] 内閣府地方創生推進事務局「スーパーシティとデータ連携基盤について」（2019年4月19日第39回国家戦略特別区域諮問会議資料）
https://www.chisou.go.jp/tiiki/kokusentoc/dai39/shiryou3_2.pdf（2023年5月30日最終閲覧）
[18] 内閣府地方創生推進事務局「スーパーシティ／スマートシティの相互運用性の確保等に関する検討会 最終報告書」2020年9月
https://www.chisou.go.jp/tiiki/kokusentoc/supercity/pdf/sogowg_houkokusyo.pdf（2023年8月17日最終閲覧）

【都市OS】（参照：第10章コラム）

スマートシティ実現のために、スマートシティを実現しようとする地域が共通的に活用する機能が集約され、スマートシティで導入する様々な分野のサービスの導入を容易にさせることを実現するIT システムの総称[19]。都市OSにより、「さまざまな事業者や他の地域が提供するサービス・機能を自由に組み合わせ活用できるようになる」[20]。

スマートシティにおいて都市OSは、データマネジメント、外部データ連携やアセットマネジメントなどのデータ連携、サービス連携や認証、サービスマネジメントといった機能を担う。

[19] 内閣府「スマートシティ リファレンスアーキテクチャ ホワイトペーパー」戦略的イノベーション創造プログラム（SIP）第2期 ビッグデータ・AIを活用したサイバー空間基盤技術におけるアーキテクチャ構築及び実証研究事業、2023.08.Ver.2.0
https://www8.cao.go.jp/cstp/stmain/20230810smartcity.html（2023年8月18日最終閲覧）
[20] 内閣府「スマートシティ　リファレンスアーキテクチャの使い方 導入ガイドブック（日本語版）」2020年4月1日更新
https://www8.cao.go.jp/cstp/stmain/a-guidebook1_200331.pdf（2023年5月30日最終閲覧）

【 PLATEAU(プラトー) 】（参照：第2章5節）

スマートシティをはじめとしたまちづくりのデジタル・トランスフォーメーションを進めるため、そのデジタル・インフラとなる３Ｄ都市モデルの整備・活用・オープンデータ化を推進する国土交通省のプロジェクト。

https://www.mlit.go.jp/plateau/about/

【 六つのキーファクター 】（参照：第4章）

日立東大ラボが提唱する、Society 5.0にふさわしい人中心のスマートシティを実現するための六つの方法論。地域社会とともに実現するための「リビングラボ（生活者参画）」と「社会的な受容」。人中心のデータ利活用を実現するための「QoL評価」と「データガバナンス」。持続可能なスマートシティであるための「データエコシステム」と「人財育成」。

【 (スマートシティにおける)社会的な受容 】（参照：第5章）

スマートシティ施策について地域社会が理解を深め、自律的に意思決定に関わり施策を受け入れること。社会的な受容は、個人情報に関するルールを遵守すれば済むというような、一律の基準を満たすことで得られるものではなく、地域のステークホルダー間の関係性の中で生まれる、個別性の高いものと日立東大ラボでは考えている。

【 (スマートシティの)データガバナンス 】（参照：第6章）

スマートシティで活用するデータ（個人情報を含むパーソナルデータ、都市の活動に関する非パーソナルデータ）に関し、管理ルールを定めた上で、ルールにのっとり管理すること。個人情報保護法の遵守といったコンプライアンス面でのデータ管理だけでなく、住民がプライバシー侵害と感じることでサービスの提供が困難となるいわゆる炎上を防止するためのガバナンスも含まれる。

【リビングラボ（生活者参画）】（参照：第7章）

地域課題解決を目的に、多様なステークホルダーや生活者が、実生活環境での実験や試行を通じて共創活動を行う一連の活動、場、あるいはそのための手法。地域の課題探索・ビジョン形成、サービス開発、アイデアデザインといったプロセス全般あるいは一部を対象として活動する。スマートシティを作り上げていくためには、地域課題を一番よく知る生活者が、他のステークホルダーと共創しながら、その知識、経験、創造性を活かせることが理想であり、リビングラボはそのための共創の場を提供する。

【スマートシティQoL評価】（参照：第8章）

スマートシティの取り組みにより生まれる成果を、人の幸福感や生活の質（QoL：Quality of Life）などの人中心の観点から測る新たな評価手法。スマートシティに暮らす個々の住民が、どれだけ人間らしい生活や自分らしい生活を送り、人生に幸福を見出しているか、という尺度で個人の満足感・幸福感をとらえる。

【Well-being】（参照：第2章・第8章）

世界保健機関（WHO）憲章前文における健康の定義「健康とは、病気ではないとか、弱っていないということではなく、肉体的にも、精神的にも、そして社会的にも、すべてが満たされた状態（Well-being）にあることをいいます」[21]において提示された概念。人々の満足度と定義されることもある[22]。「第6期科学技術・イノベーション基本計画」では、Society 5.0の未来社会像を「持続可能性と強靭性を備え、国民の安全と安心を確保するとともに、一人ひとりが多様な幸せ（well-being）を実現できる社会」と定義し、Well-beingを「一人ひとりの多様な幸せ」としている[23]。

[21] 公益社団法人日本WHO協会ウェブサイト：https://japan-who.or.jp/about/who-what/charter/
[22] 内閣府「Well-beingに関する取組：満足度・生活の質に関する調査」
https://www5.cao.go.jp/keizai2/wellbeing/index.html
[23] 内閣府 総合科学技術・イノベーション会議「第6期科学技術・イノベーション基本計画」（2021年3月26日閣議決定）
https://www8.cao.go.jp/cstp/kihonkeikaku/index6.html（2023年5月30日最終閲覧）

【データエコシステム】（参照：第10章）

データの横断的活用が広く普及したときに形成される、データを主なメディアとしたデータによる経済圏。データ提供者とデータ利用者から構成され、会社や団体などがそれらの間でデータをやりとりしながら、価値あるサービスを提供し、またその価値を消費するような社会のつながりである。

【データ駆動型都市プランニング】（参照：第11章）

新しい都市施策を検討するプロセスにおいて、都市の様々なデータを活用し、エビデンスに基づいた判断をするという取り組み。人や車両等の移動データや密度データ、環境データやエネルギーデータ、決済サービスを通じて得られる購買データなど、非常に多様な都市のデータを組み合わせ、都市施策案を実施した際に起こり得る変化をシミュレーションによって予測することで、一定の根拠に基づいた施策の評価・判断が可能となる。

【スマートエイジング社会】（参照：第12章）

超高齢社会に向け、生涯現役を可能にする自立と社会参画を促し、誰もが排除されず、幸福な全世代型地域共生〈共創〉社会。

【フレイル】（参照：第12章1節）

日本老年医学会が2014年に打ち出したFrailty（虚弱）を語源とする新概念。加齢に伴い体力や力が低下し、様々なストレスに対する抵抗力・回復力が低下した状態を指す。

【価値創造型インフラマネジメント】（参照：第13章）

単に建設されたインフラの保守・メンテナンスに留まらず、長い期間を経た都市や地域の変化をとらえ、課題に対応することにより、住民視点の価値向上とインフラの維持管理・更新を両立させる持続可能な地域マネジメントプロセス。

執筆者一覧（括弧内は担当箇所）

出口　敦（でぐち　あつし）
東京大学副学長／大学院新領域創成科学研究科社会文化環境学専攻 教授。日立東大ラボ長。工学博士。専門は都市計画学、都市デザイン学。（はじめに、第3章、第9章5節、第10章7節、第14章4節およびおわりに）

平井　千秋（ひらい　ちあき）
株式会社日立製作所研究開発グループ社会イノベーション協創センタ 技術顧問。博士（知識科学）。専門はソフトウェア工学、知識管理、サービスデザイン。（第1章）

鍜　忠司（かじ　ただし）
株式会社日立製作所研究開発グループサービスシステムイノベーションセンタ主管研究長。博士（情報科学）。専門はサイバーセキュリティおよびデジタルトラスト。（第2章）

栗田　卓也（くりた　たくや）
東京大学大学院新領域創成科学研究科ハビタット・イノベーション研究社会連携講座 特任教授。博士（工学）。専門は都市・地域政策、社会資本整備。（第2章5節）

古屋　聡一（ふるや　そういち）
株式会社日立製作所デジタルエンジニアリングビジネスユニット Strategy & Planning担当部長。博士（工学）。専門は重要インフラ防護、交通、電力、金融など社会インフラ分野でのサービスデザイン、スマートシティ。（第2章コラム、第10章および第14章）

井桁　由貴（いげた　ゆき）
東京大学大学院新領域創成科学研究科ハビタット・イノベーション研究社会連携講座 特任研究員。専門は都市計画。（第2章コラム、第7章および第11章2節）

尾﨑　信（おさき　しん）
ネイバース株式会社 代表取締役。東京大学大学院新領域創成科学研究科サステイナブル社会デザインセンター 特任研究員。博士（工学）。専門は都市・地域計画、景観学。（第4章、第9章、第11章1節・3節および第14章）

笹尾　知世（ささお　ともよ）
東京大学大学院新領域創成科学研究科ハビタット・イノベーション研究社会連携講座 特任助教。博士（環境学）。専門は参加型デザイン、参加型センシング。（第4章、第7章、第8章および第14章）

唐沢　かおり（からさわ　かおり）
東京大学大学院人文社会系研究科社会文化研究専攻 教授。Ph.D.（Social Psychology）。専門は社会心理学、特に社会的認知過程や道徳的判断。（第5章）

渡部　俊也（わたなべ　としや）
東京大学執行役・副学長／未来ビジョン研究センター 副センター長・教授／工学系研究科技術経営戦略学専攻 教授。博士（工学）。専門は経営学。（第6章）

美馬　正司(みま　ただし)
株式会社日立コンサルティング パブリックデザインディビジョン ディレクター/慶應義塾大学政策・メディア研究科特任教授。専門はELSI、AI倫理、プライバシー等のガバナンスデザイン。(第6章および第12章)

鈴木　敬(すずき　けい)
株式会社日立製作所研究開発グループ脱炭素エネルギーイノベーションセンタ。博士(工学)。専門はビッグデータ解析とその活用、交通最適化など社会システム。(第8章)

田井　光春(たい　みつはる)
株式会社日立製作所研究開発グループサービスシステムイノベーションセンタ主任研究員。博士(工学)。専門は半導体デバイス作成技術。(第8章)

飯島　勝矢(いいじま　かつや)
東京大学高齢社会総合研究機構 機構長・教授/未来ビジョン研究センター教授。博士(医学)。専門は老年医学、老年学(ジェロントロジー:総合老年学)。(第12章)

直野　健(なおの　けん)
株式会社日立製作所研究開発グループデジタルサービスプラットフォームイノベーションセンタ 主管研究員。博士(工学)。専門は高性能計算、実世界データ解析。(第12章)

佐藤　嘉則(さとう　よしのり)
株式会社日立製作所研究開発グループデザインセンタ プロジェクトマネージャー。専門は社会システム、情報セキュリティ、機械学習。(第12章)

牧原　出(まきはら　いづる)
東京大学先端科学技術研究センター 政治行政システム分野 教授。博士(学術)。専門は行政学・公共政策論。(第13章)

吉本　尚起(よしもと　なおき)
株式会社日立製作所研究開発グループ脱炭素エネルギーイノベーションセンタ主任研究員。専門は環境機能材料、エネルギーマネジメント、再生可能エネルギーの建築設備応用。博士(工学)。技術士(化学、総合技術監理部門)。(第13章)

松岡 秀行(まつおか ひでゆき)
株式会社日立製作所研究開発グループ基礎研究センタ 技術顧問兼日立東大ラボ長。博士(理学)。専門は物理学。(第14章およびおわりに)

日立東大ラボ

東京大学と日立製作所により、東京大学内に2016年6月に設置。
従来の課題解決型産学連携から発想を転換し、企業と大学がお互いの強みを活かした「産学協創」スキームの下、日本政府が提唱する“Society 5.0”（超スマート社会）の実現に向け、ビジョンを創生・発信し、そのビジョンの実現に向けた社会課題解決に取り組むという新しい形の研究開発を推進している。

Society（ソサエティ）5.0のアーキテクチャ
人中心で持続可能なスマートシティのキーファクター

2023年12月22日　第1版第1刷発行

編著者	日立東大ラボ
発行者	國分 正哉
発　行	株式会社日経BP 日本経済新聞出版
発　売	株式会社日経BPマーケティング 〒105-8308　東京都港区虎ノ門4-3-12
ブックデザイン・DTP	中川 英祐（トリプルライン）
印刷・製本	シナノ印刷株式会社

ISBN 978-4-296-11563-1
Printed in Japan